Pierwszy cios trafia w kość policzkową bezdomne-
go już w chwili, gdy drzwi do piwnicy głucho się
zatrzaskują. Potem padają kolejne. Sypią się na niego
nieprzerwanie. Nie docierają tu ani światło dzienne,
ani żadne dźwięki z zewnątrz. Grupa młodych ludzi
coraz bardziej zacieśnia krąg wokół swojej ofiary. Dwie
mocne gołe żarówki na suficie ujawniają, że kaci noszą
kominiarki jak gangsterzy napadający na banki. Widać
tylko oczy.

Przerażony mężczyzna desperacko przyciska dłonie
do twarzy, na próżno usiłując ochronić się przed ciosami.
Odwraca się, zasłaniając się chudymi, pozbawionymi
mięśni przedramionami, ale dwaj zamaskowani pod-
chodzą do niego i wykręcają mu ręce na plecy. Mocny
kopniak trafia go w brzuch, paraliżując oddech, ciało
zgina się wpół.

Zamaskowane twarze nachylają się coraz niżej, przemoc staje się coraz gwałtowniejsza. Nikt nie reaguje

na to, że nieszczęśnik na podłodze nagle zamilkł. Słychać tylko cichy jęk, kiedy kolejne uderzenie butem trafia go w tył głowy.

Mężczyzna jest już nieprzytomny, gdy jeden z napastników sprawdza, czy jego ciało na pewno znajduje się w zasięgu kamer. Lekko kiwa głową w kierunku ciemnego kąta, z którego drugi osobnik w kominiarce wyciąga oklejoną taśmą metalową rurę. Podchodzi i staje tuż przy znieruchomiałej ofierze.

Zamaskowana grupa ustawia się w kręgu. Początkowo słychać jakieś ciche głosy, jednostajne mamrotanie, ale dźwięk stopniowo nabiera mocy, aż w końcu eksploduje i zmienia się w rytmiczne okrzyki radości, gdy metalowa pałka trafia mężczyznę w głowę i rozbija czaszkę.

Kolejne uderzenia, których nikt nie liczy. Wszyscy, bliscy ekstazy, koncentrują się na entuzjastycznych okrzykach bojowych. Krew rozlewa się na podłodze w coraz większą kałużę.

Nikt nie zauważa przybycia anioła śmierci, który unosi z sobą pozbawioną substancji duszę.

Kiedy film się kończy, wśród pięciu chłopców znieruchomiałych przy monitorze komputera na moment zapada kompletna cisza. U jednego nad górną wargą widać krople potu. Drugi tak mocno zaciska dłonie w pięści, że aż zbielały mu kłykcie. Trzeci otrząsa się i wstaje po naręcze butelek piwa schowane w dobrze zaopatrzonej lodówce.

Nikt się nie odzywa. Słychać tylko odskakujące kapsle. Nagle jednak zaczynają mówić, jeden przez drugiego, rozemocjonowani i przejęci. Napięcie spłukane mocnym trunkiem rozładowuje się gwałtownie jak seksualne podniecenie.

W ciągu wieczoru poziom oszołomienia brutalną przemocą podtrzymują kolejne odcinki Faces of Death, *w których na żywo zabijani są prawdziwi ludzie, ściągnięte na komputer w prymitywnym budynku klubowym. Następnego wieczoru w jednym z klubów żeglarskich kawałek dalej w porcie ma się odbyć prywatna impreza. Przyjęcie dla dzieci. Chłopcy podnieceni stukają się butelkami i piją.*

Nareszcie nadszedł weekend.

Nie mam za grosz szacunku dla ludzi, którzy nie potrafią walczyć ze stresem, ani dla mężczyzn, którzy biorą wolne, bo żona rodzi. Niech to będzie jasne, do cholery! I nic mnie nie obchodzą wymysły specjalistów od zasobów ludzkich! Jeśli komuś brakuje ochoty czy energii do wykonywania obowiązków w mojej grupie śledczej, to niech odejdzie. Jest mnóstwo chętnych na jego miejsce, ludzi, którzy wiedzą, czego od nich wymaga taka praca jak nasza!

Popołudniowe wrześniowe słońce pokazało, że oknom w Wydziale Zabójstw Komendy Miejskiej Policji w Kopenhadze przydałoby się porządne mycie. Szyby pokrywała błona brudu, do którego poprzylepiały się zdechłe owady i ptasie odchody.

Louise Rick na moment przymknęła oczy, słuchając grzmiącej przemowy komisarza kryminalnego. Wiedziała, że Willumsen wkrótce dotrze do swojego ulubionego zdania.

– Wydaje mi się, że mówiłem to już wcześniej – rozległo się wreszcie. – Kiedy się pracuje ze mną, to mówi się „tak", „nie" albo „pocałuj mnie w dupę". Domagam się jasnych komunikatów. To nie jest sanatorium dla ciężarnych zakonnic! Mamy w mieście wojnę gangów, strzelaninę na ulicach. Przecież wiecie, że nie dalej niż wczoraj wieczorem pewien mężczyzna, głowa rodziny, został zastrzelony w swoim domu na Amager. Mamy coraz więcej roboty, a brakuje nam ludzi. Grupa specjalna ściąga ich ze wszystkich wydziałów, co dla reszty oznacza kupę nadgodzin. Jeśli więc ktoś ma problemy w domu albo nie potrafi pogodzić obowiązków rodzinnych z pracą, to niech sobie poszuka posady w biurze! Taką decyzję, do jasnej cholery, dorośli ludzie chyba sami powinni umieć podjąć... – Zawiesił głos, po czym ciężko westchnął i otarł kącik ust.

Louise właściwie przyznawała mu rację. W tej kwestii nikt za nikogo nie zdecyduje. Popatrzyła na swoich kolegów. Toft wyglądał na dość zmęczonego, przyszło jej więc do głowy, że może trochę żałuje, iż przyjął propozycję powrotu do Wydziału Zabójstw. W wyniku reformy w policji półtora roku temu przeniesiono go do Komendy Rejonowej Bellahøj, ale później jego tamtejsze stanowisko znów zlikwidowano.

Michael Stig, demonstracyjnie odchyliwszy się na krześle, z półprzymkniętymi oczami wpatrywał się w brudne szyby. Wyraźnie irytowała go konieczność wysłuchiwania przemowy komisarza, której adresatem nie była w dodatku żadna z osób wezwanych przez

11

Willumsena do jego gabinetu w to późne piątkowe popołudnie.

Atak wściekłości komisarza wywołał partner Louise, Lars Jørgensen, który wcześniej tego dnia przyniósł zwolnienie, wstępnie na miesiąc. Według lekarza jego przewidywany długi okres nieobecności był spowodowany stresem, ale wtajemniczeni dobrze wiedzieli, że prawdziwą przyczyną był pogardliwy stosunek Willumsena do Larsa, którego porzuciła żona, pozostawiając go z ośmioletnimi bliźniętami i złamanym sercem. Przez półtora miesiąca, od czasu, gdy wyprowadziła się do siostry w Vangede, aby realizować się w innych dziedzinach, Lars starał się za wszelką cenę być w domu po powrocie dzieci ze świetlicy. Konsekwentnie odmawiał też wzięcia jakiejkolwiek dodatkowej pracy w weekendy, a Willumsen za każdym razem na niego psioczył.

Szef grupy śledczej zawsze zachowywał się arogancko, jakby mieszanie ludzi z błotem stanowiło dla niego szczególną formę stymulacji. Louise przypatrywała mu się ukradkiem. Dobiegał sześćdziesiątki, włosy wciąż miał czarne, a rysy twarzy ostre. Dobrze się trzymał, ale życie w ciągłym napięciu wyryło mu na czole dwie głębokie bruzdy, przez co jego twarz wyglądała ponuro.

Kilka dni wcześniej Louise, wróciwszy do swojego pokoju z lunchu, zastała Larsa Jørgensena siedzącego z twarzą ukrytą w dłoniach. W pierwszej chwili udawał, że nic się nie stało, jakby wcale nie przyłapała go na chwili słabości, ale po paru minutach kłopotliwego milczenia wstał i zamknął drzwi.

12

– Cholera, nie chodzi wcale o to, że on się na mnie uwziął! – powiedział, wracając na swoje miejsce. Oczy miał smutne, był blady i zmęczony. – Ale w obecnej sytuacji nie mogę w ogóle zagwarantować, że cokolwiek się zmieni. Żona może nigdy nie wrócić. Nie potrafię podać daty, od której znów będę mógł normalnie pracować.

Louise nie umiała nic na to odpowiedzieć. Zresztą niewiele było do powiedzenia. Lars patrzył na nią pustym wzrokiem, a ona świetnie zdawała sobie sprawę z tego, że jest co najmniej tak samo sfrustrowany tą sytuacją jak szef. Normalnie nie należał do osób, które wyłączają komputer o szesnastej, oświadczając, że muszą odebrać dzieci i zrobić zakupy. Ale wiedziała też, że nawet przez myśl mu nie przejdzie, by zrezygnować z kontaktów z dziećmi. Propozycja widywania się z nimi raz na dwa tygodnie absolutnie nie wchodziła w grę, dlatego podjął się pełnej opieki nad nimi, gdy jego żona ogłosiła, że musi spędzić trochę czasu w samotności, by przemyśleć swoje życie.

– A co z tobą, Rick? – podjął Willumsen tym samym tonem, wyrywając Louise z zamyślenia. – Ty też masz zamiar iść na zwolnienie?

Louise przez chwilę przyglądała się swojemu szefowi, rozważając, czy warto mu odpysknąć, ale w końcu tylko pokręciła głową. Już wcześniej od a do z omówili odpowiedzialność, jaką na siebie wzięła, podejmując się opieki nad dwunastoletnim chłopcem, lecz ani razu w ciągu miesięcy, które upłynęły od czasu, gdy Jonas Holm sprowadził się do jej mieszkania, Louise nie doświadczyła ze strony komisarza takiej napastliwości, na jaką narażony był Lars Jørgensen. Możliwe, że szef grupy śledczej był pod dużym wrażeniem tego, w jaki sposób chłopiec stał się sierotą. Ojciec zginął na jego oczach, zabity strzałem w tył głowy w rodzinnej posiadłości położonej w Szwecji. W każdym razie Willumsen często pytał o Jonasa, przynajmniej pozorując szczerą troskę.

– Czy możemy już zakończyć to zebranie i wracać do pracy? – Toft, wykorzystując chwilę ciszy, odsunął się z krzesłem od stołu. – Muszę przed weekendem przeprowadzić jeszcze jedno przesłuchanie.

Willumsen krótko skinął głową, ale zanim zdążyli wyjść na korytarz, wezwał ich z powrotem.

– Chodzi o tę wczorajszą strzelaninę na Amager, w willi na Dyvekes Allé – oznajmił, rozglądając się. – Trzeba przesłuchać podejrzanego, którego udało się zatrzymać. Ale niektórzy z tych rockersów tak się już wycwanili, że nie wystarcza im obrońca wyznaczony z urzędu. Biorą własnego adwokata. Facet siedzi teraz i czeka, aż jego papuga wróci ze sprawy na Jutlandii. Powinien tu być około osiemnastej. – Spojrzał na Louise. – Rick, zajmiesz się tym?

Louise przez chwilę stała do niego tyłem, ale w końcu się odwróciła.

– Niestety. Przepraszam, ale Jonas jutro wybiera się na przyjęcie klasowe, więc muszę już wracać do domu, żeby po drodze zrobić zakupy. Zobowiązałam się usmażyć klopsiki i dowieźć dodatkowe krzesła na tę imprezę. Dlatego czas mnie goni.

14

Wyszła, nie czekając na reakcję szefa, ale usłyszała jeszcze, że Michael Stig podjął się tego przesłuchania. Kolega dogonił ją na korytarzu. Louise przez moment sądziła, że będzie oczekiwał od niej podziękowań, ale on od razu spytał o przyjaciółkę Louise, Camillę Lind.

– Wyjechała?

– Tak, dziś rano odwiozłam ich na lotnisko. Najpierw mieli lecieć do Chicago, a stamtąd dalej do Seattle. Tam zostaną do środy, wypożyczą samochód i pojadą na południe wzdłuż zachodniego wybrzeża.

– Jak długo ich nie będzie?

Louise wciąż jeszcze nie przyzwyczaiła się do tego, że Michael Stig, z którym zawsze raczej miała na pieńku, nagle zaczął okazywać szczere zainteresowanie jej najbliższą przyjaciółką.

To się zaczęło w gospodarstwie Holma w Szwecji tamtego dnia, kiedy Jonas był świadkiem śmierci ojca. Michael Stig i Louise razem Camillą, jadąc jednym samochodem, dosłownie ścigali się ze śmiercią i wyścig ten przegrali. Od tamtej pory Michael Stig i Camilla utrzymywali kontakt. Kolega odwiedził ją nawet w szpitalu. Louise wciąż trudno było pojąć, dlaczego sprawa dwóch handlarzy żywym towarem z Europy Wschodniej musiała się skończyć tak tragicznie. Tamte przeżycia i w niej pozostawiły głębokie ślady. Nie uporała się jeszcze z przerażającym finałem sprawy. Camilla zaś w wyniku rozstroju psychicznego musiała iść na długi bezpłatny urlop.

– Dwa miesiące. Mają więc dużo czasu, żeby dojechać aż do San Diego – odparła. – Ale możesz napisać do niej

15

e-maila albo esemesa. Mówiła, że będzie się starała odbierać pocztę na bieżąco. Tak przynajmniej obiecywała. Nie zamierza natomiast tracić czasu na Facebooka.

Michael Stig pokiwał głową. Louise już miała odejść, ale kolega nie ruszał się z miejsca.

– Jak ona się czuje? – spytał wreszcie.

Louise po chwili namysłu zadecydowała się na prawdziwą wersję:

– Okropnie. Między nami mówiąc, uważam, że nie powinna zabierać Markusa w tak długą podróż. Psychicznie ciągle jest rozbita na atomy. Mam wrażenie, że widzi w tej wyprawie ratunek dla siebie, ale to, niestety, jest ucieczka, chociaż Camilla nazywa ją luksusem przebywania z własnym synem. W rzeczywistości próbuje odwrócić się plecami do tego, co się wydarzyło, i uniknąć konfrontacji ze wszystkimi i wszystkim, co może jej o tym przypominać, bo ciągle nie ma na to siły. Może lepiej byłoby poświęcić ten czas i te pieniądze na dobrego psychologa?

Louise miała na myśli sporą sumę, jaką Camilla pożyczyła od ojca na tak długą i daleką wyprawę.

– Ona obwinia się o wszystko, co się stało – dodała. – Dlatego nie może znieść ani siebie, ani życia w ogóle. – Zorientowała się, że przy ostatnim zdaniu jej głos zaczął lekko drżeć, i czym prędzej zmieniła temat: – A co z tą ofiarą strzelaniny z Amager? Przeżyje?

Michael Stig wzruszył ramionami.

– Jeśli nie, to Willumsen na pewno odezwie się do ciebie przed poniedziałkiem.

Wiesz, ile osób przyjdzie na tę imprezę?! – zawołała Louise do Jonasa, próbując obliczyć, czy trzy
kilo mielonego mięsa wystarczy na odpowiednią ilość
klopsików.

To był dla niej zupełnie nowy świat. Nigdy wcześniej
nie zajmowała się parówkami w cieście, minipizzami
i innymi prostymi przekąskami, nie miała więc pojęcia,
jakie ich ilości mogą pochłonąć szóstoklasiści, zwłaszcza
gdy w bufecie znajdą się jeszcze inne potrawy. Teraz więc
myślała z irytacją o tym, że w rozmowie z matką Signe
sama zaofiarowała się, że przyniesie klopsiki. Było to
w końcu prywatne przyjęcie pożegnalne, bo dziewczynka
zmieniała szkołę, a nie składkowa impreza klasowa. Nikt
więc nie oczekiwał jej pomocy.

– Mniej więcej dwadzieścioro pięcioro – odpowiedział
Jonas swoim zachrypniętym głosem, brzmiącym tak,
jakby był na skraju zapalenia gardła. W rzeczywistości
cierpiał na brodawczakowatość młodzieńczą krtani, jak

dowiedziała się Louise, objawiającą się drobnymi naroślami na strunach głosowych. Z wiekiem miały zniknąć, ale na razie skutkowały charakterystyczną chropowatością i szorstkością głosu. – Cała klasa. No i jeszcze kilka osób z tej szkoły muzycznej – dodał.

– A co z dorosłymi?

Louise stanęła w drzwiach pokoju niegdyś przeznaczonego dla gości, który teraz należał do Jonasa. Chłopiec leżał na łóżku i czytał. Ciemne włosy spadały mu na oczy. Zorientowała się, że trudno mu się oderwać od książki, ale grzecznie usiadł i popatrzył na nią z uwagą.

– Chyba będzie tylko mama Signe. Mam iść po mięso?

Louise poczuła ukłucie w piersi i szybko pokręciła głową. Niepewność kryła się u tego chłopca tuż pod powierzchnią. Wciąż zachowywał się uprzejmie jak dobrze wychowany chłopiec, który przyszedł tu tylko z wizytą. Gdyby naprawdę był jej synem, dalej leżałby z nosem w książce i nie pozwolił sobie przerwać. Ale tego chłopca tak bardzo skrzywdził los, że Louise na myśl o tym ciągle krwawiło serce.

Matka Jonasa cierpiała na wrodzoną chorobę krwi i umarła, kiedy miał cztery lata, a siedem lat później w tragicznych okolicznościach chłopiec stracił też ojca. Okazało się wówczas, że nie ma żadnej rodziny, dalekich krewnych czy bliskich przyjaciół. Louise znał bardzo krótko, ale kiedy sam wyraził chęć zamieszkania u niej, po gruntownym namyśle doszła do wniosku, że skoro według niego jest najbezpieczniejszą przystanią, to nie może go zawieść, przynajmniej do czasu, aż chłopiec nabierze choć trochę większego dystansu do traumatycznych przeżyć. Później będą musieli znaleźć trwalsze rozwiązanie. W tej chwili jednak to ona była jego zastępczą matką i musiała poświęcać wszystkie siły, by dobrze odegrać tę rolę.

– Powinniśmy już zawieźć te krzesła – stwierdziła, patrząc na zegarek.

Jonas natychmiast zamknął książkę i wstał.

Louise złożyła tylne siedzenia swojego starego saaba 9000 i wspólnymi siłami zdołali wcisnąć do bagażnika osiem składanych krzeseł i dwa stołki, które znalazła na strychu. Gdy minęli Svanemøllen, skręciła w Strandvænget i zaparkowała przed białą furtką prowadzącą do domu koleżanki Jonasa, na której wisiała skrzynka na listy z nazwiskiem Fasting-Thomsen.

– Signe napisała na Facebooku, że najpierw popływamy łódkami. Będzie super. – Jonas uśmiechnął się, patrząc na port Svanemøllen. – Dopiero potem mamy jeść i tańczyć.

W ogrodowej alejce unosił się zapach późnych róż. Jonas pobiegł przodem, Louise zaś na chwilę przystanęła, wsłuchana w dobiegającą z wnętrza domu muzykę klasyczną, którą było słychać aż na ganku, gdzie Jonas naciskał palcem dzwonek.

Drzwi otworzył ojciec Signe. Stał w płaszczu, ale z uśmiechem wyciągnął rękę i przedstawił się jako Ulrik. Kiedy weszli do przedpokoju, przeprosił za tak głośną muzykę i krzyknął do córki, żeby przyciszyła.

Louise spotykała Signe i jej matkę Britt jedynie wtedy, gdy Jonas przychodził do koleżanki po szkole i trzeba go było odebrać wieczorem. Wiedziała jednak dobrze, że Signe gra na wiolonczeli i ma wielki talent, podobnie jak matka pianistka, która wiele lat koncertowała z orkiestrą kameralną. Louise zorientowała się, Britt Fasting-Thomsen była zmuszona zrezygnować z kariery, gdy spadło na nią coś, co Jonas nazywał kurczem pisarskim. Teraz wykładała w konserwatorium.

– Signe wciąż bardzo przeżywa to, że się dostała do tej szkoły – wyjaśnił Ulrik Fasting-Thomsen. – Razem z matką przesłuchują wszystkie nasze płyty z muzyką klasyczną, a mamy ich wcale nie tak mało – dodał z uśmiechem, kręcąc głową.

Nie minął jeszcze tydzień od dnia, kiedy Jonas po powrocie do domu oznajmił, że Signe przyjęto do szkoły muzycznej imienia Świętej Anny. Już w trzeciej klasie zdawała egzamin, ale wtedy jej się nie powiodło, w następnych latach również. Dopiero teraz nareszcie jej się poszczęściło.

Louise z trudem ukrywała uśmiech, gdy Jonas jednym tchem z przejęciem relacjonował, jak do rodziców Signe nieoczekiwane zatelefonowano z tamtej szkoły z informacją, że zwolniło się miejsce.

– Ona jest naprawdę świetna! – twierdził. – I kiedy zacznie się tam uczyć, to na pewno zdobędzie sławę i będzie dużo koncertować. – Wbił oczy w Louise i zaczął opowiadać o pożegnalnej imprezie. – Ma się odbyć już w tę sobotę, żebyśmy mogli się pożegnać, zanim Signe przeniesie się do tej nowej szkoły. Zgodzisz się, żebym poszedł?

Wcześniej planowali na ten weekend wyjazd na wieś do rodziców Louise w Hvalsø, ale nie zamierzała się przy tym upierać. A dzień później zaofiarowała się, że przyniesie klopsiki.

– W ostatnim tygodniu tyle się działo – ciągnął Ulrik, przeczesując palcami ciemne, chociaż lekko siwiejące przy skroniach włosy. Coś w rysach jego twarzy kojarzyło się Louise z młodszym i nieco wyższym wydaniem Roberta de Niro. – Niestety, nie będę mógł uczestniczyć w jutrzejszej zabawie – powiedział z żalem. – Jestem doradcą inwestycyjnym i tak się składa, że moja firma w ten weekend organizuje seminarium dotyczące strategii, które zaczyna się już dzisiaj wieczorem w zamku Dragsholm w Odsherred.

Jonas grzecznie się przysłuchiwał, chociaż Louise widziała, że nie może się już doczekać, kiedy będzie mógł pobiec do Signe. Tymczasem ojciec dziewczynki dalej rozprawiał o tym, jak to prawie pół roku temu zaangażował stratega do spraw inwestycji, który miał przyjechać ze Szwajcarii na wykłady dla jego pracowników, więc przesunięcie zaplanowanego seminarium z tak krótkim wyprzedzeniem nie wchodziło w grę.

– Tacy ludzie mają z reguły zapisany kalendarz. Ale i tak pozwalam sobie na pominięcie powitalnej kolacji, żeby przewieźć to wszystko do klubu. – Wskazał na stosy obrusów i wypożyczonych naczyń ustawione na podłodze. – Britt twierdzi, że z resztą da sobie radę sama, i tak na pewno będzie, dobrze ją znam.

21

Uśmiechnął się i dodał, że mieli dużo szczęścia z wynajęciem sali imprezowej w klubie żeglarskim, bo przecież zgłosili się tak późno.

– Zbudowano ją całkiem niedawno i ciągle brakuje wyposażenia, ale stoły obiecali załatwić, a krzesła dowieziemy. Uważałem, że łatwiej byłoby urządzić to przyjęcie w domu, ale Signe nie chciała o tym słyszeć. Zaplanowała, że najpierw trochę pożeglują, a dopiero potem będą jeść i się bawić.

– Czy twoja żona organizuje również rejs? – spytała Louise z ciekawością, przypominając sobie drobną posturę Britt.

– Nie, nie – roześmiał się, kręcąc głową. – Porozumiałem się ze znajomym żeglarzem. On ma duży jacht. Nasza żaglówka jest wprawdzie całkiem spora, ale nie dałoby się na niej upchnąć dwadzieściorga pięciorga dzieci.

Z wnętrza wciąż dobiegała głośna muzyka klasyczna, a Jonas coraz bardziej zniecierpliwiony przestępował z nogi na nogę i zerkał w głąb domu.

– One są na pewno w kuchni. – Ulrik nareszcie zaprosił ich do środka. – Na pewno nie słyszały, że przyjechaliście.

Louise z zaciekawieniem rozglądała się po dużej jasnej jadalni z nowoczesnymi dziełami sztuki na ścianach i stołem tak długim, że przy jednym boku z łatwością zmieściłoby się dziesięć osób. Na dole były jeszcze dwa czy trzy pokoje wychodzące na ogród. W jednym stał prześliczny salonowy fortepian Britt, a za nim Louise dostrzegła wiolonczelę Signe.

Kuchnia miała rozmiar salonu Louise. Na pierwszy rzut oka wydawało się, że niewiele tu zmieniono, odkąd wybudowano dom, z wyjątkiem ekskluzywnej francuskiej kuchenki z dwoma piekarnikami stojącej pod jedną ze ścian. Pozostałe elementy wyposażenia zachowały pierwotny klasyczny styl lat dwudziestych, włącznie z wysokimi przeszklonymi drzwiczkami szafek kredensowych. Po bliższym przyjrzeniu okazywało się jednak, że wszystkie elementy kuchni starannie odtworzono właśnie w tym stylu.

– Cześć! – zawołała Signe z radością.

Uściskała Jonasa. Rude włosy opadły jej na twarz, a zielone oczy rozbłysły. Louise też doczekała się uścisku, chociaż w przelocie, bo dziewczynka zaraz pospieszyła do salonu ściszyć muzykę, żeby dało się rozmawiać, nie krzycząc.

– Mam wyładować krzesła tutaj czy zawieźć je bezpośrednio do klubu? – spytała Louise, kiedy Britt opłukała oklejone ciastem palce i mocno uścisnęła jej rękę.

– Nie, nie, nie będziemy cię tym trudzić – odpowiedział jej Ulrik. – Przecież i tak jadę tam z całą resztą rzeczy, więc mogę je później wrzucić do samochodu.

– Skoro i tak tam jedziesz, to równie dobrze mogę ci towarzyszyć. Nie trzeba będzie ich przekładać.

– Mogę w tym czasie zostać tutaj? – poprosił Jonas.

– Jeśli o mnie chodzi, to tak.

Louise spojrzała na Britt, jej pozostawiając decyzję.

– Oczywiście, że Jonas może zostać.

– Przyjadę po niego po wyładowaniu krzeseł.

23

Signe już ciągnęła Jonasa do swojego pokoju. Chciała, żeby razem wybrali płyty na zabawę.

– To raczej nie będzie muzyka klasyczna – stwierdziła jej matka, śledząc ich wzrokiem. – Signe słucha klasyki głównie w domu, kiedy może się na niej skoncentrować.

Do brązowych, przyciętych na pazia włosów Britt przyczepiła się grudka surowego ciasta, kiedy zakładała je za uszy. Irytująco przyciągała teraz do siebie spojrzenie Louise. Matka Signe była drobna i szczupła, elegancka, chociaż nie przesadnie, i biło od niej ciepło, kiedy mówiła o córce.

– Mam nadzieję, że odnajdzie się w tej nowej szkole – ciągnęła. – To naprawdę poważna decyzja, zwłaszcza kiedy lubi się swoją dawną szkołę i kolegów. Ale środowisko muzyczne u Świętej Anny jest zupełnie inne niż to, w którym Signe obraca się teraz. Tam może liczyć na gruntowną wiedzę o muzyce i nauczy się czytać nuty. Poza tym jest jeszcze chór, z którego tak bardzo się cieszy.

Louise pokiwała głową. Niewiele wiedziała o gimnazjum imienia Świętej Anny oprócz tego, że jest to szkoła dla dzieci szczególnie utalentowanych muzycznie. Prawdę mówiąc, w ogóle nie przypuszczała, że istnieje taka szkoła, w której oprócz nauczania zwykłych przedmiotów kładzie się tak duży nacisk na muzykę.

Britt zdmuchnęła dwie świece palące się na parapecie, zanim stearyna zaczęła kapać na ułożoną w szachownicę podłogę. Zajrzała do chlebów w piekarniku i przygotowała następną blachę z ciastem do wyrośnięcia.

– Na jutro zamówiłam sushi, a dla tych, którzy nie lubią takiego jedzenia, będą twoje klopsiki. Upiekę jeszcze udka kurczaka, no i domowej roboty chleb. Sądzisz, że to wystarczy?

Louise przepraszająco wzruszyła ramionami, przyznając, że ma raczej niewielkie doświadczenie w tej dziedzinie. Britt z uśmiechem pokręciła głową.

– Jonasowi chyba dobrze u ciebie. Bardzo się martwiliśmy, czy w ogóle zdoła się podnieść po tych tragicznych wydarzeniach. To wspaniały chłopiec, ale taki wrażliwy. Często do nas przychodził, bo lubią się z Signe, no i łączy ich też muzyka.

Louise pokiwała głową. Jonas od dziewiątego roku życia uczył się gry na gitarze, co prawda nie klasycznej i raczej nie zbliżał się do poziomu, który Signe osiągnęła na wiolonczeli, ale ona przecież zamiłowanie do muzyki wyssała z mlekiem matki. Od maleńkości towarzyszyła Britt, gdy ta koncertowała z orkiestrą.

– Naprawdę miło z twojej strony, że podjęłaś się zrobienia klopsików. Czuję, że powoli zaczynam to wszystko ogarniać. Napoje i sushi przywiozą bezpośrednio do klubu. Signe i ja będziemy miały dość czasu, żeby nakryć do stołu i przyozdobić salę. Poza tym będę mogła wszystko dopiąć, kiedy dzieciaki wypłyną w morze.

– Ja też się nie spóźnię z klopsikami – obiecała Louise i zapięła kurtkę, bo właśnie przyszedł Ulrik, oświadczając, że jest już gotów do drogi.

– Zresztą Jonas mógłby zostać u nas do jutra, jeśli się zgodzisz. Rano mógłby wrócić do domu czternastką

25

albo kolejką ze stacji Svanemøllen. Oczywiście, jeśli ma ochotę.

Louise nie namyślała się długo. Było dopiero trochę po siódmej, więc mogłaby jeszcze pojechać do Holbæk, jeżeli Kim nie miał innych planów. To była jedna z tych rzeczy, do których musiała się przyzwyczaić, odkąd „miała dziecko". Skończyły się wolne weekendy.

Wprawdzie Louise potrafiła tęsknić za kościstym kolegą z policji w Holbæk, nie posunęłaby się jednak do stwierdzenia, że są ze sobą w stałym związku. Kim określał ich relacje jako luźny romans na odległość, któremu usiłowali nadać bardziej stałe ramy. Ona natomiast poprzestawała na nazwie „seks bez zobowiązań" i nie ukrywała, że bardzo jej to odpowiada. Czasami jednak zdarzało jej się za nim zatęsknić i akurat w tej chwili miała wielką ochotę na takie spotkanie. Może nawet wystarczyłoby im czasu na krótki wypad kajakiem morskim, gdyby nie wstali za późno.

– Tak! – zawołała Signe, słysząc tę propozycję. Kiedy się uśmiechała, piegi tłoczyły jej się u nasady nosa. – Będziesz mi mógł pomóc w przygotowaniu wizytówek, Jonas! Przecież tak ładnie piszesz.

– Na pewno nie będą się nudzić – uśmiechnęła się Britt, odprowadzając Louise do drzwi.

Ulrik już załadował samochód.

– Signe dobrze zrobi skupienie się na czymś, bo jest tak radośnie podniecona, że mogłaby nie zasnąć.

Drzwi do stajni w bocznym skrzydle były otwarte. Kim miał tam swój warsztat. Louise podjechała pod dom i ruszyła przez podwórze. Pod nogami plątał jej się szorstkowłosy wyżeł.

– Halo! – zawołała, przekrzykując chrzęst żwiru pod stopami.

– Hej! – rozległo się z warsztatu i zaraz wyłonił się z niego Kim w dziurawych dżinsach i bluzie pobrudzonej na rękawie. – Przepraszam za ten strój – powiedział, wskazując na siebie. – Chciałem przygotować kajak na jutro. Już niedługo będzie za zimno na pływanie, dlatego na ten weekend umówiłem się z kilkoma osobami, bo zapowiada się znośna pogoda. Może wybierzesz się z nami?

Louise się uśmiechnęła. Już mu mówiła, że będzie musiała wracać do miasta przed południem.

Kim podszedł do niej i odgarnął z jej twarzy długie ciemne kręcone włosy. Objął ją mocno. Wyczuła silne mięśnie ramion i pleców, stanowiące dodatkową zaletę przy pływaniu kajakiem morskim. Pocałował ją, a Louise wsunęła mu ręce pod bluzę i dotknęła jego gołej skóry.

– Wchodzimy do środka czy wolisz, żebym cię rozebrała tutaj?

Odsunął się lekko i spojrzał w stronę warsztatu.

– Muszę uporać się z tym kajakiem – odparł, a Louise opuściła ręce. – Trochę za mocno rzuciłem nim o kamienistą plażę i kamyk wbił się pod płetwę mieczową. Kiedy próbowałem go wyciągnąć, linka puściła i teraz strasznie trudno nim sterować.

– A nie mógłbyś zrobić tego jutro, gdybyśmy wcześnie wstali? – zaproponowała, idąc za nim w stronę stajni.

– Wolałbym, żeby był gotowy już dzisiaj.

Podszedł do dwóch kozłów, na których umieścił kajak, wziął ze stołu śrubokręt gwiazdkowy i zaczął nim wiercić. Pies ułożył się w rogu, patrząc na Louise takim wzrokiem, jakby nie mógł zrozumieć, dlaczego nie podchodzi, żeby go pogłaskać.

– Może w tym czasie pójdziesz do domu i zrobisz kawę albo otworzysz butelkę wina – zaproponował Kim, uśmiechając się do niej. – A ja, skoro już wywindowałem kajak na kozły, to przy okazji trochę oszlifuję spód.

Louise westchnęła. Nie miała ochoty na kawę. Miała ochotę na Kima, a nie przewidziała, że będzie musiała ustawić się w kolejce za śrubokrętem i papierem ściernym.

Przecisnęła się obok kajaka, podchodząc do stołu warsztatowego, który stał pod ścianą i był jedynym miejscem w tym pomieszczeniu o jako tako uprzątniętej powierzchni.

– Przecież możesz wejść do domu.

Kim urwał kawałek papieru ściernego z rolki stojącej na stole.

– Ale ja przyjechałam tu po to, żeby być z tobą – odparła, siadając na stole.

– Bardzo się z tego cieszę. – Uśmiechnął się do niej, odsłaniając krzywą jedynkę, a Louise zrobiło się cieplej w środku. – Ale gdybyś zapowiedziała, że przyjedziesz, to uporałbym się z tym wcześniej.

Pokiwała głową. Nie miała co do tego wątpliwości. Kim zawsze bardzo o nią dbał. Ale kiedy na początku tygodnia spytał, czy zobaczą się w ten weekend, zaprzeczyła, bo przecież Jonas wybierał się na imprezę Signe. Nie powinna więc w zasadzie czynić mu wyrzutów o to, że chciał załatwić jakieś swoje sprawy, gdy mimo wszystko pojawiła się prawie bez uprzedzenia. Lecz i tak zirytowało ją to, że musi czekać.

Obserwowała, jak skoncentrowany szoruje papierem ściernym dno kajaka. Podciągnął rękawy. Widziała ścięgna i mięśnie poruszające się pod skórą za każdym razem, gdy wygładzał kolejną nierówność. Był tak dokładny, że aż ciarki przeszły jej od tego po plecach. Nagle przypomniała sobie, że kiedy miała siedemnaście czy osiemnaście lat, przyjaźniła się z grupką chłopaków, którzy lubili grzebać przy skuterach i motocyklach. Zaczęła chodzić z tym, którego rodzice byli właścicielami domu z warsztatem, więc jej suzuki było najczęściej

29

rozbieranym, składanym i podrasowywanym pojazdem w całej okolicy. I to przecież dzięki tamtemu chłopakowi już w wieku dziewiętnastu lat zrobiła prawo jazdy na motocykl.

Uśmiechnęła się do siebie, a Kim, zauważając to, popatrzył na nią pytająco. Pokręciła głową.

– Nie, to nic takiego.

– Właśnie, że tak. – Rzucił papier ścierny na podłogę.

– O czym myślałaś?

– Po prostu przypomniało mi się, że kiedy ktoś każe komuś czekać w warsztacie, cierpliwość zwykle się opłaca. W każdym razie kiedy ma się jakieś zamiary wobec osoby, na którą się czeka.

Kim lekko zdziwiony uniósł brew.

– Takie są twoje doświadczenia? – Popatrzył na nią z ciekawością.

Louise kiwnęła głową i uśmiechnęła się, kiedy do niej podszedł. Wytarł ręce o dżinsy, przyciągnął ją bliżej brzegu stołu i wsunął jej dłonie pod bluzkę. Potem nachylił się nad nią i łaskocząc ją w ucho oddechem, spytał szeptem:

– A może pójdziesz przygotować dla nas kawę po irlandzku?

Camilli zdrętwiały nogi. Koc zsunął się na podłogę, ale mała poduszeczka podtrzymywała kark. Stewardesy przechodziły przez pokład, zbierając od pasażerów dokumenty wjazdowe do Stanów Zjednoczonych. Monitor umieszczony na zagłówku przed nią informował, że do lądowania w Chicago została godzina i czternaście minut. Camilla nie cofnęła jeszcze zegarka o dziewięć godzin, nie chciała przeżywać ich wszystkich na nowo.

Markus siedział wpatrzony w film Disneya i przez całą podróż niewiele się odzywał. Jasne włosy sterczały mu na głowie, a miękkie dresowe spodnie ułożyły się w fałdy na jego wąskich biodrach. Siedział na podwiniętej nodze. Koc i poduszkę wsunął sobie za plecy i jego pozycja wyglądała na bardzo niewygodną, z łokciami opartymi o rozłożony stolik i dłońmi podtrzymującymi głowę. Camilla pogłaskała go po policzku, ale się odsunął. Nie chciał, żeby mu przeszkadzała, więc cofnęła rękę. Odkąd wymienili pożegnalne uściski z Louise przy schodach ruchomych w terminalu numer trzy, pojawiło się między nimi lekkie napięcie. Camilla próbowała o tym z nim rozmawiać, ale synek tylko wzruszył ramionami i odwrócił głowę.

Pomyślała, że może działa tak na niego niepewność, mglistość ich planów na najbliższe dwa miesiące, brak dokładnych ustaleń, na co poświęcą ten czas oprócz tego, że przejadą trasę, którą sami wyznaczyli na dużej mapie Stanów rozłożonej na stole w jadalni. Ale bardziej prawdopodobnym powodem przygnębienia chłopca był lęk przed tak długim rozstaniem z ojcem.

Camilla zgodziła się na to, by Markus cały tydzień przed wyjazdem spędził u Tobiasa. Chłopcu jednak było przykro z tego powodu, że to nie ojciec odwiózł ich na lotnisko, bo Tobias miał na ten poranek wyznaczone służbowe spotkanie na Fionii. Wpadł natomiast na bardzo zły pomysł zadzwonienia wieczorem przed ich wyjazdem i zapewnienia Markusa, że bardzo będzie za nim tęsknił, czym przyprawił synka o łzy. Markus kompletnie stracił ochotę na tę wyprawę. I jakby tego jeszcze nie było dość, Tobias obdarował go starannie opakowanymi prezentami, które podczas podróży samolotem miały być otwierane co sześćdziesiąt minut. A przecież dobrze wiedział, że co godzinę tęsknota chłopca będzie rozpalać się od nowa. W paczkach były między innymi komiks z Kaczorem Donaldem, karty do gry i torebka słodyczy Haribo.

Camilla odgarnęła jasne włosy do tyłu i zebrała je w koński ogon. Lekko obniżyła gumkę, żeby nie wciskała się w zagłówek. Próbowała czytać, ale musiała się poddać i schowała duńskie gazety do torby. Obok na ekranie pojawiły się napisy. Markus pokręcił głową, próbując wrócić do rzeczywistości, a kiedy przechodziła stewardesa z napojami, poprosił o sok. Przesunął poduszkę, koc zrzucił na podłogę, w końcu oparł się o Camillę, a głowę położył jej na ramieniu.

Przez chwilę tylko chłonęła jego bliskość, potem lekko się wyprostowała, żeby móc go objąć. Złożyła dzielący ich podłokietnik i przyciągnęła synka bliżej do siebie.

– Tak bardzo chciałem iść na tę imprezę Signe – szepnął.

Pozwolił nawet Camilli odgarnąć sobie włosy z czoła. Chyba smutno mu było rozstawać się też z kolegami. Sama przecież czuła ściskanie w gardle, kiedy żegnała się z Louise w hali odlotów. Aż trudno było sobie wyobrazić, że nie zobaczy jej tak długo.

Zamknęła oczy z zamiarem krótkiej drzemki przed lądowaniem. Potem czekało ich jeszcze przejście przez kontrolę, sprawdzanie odcisków palców i pieczątki.

U smażenie małych klopsików z takiej ilości mielonego mięsa zajęło więcej czasu, niż Louise się spodziewała. Została jej już tylko jedna porcja, kiedy zadzwonił Willumsen.

– Nie żyje – oświadczył komisarz i dopiero potem wyjaśnił, że chodzi o ofiarę strzelaniny na Amager zmarłą półtorej godziny temu. – Pojedziesz porozmawiać z wdową. Mają też maleńką córeczkę, ale na razie rodzina jest w Szpitalu Centralnym, więc musisz się wstrzymać z tą wizytą do wieczora. – Dodał jeszcze, że protokół z przesłuchania młodej żony Nicka Hartmanna spodziewa się zastać na biurku w niedzielę przed południem, bo zamierza wtedy przyjść do komendy. – Właśnie przeczytałem raport przesłany przez kolegów z komendy na Amager. To prawdziwy cud, że ani kobiecie, ani dziecku nic się nie stało w trakcie tej strzelaniny.

Ofiara została trafiona jedenaście razy, a wszystkie strzały oddano przez okna kuchni i salonu mieszkania położonego na parterze willi, stojącej na narożnej działce w jednej z popularnych dzielnic willowych za Amager-brogade. Louise słuchała, jednocześnie zdejmując klop-siki z ognia. Ciągle czuła w sobie noc, podczas której niewiele było snu, za to dużo seksu. Wczoraj zaczęła już tracić nadzieję i nabierać przekonania, że cały wie-czór spędzi na kanapie przed telewizorem, ale kiedy ko-ło pierwszej zaciągnęła wreszcie Kima do sypialni, ten wreszcie jakby się ocknął.

– Technicy znaleźli pociski z czterech rodzajów broni i dziury po kulach w ścianach i drewnie we wszystkich pomieszczeniach – ciągnął jej szef.

– Pojadę tam zaraz po odwiezieniu Jonasa na tę im-prezę.

Willumsen przyjął to z zadowoleniem.

– Po tej strzelaninie na ulice skierowano dodatkowe patrole – kontynuował. – Jeżeli to ma związek z wojną gangów, można się niebawem spodziewać odwetu.

– Denat był członkiem gangu? – spytała Louise, prze-kładając klopsiki z patelni na półmiski, które miała za-wieźć do klubu.

– Niewykluczone.

Narkotyki. Pieniądze. Władza i terytorium. Westchnę-ła i poprosiła o adres.

– Możesz go wziąć od Tofta, ale teraz, kiedy Lars Jørgensen siedzi w domu, musisz pojechać tam sama. My zajmiemy się tymi trzema już zatrzymanymi w sprawie.

Louise nic nie wiedziała o dalszych zatrzymaniach, ale przecież pierwsza zrobiła sobie weekend.

– Jak poszło to wczorajsze przesłuchanie? – spytała zaciekawiona.

Willumsen prychnął wściekły.

– Jak było do przewidzenia, facet nie chciał kompletnie nic powiedzieć. A adwokatka spóźniła się godzinę i w komendzie zjawiła się dopiero po siódmej. Musiała oczywiście porozmawiać z klientem i dopiero mogliśmy zacząć. Siedzieliśmy do północy i nic z tego nie przyszło – podsumował ze złością i dodał, że zaczął w końcu dostrzegać zalety tego, że rywalizujące ze sobą gangi powoli likwidują się nawzajem. – Niech się sami wytłuką, żebyśmy mieli trochę spokoju i nie tracili na nich energii.

Louise skręciła przy Svanemøllen i zjechała aż do portu. Kluby żeglarskie i sympatyczne bezpretensjonalne restauracje serwujące smażony boczek i marynarski gulasz stale przyciągały ludzi, chociaż wysoki sezon powoli się kończył. Już z daleka widać było zapraszająco ustawione wzdłuż całego pomostu lampiony, które prowadziły gości na niewielki taras. Pierwsi szóstoklasiści już się stawili.

– Na łódce dostaniemy powitalnego drinka – oznajmił Jonas ubrany w nową sportową bluzę marki Björkvin, z lekko wyżelowanymi włosami, żeby nie wpadały mu do oczu. – Po jedzeniu będziemy tańczyć, a potem otwiera się bar z koktajlami i innymi napojami.

Louise uśmiechnęła się do niego i zaparkowała na wolnym miejscu.

– Mam nadzieję, że bezalkoholowymi!

– A jak ci się wydaje? – Jonas lekko uniósł brwi.

Rozmawiała już o tym z Camillą i wiedziała, że alkohol wciąż jeszcze znajduje się poza kręgiem zainteresowań obu chłopców, więc o przebieg imprezy nie musiała się martwić.

W całym saabie pachniało klopsikami. Louise wzięła półmiski z tylnego siedzenia, na którym Jonas ustawił je i przyblokował jej sprzętem kajakowym. Z naczyniami w rękach poszli przywitać się z Signe i jej matką.

Signe miała na sobie fioletową sukienkę, jej długie rude włosy opadały miękkimi lokami, a zielony kolor oczu podkreślał leciutki makijaż. Britt była ubrana bardziej klasycznie, w elegancki jedwabny kostium z krótkim żakietem. Obie uściskały Louise i Jonasa, a potem matka Signe wskazała im krótki korytarzyk i poprosiła, by zanieśli półmiski do kuchni.

– No, to bawcie się dobrze – powiedziała Louise.

– Przyjadę po Jonasa o wpół do jedenastej.

– Mam nadzieję, że zostaniesz później na kieliszek wina. – Britt wyjaśniła, że rodzice uczniów często też spotykają się przy okazji zabaw dzieci. – Takie rozmowy są potrzebne do budowania klasowej wspólnoty.

Louise nie mogła temu zaprzeczyć, zapewniła więc, że przyjedzie i zostanie, chociaż wcześniej musi jeszcze trochę popracować.

Jonas już rozmawiał z jakimiś chłopcami, kiedy machała mu na pożegnanie. Nie było mowy o żadnych pożegnalnych uściskach na oczach kolegów. W ogóle starała się nie narzucać chłopcu ze swoimi pieszczotami, żeby nie naruszać jego intymności. Czasami sam wyciągał ręce i ją obejmował, kiedy indziej wyraźnie widziała, że nie życzy sobie bliskości.

Po drodze do samochodu z lekkim roztargnieniem witała się z kolejnymi dziećmi i ich rodzicami. Jej myśli już krążyły wokół Mie Hartmann, która niespełna trzy godziny temu siedziała przy mężu umierającym w wyniku ran postrzałowych.

Ciężko westchnęła i wpisała adres w GPS.

Willa stała na narożnej działce, odgrodzona ży-
wopłotem od ulicy, na której parkowały samochody. Na parterze, tam gdzie mieszkali Hartmannowie,
światło nie paliło się w przedpokoju ani w kuchni, ale
Louise wiedziała, że kobiety są w domu. Telefonowała
wcześniej, żeby ustalić, czy wizyta o siódmej nie będzie
zbyt wczesna, lecz matka Mie uważała, że o tej porze
powinny już wrócić ze szpitala. Zamierzała spakować
rzeczy i zabrać córkę z wnuczką do siebie.

Louise podeszła do domu i zobaczyła jednak, że
przez szarawą folię, którą zasłonięto ostrzelane okna,
dociera przebłysk światła. Nigdzie nie było już widać śladów techników policyjnych, chociaż opuścili to miejsce
całkiem niedawno. Wszystkie ślady już zabezpieczono
i usunięto policyjną taśmę.

Kiedy Louise zadzwoniła, drzwi otworzyła matka
Mie, kobieta w średnim wieku, z krótkimi jasnymi włosami. Pod oczami miała wyraźne cienie.

– Proszę wejść – powiedziała zmęczonym głosem, jakby ktoś odebrał jej wszelkie siły.

Odsunęła się na bok, zaczekała, aż Louise wejdzie, a potem sama zamknęła drzwi i założyła łańcuch.

– Po tym, co się stało, nie czujemy się tutaj zbyt swobodnie – wyjaśniła i zaprosiła Louise do środka. – Moja córka jest z malutką w sypialni.

Louise z kurtką przerzuconą przez ramię ruszyła za nią, mijając wieszaki z kurtkami i patynową szafę ubraniową, zajmującą gros miejsca w niewielkim przedpokoju. W nowoczesnej kuchni z wyspą na środku i dużym płaskim telewizorem na ścianie wyraźnie wyczuła chłodny powiew ciągnący z wybitych okien.

– Nigdzie indziej nie da się siedzieć. – Kobieta wskazała na odłamki szkła. – Towarzystwo ubezpieczeniowe obiecało przysłać jutro szklarza.

W pomieszczeniu będącym przedłużeniem salonu panował bałagan. Wyraźnie było widać, że opuszczono je w pośpiechu i nikt nie miał ochoty tu sprzątać.

– Nie zdążyłyśmy jeszcze nic zrobić w domu. Dopiero wróciłyśmy ze szpitala, a wcześniej była tu tylko policja – zaczęła się tłumaczyć matka Mie. – Córka też pojechała karetką do szpitala. – Na chwilę się zamyśliła. – To niepojęte, że coś takiego może komuś przyjść do głowy! Jak można ostrzeliwać dom, w którym mieszka cała rodzina?!

Dopiero teraz Louise zwróciła uwagę na panującą tu ciszę. Nie grało żadne radio, telewizor nie był włączony. Nie dochodził płacz niemowlęcia ani żadne odgłosy.

Dom nie wytwarzał żadnych dźwięków, jedynie zza plastiku rozpiętego w oknach docierał daleki uliczny szum.

– To naprawdę niepojęte! – powtórzyła kobieta. – Takie rzeczy zawsze dotykają innych! Musicie w końcu położyć kres wszystkim tym strzelaninom. Do tej pory człowiek bał się wyjść na ulicę, a teraz jeszcze nie może się czuć bezpieczny we własnym domu. No i w dodatku tyle jest tych włamań!

W wyziębionym salonie paliła się tylko jedna lampa stojąca w rogu od strony kuchni, ale w oświetlanej przez nią części pokoju ślady strzelaniny wyraźnie rzucały się w oczy. Poza tym na ścianach i futrynach widać było oznakowania techników, a także wiele narysowanych kredą kółeczek. Louise nie zdążyła ich wszystkich policzyć, bo matka Mie zaraz zaprowadziła ją do sypialni.

Prawie bezgłośnie zapukała do drzwi pokoju, w którym przebywała jej córka z maleńką wnuczką. Odczekawszy chwilę, otworzyła i zapowiedziała wejście policjantki.

– Malutka właśnie zasnęła – szepnęła starsza pani do Louise i przedstawiła ją córce siedzącej w wiklinowym fotelu z wysokim oparciem i zapatrzonej w drzewa w ogrodzie.

Sypialnia była jasna, przestronna, całą ścianę zajmowała w niej szafa z lustrami od podłogi do sufitu. Zasłony upięte w miękkie łuki za pomocą jedwabnych plecionych taśm były wykończone francuską koronką.

– Nie musisz szeptać. – Mie skinieniem głowy wskazała na łóżeczko ze szczebelkami stojące obok niezasłanego podwójnego łóżka. – Jej nie obudzi nasza rozmowa.

Louise wcześniej dowiedziała się z raportów, że Mie Hartmann ma dwadzieścia cztery lata, ale teraz wyglądała jeszcze młodziej. Długie jasne włosy opadały jej na plecy i sprawiała wrażenie będącej raczej w szoku niż w żałobie. Jej oczy przygasły. Była blada, tylko nos miała czerwony, jakby w ciągu ostatnich dwóch dni za często go wycierała.

Z dziecinnego łóżeczka dobiegł cichy dźwięk. Mie spojrzała w tamtą stronę, ale zaraz znów przeniosła wzrok za okno. Była ubrana w miękki welurowy kombinezon z kapturem, a obok na podłodze stała walizka Eastpak na kółkach, najwyraźniej w trakcie pakowania. Louise domyślała się, że tym akurat zajęła się matka dziewczyny, bo młoda wdowa nie miała raczej energii na nic poza siedzeniem w fotelu i wyglądaniem przez okno.

Louise podeszła do niej i podała jej rękę. W odpowiedzi doczekała się bezwolnego uścisku. Złożyła krótkie kondolencje i spytała, czy nie mogłyby przejść do salonu, żeby tam porozmawiać.

– Nie możemy zostać tutaj? – Mie Hartmann wskazała małżeńskie łóżko na znak, że policjantka może na nim usiąść.

Louise odsunęła więc część leżących na nim rzeczy i wyjęła notatnik. Zrozumiała, że dziewczyna woli unikać pomieszczenia, w którym śmiertelnie postrzelono jej męża.

– Jak pani sądzi, ilu ich było? – spytała.

– Po południu czy ten drugi raz wieczorem? – Mie wciąż nie odrywała oczu od ogrodu, jakby znajdowała się w zupełnie innej rzeczywistości.

– Nie wiedziałam, że przyszli dwa razy – zdziwiła się Louise. – Mówię o przedwczorajszym wieczorze, kiedy strzelano do pani męża. O czwartku dwudziestego piątego września. Zanotowałam, że do strzelaniny doszło o dwudziestej drugiej trzydzieści siedem.

– Wcześniej tego dnia też przyszli, ale w domu byłam tylko ja z psem. No i oczywiście Cecilie. – Kiwnęła głową w stronę łóżeczka.

– Dobrze, wobec tego zaczniemy od pierwszej wizyty – oświadczyła Louise. – Kto przyszedł po południu i mniej więcej o której?

– Nie wiem dokładnie, kto to był. W każdym razie to dwaj psychopaci, którzy mogą Bogu dziękować za to, że nie zastali Nicka, bo inaczej to on by ich zabił i nigdy by się to tak nie skończyło.

Tyle że wtedy jej mąż poszedłby siedzieć, pomyślała Louise. Tego jednak młoda kobieta najwyraźniej nie brała pod uwagę. Z jej twarzy nie dało się wyczytać żadnych uczuć. Sprawiała wrażenie kompletnie wyłączonej. Szok, w jakim się znajdowała, wciąż oddalał ją od rzeczywistości. Może i tak było dla niej lepiej.

– Zjawili się trochę po trzeciej. – Wreszcie popatrzyła na Louise. – Właśnie wróciłam ze sklepu i ze spaceru po okolicy z psem. Stałam w kuchni, rozbierałam Cecilie z ciepłego ubrania. Nie wiem, dlaczego pies nie zareagował, ale zaczął szczekać dopiero, kiedy stanęli tuż pod drzwiami.

Louise do tej pory nie zauważyła żadnego psa i teraz odruchowo zaczęła się rozglądać.

– Jedna z kul trafiła Zato, kiedy ci ludzie wrócili wieczorem – wyjaśniła stojąca w drzwiach matka.

– Nie usiądzie pani? – Louise wskazała drugą stronę łóżka.

Matka Mie przez chwilę się wahała, jakby nie chciała się mieszać, ale czuła, że może być potrzebna córce. W końcu zdecydowała się dołączyć do nich.

– Kula trafiła ją tuż za przednią łapą, umarła prawie natychmiast – ciągnęła Mie. Oczy jej się zaszkliły. – Nick akurat się odwrócił, żeby ją stamtąd zabrać, i sam został trafiony.

– Poszli sobie, kiedy im pani powiedziała, że Nicka nie ma? – Louise zdecydowała się wrócić do pierwszej wizyty.

Mie Hartmann pokręciła głową, a jej z ust wydobył się dziwny dźwięk, coś pośredniego między szlochem a śmiechem.

– Nie chciałam ich wpuścić, ale mnie odepchnęli i mimo wszystko weszli. Jeden zbliżył się do Zato, siłą otworzył jej pysk, łapiąc za szczęki, aż zaczęła piszczeć. Spytał wtedy, co to za śmieszny pies, któremu można wepchnąć rękę do pyska i nawet wtedy nie ugryzie.

– Odetchnęła głęboko, opanowując płacz. – Zato była pół labradorką, pół rotweilerką, ale nigdy nie zrobiłaby nikomu krzywdy.

44

Matka energicznym kiwnięciem głową potwierdziła słowa córki.

– Chodzili po całym domu, pokazywali palcem mnóstwo rzeczy, mówiąc, że Nick jest im to winien. Zachowywali się tak, jakby weszli do sklepu samoobsługowego. Mie Hartmann ciągle walczyła z płaczem.

– Pani mąż miał długi?

– Oni tak twierdzili, ale dlaczego miałby im być coś winien?

Zakręciła jasne włosy na palcu, patrząc na Louise, jakby już to jej spojrzenie miało przekonać policję, że ktoś popełnił błąd. Może pomylił jej męża z kimś innym.

Louise nie mogła się na to nabrać. Z informacji, którymi podzielił się z nią Toft, zanim zawiozła Jonasa na przyjęcie, wynikało, że Nick Hartmann z całą pewnością utrzymywał związki z kopenhaskim środowiskiem rockersów. Wielokrotnie widziano go w pobliżu ich głównej siedziby, a w wyniku jednego z nalotów znalazł się nawet wśród zatrzymanych. Istniało więc prawdopodobieństwo, że walczył po ich stronie, jeżeli był zaangażowany w tę wojnę gangów dzielącą miasto na rewiry. Akurat ostatnio terytoriom rockersów zagroziła banda z rejonu Folehaven w Valby i zachodnich okolic Kopenhagi, bardzo agresywna, usiłująca poszerzyć swój rewir w głąb miasta. Poza tym liczyli się jeszcze Chińczycy i mafia pakistańska, które coraz częściej i coraz brutalniej zaznaczały swój udział w walce o władzę nad centrum Kopenhagi i o duże pieniądze, jakie dało się zarobić na wszystkim, co miało związek ze zorganizowaną przestępczością. Nick Hartmann mógł zatem mieć wrogów w wielu obozach, ale po tamtym zatrzymaniu w twierdzy rockersów policja musiała go wypuścić. Nic na niego nie miała, a podczas przesłuchania zeznał, że przyszedł tam tylko z wizytą. Nie chciał jednak powiedzieć, kogo tam znał, i nie pisnął ani słowa o swoich powiązaniach z tym środowiskiem.

Właśnie dlatego Louise zignorowała spojrzenie Mie. Mogło być wiele powodów, dla których ci ludzie szukali Nicka Hartmanna, a ich kolejna wizyta skończyła się tak, jak się skończyła. Dotychczasowe śledztwo wskazywało na to, że sprawcami strzelaniny byli gangsterzy z Folehaven. Jeden ze świadków zauważył żółty samochód dostawczy parkujący na Englandsvej w czwartek późnym wieczorem, a bandyci z Folehaven byli przecież znani z korzystania ze starych samochodów, z których zrezygnowała poczta. Toft mówił jej, że policjanci z komendy na Amager dzień wcześniej przeszukali ich bazę. Zatrzymano znaczną ilość broni różnych marek i kalibrów, którą przewieziono na Slotsherrensvej, gdzie czekała na analizę i porównanie ze śladami zebranymi przez techników u Hartmannów.

Było też tych trzech siedzących w areszcie policyjnym. Louise wcale by nie zdziwiło, gdyby co najmniej jeden z nich przyznał się do winy przed końcem tygodnia. Głównie z uwagi na prestiż w grupie, lecz również ze względu na wzmocnienie sygnału wysłanego do rywali, jeśli rzeczywiście chodziło o ich zastraszenie.

– Naprawdę nie wiem, o co mogło im chodzić. – Mie

46

jakby odczytała myśli Louise. – Chcieli zabrać telewizor i sprzęt stereo, komputer i dwa obrazy, które wiszą w salonie. Zaglądali też do garażu, gdzie stoi mercedes Nicka i nasz letni samochód.

– Co to za auto? – spytała Louise, patrząc na nią.

– Bmw kabriolet. Nowiutki, ale używamy go tylko wtedy, kiedy świeci słońce.

– Zabrali coś?

Mie Hartmann pokręciła głową, a Louise wstała, prosząc, by pokazała jej przedmioty, które wskazali napastnicy. Młoda wdowa niechętnie się podniosła i poszła za nią.

Z powodu półmroku wcześniej uszło uwagi Louise, że w salonie pełno było drogiego sprzętu elektronicznego Bang & Olufsen, designerskich lamp marki PH i Verner Panton, zarówno wiszących, jak i stojących, a to, że obrazów nie kupiono w Ikei, mogła zauważyć nawet ona, chociaż nie znała się na sztuce. Widać było, że postanowiono tu zainwestować w coś, co nie będzie tracić na wartości.

Salon okazał się również o wiele większy, niż początkowo sądziła. Ciągnął się bowiem dalej pod kątem za narożnym kominkiem.

– Musieli uznać, że pani mąż był im naprawdę sporo winien, skoro chcieli wynieść z domu cenne rzeczy – stwierdziła, z wdzięcznością przyjmując filiżankę kawy z rąk matki Mie. Jeszcze raz powiodła wzrokiem dookoła. – A co zaszło, kiedy wrócili wieczorem? – spytała, patrząc na dziewczynę, która sztywno przycupnęła

47

na brzeżku kanapy. Siedziała całkiem nieruchomo, ale kamienna twarz powoli zaczęła się rozpadać i w końcu płacz wziął nad nią górę.

Z kuchni natychmiast przyszła matka z dzbankiem kawy i miseczką kruchych ciasteczek. Odstawiła to wszystko na stojący przy kanapie stolik i usiadła przy córce, żeby ją pocieszyć.

– Było chyba trochę po wpół do jedenastej, gdy znów się pojawili – zaczęła opowiadać Mie, kiedy wreszcie zapanowała nad łzami i wypiła łyk kawy nalanej przez matkę. – Leżałam już w łóżku w sypialni razem z Cecilie. Mała nareszcie zasnęła, a drzwi były otwarte, więc widziałam Nicka, który z tej kanapy oglądał telewizję. – Poklepała poduszki. – Niczego nie słyszeliśmy, dopóki kule nie zaczęły walić w okna. To brzmiało jak wybuchy. Nick pobiegł w stronę pralni, gdzie trzyma broń. – Z oczu znów polały jej się łzy i chyba nie zauważyła, że Louise zrobiła notatkę o broni trzymanej w domu. – Cecilie się obudziła i zaczęła płakać. Wzięłam ją na ręce i usiadłam na podłodze, żeby nas nie trafili, gdyby obeszli dom i zaczęli strzelać od tej strony.

Wskazała sypialnię, w której między łóżkiem a ścianami z obu stron było około metra i mimo nocnych szafek wciąż zostawało dość miejsca na to, by tam usiąść i mieć widok na salon.

– Musieli zauważyć, że on biegnie, bo nagle zaczęli strzelać też od strony kuchni. – Mie ściskała głowę w rękach, jakby przeżywała to wszystko od nowa i słyszała strzały. – Strzelali cały czas. – Zakołysała się w tył i w przód, nie odrywając rąk od uszu. – Miałam wrażenie, że atakuje nas oddział żołnierzy. Ciągle rozlegał się huk wystrzałów ze wszystkich stron, i tutaj, i w kuchni. Nie wiem, ilu ich było, ale na pewno więcej niż jeden. – Opuściła ręce na kolana, jakby strzelanina nagle ustała. – Nick chyba chciał przeskoczyć przez stół w jadalni, żeby się ukryć przy nas, ale tam leżała Zato i...

Louise jej nie pospieszała, czekała cierpliwie, aż młoda matka dojdzie do siebie i znów będzie mogła mówić, jednocześnie starając się zapamiętać wszystkie szczegóły salonu.

– Już wtedy, kiedy siedziałam na podłodze, zdążyłam zadzwonić na policję – podjęła Mie z płaczem. – Słyszeli strzały przez telefon.

To pasuje do wezwania o dwudziestej drugiej trzydzieści siedem, pomyślała Louise i kółeczkiem otoczyła cyfry oznaczające godzinę.

– Niedługo później rozległy się syreny, ale oni wtedy przestali już strzelać i chyba usłyszałam, jak odjeżdżają. W każdym razie dotarł do mnie odgłos zapalanego silnika i odjeżdżającego samochodu – poprawiła się. – Odważyłam się wstać dopiero, kiedy pojawili się policjanci. – Zasłoniła twarz rękami. – Nick leżał na podłodze. Gdybym wcześniej do niego podeszła, może mogłabym mu pomóc.

– Postąpiła pani słusznie, zajmując się córeczką – zapewniła Louise.

Chciała coś jeszcze dodać, ale w tej samej chwili zadzwoniła jej komórka. Kiedy wyjęła aparat, zobaczyła na wyświetlaczu, że to Jonas. Zerknęła na zegar wiszący na ścianie nad dużym telewizorem z płaskim ekranem marki B&O. Dopiero dochodziła dziewiąta, ale Louise już zdążyła się wystraszyć, że się spóźniła. Miała jednak jeszcze półtorej godziny. Spokojnie powiedziała więc „cześć", odwracając się lekko od Mie i jej matki. Ale głos Jonasa nie pozwolił jej na spokój:

– Musisz tu natychmiast przyjechać!

Głos chłopca brzmiał przenikliwie. Louise od razu zorientowała się, że Jonas się boi.

– Tutaj przyszły duże chłopaki. Chcą się wedrzeć na imprezę. Jeden wykręcił Lassemu rękę, a teraz dobierają się do prezentów Signe.

Louise usłyszała jakiś hałas i ostry krzyk:

– Zamknij się!

– Mama Signe mówi, żeby sobie poszli, ale oni nie chcą.

– Jonas, nie podchodź do nich! Staraj się ich nie prowokować i nic nie mów. Weź tylko kurtkę, a ja zaraz po ciebie przyjadę.

– Oni wszystko demolują! – Chłopiec był bliski płaczu.

– Jadę do ciebie!

Już stała z torebką na ramieniu. Hałasy w tle narastały. Usłyszała odgłos tłukącego się szkła i krzyk jakiejś dziewczynki.

– Zaczekaj, Jonas! Tylko się tu pożegnam.

Szybko wyjaśniła sytuację i zapisała sobie adres matki Mie, która mieszkała przy Damhusengen. Obiecała, że będzie informować o rozwoju śledztwa, i zapewniła, że Mie wraz z dzieckiem mogą opuścić dom, byle tylko policja wiedziała, gdzie ich szukać.

Matka dziewczyny odprowadziła ją przez kuchnię, a Louise, biegnąc do samochodu, słyszała, że starannie zamknęła za nią drzwi na klucz.

GPS napisał, że do celu ma jedenaście minut. Louise umieściła w uszach słuchawki od komórki i poprosiła Jonasa, żeby opowiedział, co się wydarzyło.

– Od samego początku, dobrze?

– Przyszli, kiedy tańczyliśmy. Skończyliśmy już jeść, a potem rozsunęliśmy stoły, żeby zrobić miejsce do tańca.

– Ilu ich jest? – spytała. – Są z waszej szkoły?

Wśród hałasów wychwytywała płacz dziewczynki, potem rozległ się huk, jakby czymś rzucono o ścianę.

– Czterech. Nie, pięciu. Nie znam ich. Wszystko demolują – powtórzył Jonas.

Głos miał dziwnie cienki, ale nie zdążył powiedzieć nic więcej, bo zagłuszył go głośny krzyk pełen strachu. Louise dodała gazu. Jechała szybko. Za szybko.

– Teraz dwaj weszli za bar. Chcą, żeby matka Signe dała im wódkę i piwo, ale my przecież nic takiego tu nie mamy!

Krzyki nabierały mocy. Louise wydało się, że wśród tych hałasów wychwytuje głos Britt.

– Jeden opróżnia szafki, wszystko wywala na podłogę! Oni myślą, że tam są papierosy! – Jonas na chwilę umilkł, ale zaraz relacjonował dalej: – Teraz jeden wziął torebkę Britt i zabiera jej portmonetkę.

– Dzwoniliście po policję?! – krzyknęła Louise, kiedy Jonas przestał się odzywać. Słychać było płacz kilku osób. Chłopiec nie odpowiedział, ale wśród szlochów dzieci Louise wychwyciła bardziej basowy śmiech.

– Jonas! – krzyknęła. – Co tam się dzieje?

– Dwóch wyciąga mamę Signe na zewnątrz – szepnął tak cicho, że ledwie go usłyszała. – Biją ją! – Teraz i on się rozpłakał.

– Spróbuj się stamtąd wydostać. Za chwilę będę.

Usłyszała, że chłopcu udało się wyjść na dwór. Ale słyszała też ciosy i krzyki przerażonych dzieci.

– Mama Signe leży na ziemi, ale oni ciągle ją biją!

Nagle przez hałasy przedarł się głos Signe:

– Przestańcie! Mówię wam, przestańcie! Idźcie sobie stąd! Zostawcie moją mamę!

W głosie dziewczynki było więcej złości niż lęku. Louise słyszała, jak rozpaczliwie Signe usiłuje przyjść na pomoc matce. Miała wrażenie, że dosłownie widzi rozgrywającą się tam scenę, wyczuwała lęk dzieci w ich głosach. Adrenalina strzeliła jej w żyły, lecz jednocześnie narastała bezsilność. Mocniej nadepnęła pedał gazu.

– Teraz jeden kopie mamę Signe w głowę – płakał Jonas do telefonu.

Signe przestała krzyczeć, do Louise docierały już tylko odgłosy ciosów i płacz.

– Zaraz wezwę policję. A wy postarajcie się ściągnąć więcej rodziców – poleciła stanowczo.

– Tamten drugi pobiegł za Signe – odpowiedział jej zrozpaczony Jonas.

Louise serce o mało nie wyskoczyło z piersi, kiedy kazała Jonasowi się rozłączyć, aby móc zadzwonić pod sto dwanaście. Gdy połączyła się z centralą alarmową, szybko opowiedziała o napaści i wyjaśniła, w którym miejscu portu Svanemøllen znajduje się klub żeglarski.

– Już wysłaliśmy tam patrole – odparł dyżurny.

– W ciągu ostatnich minut mieliśmy stamtąd pięć czy sześć zgłoszeń.

– Pod sam klub nie da się podjechać – tłumaczyła dalej Louise, z niecierpliwością czekając, aż zmieni się czerwone światło przy dworcu Svanemøllen. – Zostawcie samochody przy kapitanacie portu. Klub żeglarski mieści się na samym końcu falochronu – dodała jeszcze i rzuciła komórkę na siedzenie pasażera, bo wreszcie zapaliło się zielone.

Gnała przez ostatni krótki odcinek. W momencie, gdy dotarła do miejsca, w którym skręca ulica Strandvænget, zobaczyła stojący na środku jezdni samochód dostawczy. Miał włączone światła awaryjne i otwarte przednie drzwi z obu stron. Dwie osoby pochylały się nad postacią leżącą na jezdni.

Sama włączyła światła awaryjne, skręcając na ścieżkę rowerową, na której stanęła. Biegnąc na miejsce wypadku, z daleka słyszała zbliżające się syreny.

Został jej do pokonania już tylko niewielki kawałek, gdy dostrzegła fioletowy materiał sukienki i poczuła, jak opuszczają ją wszystkie siły. Chwilę później osunęła się na kolana przy nieruchomym ciele Signe i podniosła wzrok na mężczyznę będącego prawdopodobnie kierowcą furgonetki.

Miał około sześćdziesięciu lat i najwyraźniej był w szoku. Za nim jego żona kręciła się w kółko, zasłaniając twarz rękami.

– Już zadzwoniliśmy po karetkę – odezwał się mężczyzna.

Signe miała dużą ranę z tyłu głowy. Louise poczuła zupełną pustkę w środku.

– W ogóle jej nie zauważyłem – ciągnął mężczyzna. – Nagle zobaczyłem tylko błysk w ciemności i poczułem uderzenie.

Podjechał radiowóz, Louise szybko wstała. Przedstawiła się i skierowała policjantów dalej na parking przy pomoście prowadzącym do klubu. Kiedy zjawił się następny patrol, kazała im stanąć za saabem na ścieżce rowerowej i starała się jak najspokojniej wyjaśnić, że wie, kim jest ta dziewczynka.

– Ma na imię Signe. To ona razem z matką urządziła przyjęcie w klubie żeglarskim. Musicie skontaktować się z jej ojcem. Nazywa się Ulrik Fasting-Thomsen i aktualnie przebywa w zamku Dragsholm na seminarium firmowym. Ale nie znam jego numeru telefonu.

Kierowca furgonetki kucnął przy Signe. Dwoma palcami szukał pulsu na jej szyi.

Louise chciała jak najszybciej iść do Jonasa, mimo to podeszła do dziewczynki i uklękła przy starszym mężczyźnie. Nie widziała, czy Signe oddycha. Mrok kładł się na niej cieniem, chociaż jasna skóra wyraźnie odcinała się od asfaltu. Mężczyzna cofnął rękę. Na chwilę ukrył twarz w dłoniach, jakby chciał zapanować nad myślami.

– Żyje – oznajmił w końcu.

Mokrymi oczami spojrzał na Louise i wyjaśnił, że jest lekarzem prowadzącym prywatną praktykę w Søborg.

– Pomagaliśmy najmłodszej córce w przeprowadzce. Specjalnie wynajęliśmy ten samochód.

Louise nachyliła się nad Signe. Dziewczynka miała zamknięte oczy, a włosy zlepione krwią.

– Ma guzy po obu stronach głowy i krew jej leci z obojga uszu – ciągnął lekarz. – Obawiam się, że doznała poważnego urazu czaszki. – Wstrząśnięty pokręcił głową i z trudem wstał, by ustąpić miejsca ratownikom medycznym i przygotowanym już przez nich noszom.

– Musimy unieruchomić jej głowę – stwierdził jeden z nich i zawrócił do karetki po kołnierz. – Sprawa wygląda poważnie.

Żona lekarza usiadła na krawężniku, oplotła nogi rękami, a twarz ukryła na kolanach.

Signe przełożono na nosze i ratownicy ostrożnie powieźli ją w stronę karetki. Louise, nie przestając myśleć o Jonasie, puściła się biegiem w stronę klubu.

Przez telefon głos chłopca spowijała gruba warstwa strachu, a Louise przecież tak bardzo chciała ochronić go przed dalszym cierpieniem po tym, co już przeszedł. Serce ściskało jej się w piersi. Przed oczami cały czas miała gęstą grzywkę i ciemne, poważne oczy chłopca.

Biegnąc, czuła jednocześnie coś w rodzaju klaustrofobii, jakby powietrze zaciskało się wokół niej. Nagle ogarnęło ją wrażenie, że nie zniesie więcej nieszczęścia nacierającego ze wszystkich stron. Miała ochotę zawrócić i uciec, oddalić się od tego wszystkiego. Ale kiedy przecięła parking, kierując się wzdłuż falochronu w stronę mariny, jeszcze bardziej przyspieszyła.

Gdy dotarła do klubu, zobaczyła dwóch funkcjonariuszy pochylających się nad Britt, która leżała na płytach przy niewielkim tarasie. Z oka i kości policzkowych płynęła jej krew, cała prawa strona twarzy była jedną wielką otwartą raną. Policjanci próbowali ją uspokoić. Jeden usiłował przycisnąć do jej twarzy ściereczkę, aby powstrzymać krwawienie, ale Britt dalej usiłowała się podnieść.

– Gdzie Signe?! – krzyknęła, odrzucając ścierkę tak, aby móc obrócić głowę.

Pojawiła się kolejna karetka. Przenikliwe wycie syreny ucichło, gdy zatrzymała się przy ulicy, ale ostre niebieskie błyski dalej cięły wieczorny mrok i odbijały się w wodzie.

Louise znów się przedstawiła i wyjaśniła, że wie o imprezie urządzanej w lokalach klubu. Wtedy jeden z funkcjonariuszy wstał. Był młody i wydawał się niepewny, kiedy odciągał ją nieco na bok, tak by znaleźli się poza zasięgiem słuchu innych.

– Co wiesz o tym, co się tutaj wydarzyło? – spytał, wyjmując z kieszeni notatnik.

– Mój przybrany syn chodzi do klasy z dziewczynką, która zorganizowała tę imprezę – wyjaśniła Louise. – Zadzwonił do mnie jakieś dwadzieścia minut temu i powiedział, że zjawili się jacyś duzi chłopcy, którzy wdarli się do środka i nie chcieli wyjść. Kiedy Britt – skinieniem głowy wskazała kobietę leżącą na ziemi – kazała im się wynosić, dwóch ją zaatakowało. I z tego, co zrozumiałam, jeden z tej bandy pobiegł za jej córką Signe, kiedy chciała sprowadzić pomoc. Przyjechałam zaledwie chwilę przed wami, chyba bezpośrednio po wypadku.

58

Policjant, kiwając głową, zapisywał, a Louise niespokojnie patrzyła na drzwi prowadzące do sali imprezowej klubu. Do tej pory jeszcze nie widziała Jonasa i słuchała tylko jednym uchem, kiedy policjant tłumaczył, że trudno stwierdzić, co się tu właściwie wydarzyło.

– Niektóre dzieci mówią, że z zewnątrz przyszli jacyś duzi chłopcy, dwaj z nich rzucili się na matkę tej dziewczynki, natomiast koledzy próbowali ich powstrzymać. Inni twierdzą, że zaatakowała ją cała banda, która wdarła się na imprezę. Oczywiście kiedy przyjechaliśmy, dawno już wyparowali.

Louise dotknęła ręką jego ramienia.

– Omówimy to później – przerwała mu. – Teraz muszę znaleźć Jonasa.

Wzrok wciąż miała skierowany na klub, przed którym dzieci zbiły się w gromadkę. Niektóre płakały, inne stały nieruchomo, a jeszcze inne się obejmowały. Wyglądało to tak, jakby strach zarzucił na nich sieć. Nigdzie jednak nie mogła dostrzec Jonasa.

Panowała atmosfera chaosu, a kiedy zaczęła wypytywać o przybranego syna, okazało się, że nikt go nie widział. Szybko wbiegła więc do sali, wołając go po imieniu, ale w środku nikogo nie było, wszyscy wyszli na keję. Obiegła budynek i dopiero przy umocnieniach falochronu, daleko, dostrzegła Jonasa.

Zwolniła, próbując opanować panikę.

– To Signe została ranna na ulicy? – spytał głosem zachrypniętym od płaczu, gdy przy nim siadała.

Potwierdziła i mocno go objęła.

– Wybiegła prosto przed samochód – powiedziała cicho. – Kierowca nie miał szans zahamować.

Jonas siedział sztywny.

– Coś jej się stało?

Louise ciężko westchnęła.

– Tak – odparła w końcu. – Obawiam się, że została poważnie ranna.

Przytuliła go mocno. Jonas walczył z płaczem.

Na ulicy karetka ruszyła w stronę Szpitala Centralnego.

– Musimy przekazać policji, co widziałeś. To ważne. Muszą się dowiedzieć, że jeden z tych chłopaków pobiegł za Signe na ulicę.

Jonas kiwnął głową, otarł nos rękawem bluzy i wstał.

Taras i pomost wydawały się nagle za małe dla wszystkich policjantów, którzy się tu zjawili. Kiedy dotarli przed klub, Louise uspokajająco położyła Jonasowi rękę na ramieniu. Wyczuła, że chłopiec sztywnieje na widok matki Signe leżącej na ziemi i klęczącego przy niej policjanta.

Na pomoście, otoczona chaotycznymi głosami i szlochami, pomyślała, że tak musi chyba wyglądać sytuacja po katastrofie naturalnej. Wszystko się rozpadło, obróciło, ale na razie nikt nie umiał ocenić rozmiarów zniszczeń.

Dwaj umundurowani funkcjonariusze prosili dzieci, by weszły z powrotem do sali. Tych, którzy jeszcze nie skontaktowali się ze swoimi rodzicami, proszono, by do nich zadzwonili, aby był przy nich dorosły opiekun, kiedy policja zacznie spisywać nazwiska uczestników zabawy. Ten sam młody funkcjonariusz znów podszedł do Louise i skinieniem głowy wskazał na Britt.

– Na razie nie udało nam się uzyskać od niej żadnych rozsądnych informacji, ale głównie chodzi nam o to, żeby leżała spokojnie, dopóki nie przyjadą ratownicy. Dzieci potwierdzają, że napastnicy bili ją i kopali po głowie. Niedobrze to wygląda, zwłaszcza prawe oko i policzek. Możliwe, że pękła jej czaszka albo ma wstrząs mózgu.

– Signe! – krzyknęła matka dziewczynki, znów próbując wstać. – Pomóżcie mi!

– Wiesz, jak ta kobieta się nazywa? – spytał funkcjonariusz.

Louise lekko zwilżyła wargi.

– Nazywa się Britt Fasting-Thomsen. Mieszkają na Strandvænget – wyjaśniła, oddychając głęboko. – To była impreza zorganizowana dla uczniów z klasy jej córki i kilkorga dzieci ze szkoły muzycznej. Chodzą do szóstej klasy.

Policjant słuchał, cały czas zerkając na Britt, której udało się teraz unieść na łokciu.

– Nikt mi nie powie, co się stało z moją córką? – jęknęła. – Gdzie ona jest? Dlaczego nikt nie chce mi nic powiedzieć?

Za budynkiem kapitanatu Louise dostrzegła światła kolejnej karetki. Przyjechała bez sygnału i skręciła za drzewa na parking. Chwilę później dwaj ratownicy przyprowadzili nosze po nierównym drewnianym pomoście, a za nimi zaczęli się pojawiać przerażeni rodzice.

– Dlaczego nie powiecie jej, że córka miała wypadek i została zabrana do szpitala? – spytała Louise ze złością. – Przecież ona ma prawo do informacji!

Młody funkcjonariusz unikał jej spojrzenia. Najwyraźniej uważał, że Britt nie powinna się o tym dowiedzieć, dopóki sama nie znajdzie się w szpitalu.

– Nie ma powodu, żeby jej o tym mówić, dopóki nie będziemy wiedzieli, jak ciężko dziewczynka jest ranna.

– Nie ma powodu?! – wykrzyknęła Louise urażona.

– Przecież i tak się o tym dowie – bronił się policjant. – Musieliśmy skupić się na ustaleniu, co się tu działo, zanim doszło do wypadku.

– Co ty sobie, u diabła, wyobrażasz? Ona ma nie wiedzieć o tym, że życie jej córki może być zagrożone?

– Chyba dobrze by było, gdyby nam się udało znaleźć tych, którzy sprowokowali tę rozróbę, prawda?

Louise miała ochotę go uderzyć. Dwunastoletnią dziewczynkę nieprzytomną zabrano do szpitala, a ten idiota mówi o rozróbie. Wprawdzie to nie Louise prowadziła tę sprawę, ale postanowiła powiedzieć Britt prawdę.

– Przyjechałam tuż po wypadku – zaczęła, delikatnie głaszcząc nieszczęsną matkę po grzbiecie ręki.

Ratownicy już postawili nosze na ziemi i szykowali się do przełożenia na nie Britt.

– Dlaczego nikt mi nic nie powiedział, żebym mogła być przy niej?! – zawołała Britt z płaczem do stojącego obok niej policjanta z notesem.

– Britt! – Louise próbowała trochę ją uspokoić. – Nic

ci nie powiedzieli, bo sama jesteś ranna. Coś złego stało się z twoim okiem. A poza tym możesz mieć wstrząs mózgu albo jakieś wewnętrzne obrażenia głowy. Starali się myśleć o twoim zdrowiu. Kiedy dotrzesz do szpitala i lekarz cię zbada, dowiesz się, gdzie jest Signe i jak się czuje. Ale teraz najważniejsze jest, żebyś sama tam pojechała.

Dała znak ratownikom, że mogą zabrać Britt.

– A może ty byś z nią pojechała? – zaproponował policjant z patrolu.

Louise pokręciła głową.

– Mój przybrany syn na mnie czeka – wyjaśniła, wskazując oświetloną salę. – Skontaktowaliście się już z Ulrikiem Fastingiem-Thomsenem?

Pokręcił głową.

– Jeszcze nie. Ma wyłączoną komórkę.

– No to próbujcie dodzwonić się do recepcji albo do restauracji, muszą go znaleźć – oświadczyła zirytowana tym, że policjant sam tego nie wymyślił.

Funkcjonariusz odwrócił się, ale idąc za ratownikami w stronę karetki, trzymał komórkę przy uchu.

W sali napoje i miseczki ze słodyczami wciąż stały na tych stołach, które nie zostały przewrócone. Muzyka przestała grać, chociaż sprzęt stereo był włączony. Świeciły się też lampki w kształcie serduszek, których sznurki zawieszono wzdłuż baru. Poza tym panował totalny chaos. Podłogę pokrywało szkło z rozbitych butelek i szklanek. Dzieci płakały. Inne stały jak skamieniałe, pustym wzrokiem obserwując tę scenę. Niektóre dziewczynki się obejmowały, ale chłopcy zamknęli się w sobie i wyglądali na młodszych niż wtedy, gdy schodzili się na imprezę. Jonas usiadł na krześle pod ścianą i zatrzymał obok wolne miejsce dla Louise. Jeden z umundurowanych policjantów głośno chrząknął i zaczął mówić:

– Niestety, muszę was poinformować, że przed chwilą doszło do tragicznego wypadku. Kiedy Signe stąd wybiegła, wpadła wprost pod nadjeżdżający samochód. Kierowca nie miał szans, żeby ją ominąć.

Zapadła cisza jak makiem zasiał, można by w niej usłyszeć upadającą na podłogę szpilkę.

– Chcielibyśmy spytać, czy któreś z was zna tych chłopaków, którzy wdarli się na imprezę.

Ale nikt ich wcześniej nie widział.

– Nie znacie ich ani ze szkoły, ani z klubu? – pytał policjant.

Znów pokręcono głowami, chociaż niektórzy rodzice jeszcze szeptem próbowali się upewniać. Zapłakane dzieci, wciąż blade i przerażone, tuliły się do starszych. Inne siedziały nieruchomo w głębokim szoku.

– Nie bójcie się mówić – próbował zachęcać któryś z ojców.

Wymagał jednak chyba za dużo, skoro przed chwilą dwie osoby odwieziono do szpitala i wszystkich zdjął lęk, pomyślała Louise.

– Jeśli mamy mieć szansę na znalezienie tego, który wybiegł za Signe, musicie nam opisać, jak wyglądał. Jak oni wszyscy wyglądali – dodał drugi z policjantów pouczającym tonem.

Szybko okazało się, że żadne z dzieci nie zapamiętało dokładnie wyglądu tamtych. Dobrze pamiętały początek imprezy, rejs żaglówkami, górę sushi i klopsiki Louise. Opowiadały też, jak pomagały Britt sprzątać ze stołów i wynosić jedzenie do kuchni, i że właśnie włączyły muzykę, kiedy zjawili się tamci. Dalszy przebieg wydarzeń spowiła gęsta mgła, w której żadne z dzieci nie potrafiło odnaleźć drogi. Nikt też nie potrafił z całą pewnością stwierdzić, czy rzeczywiście widział, jak jeden z napastników wybiega za Signe, czy też tylko tak im się wydawało, bo Jonas tak mówił. On natomiast twierdził z pełnym przekonaniem, że tylko jeden z tamtych chłopaków ścigał dziewczynkę. Wysoki, z włosami związanymi w koński ogon.

– Miał czarne włosy i czarne ubranie. Ale był w białych tenisówkach – wyjaśnił, kiedy policjant poprosił go o rysopis. – Zapamiętałem te buty, bo widziałem, jak znikają w ciemności. Signe wybiegła, kiedy tamci dwaj zaczęli kopać jej mamę. Najpierw krzyczała, żeby przestali, ale oni nie słuchali. Chciała wezwać pomoc i ten z końskim ogonem za nią pobiegł. Na pewno się przestraszyła i próbowała przed nim uciekać.

– Pamiętasz, jak wyglądali pozostali?

– Już bardziej zwyczajnie.

– Dwaj mieli wielkie tatuaże wychodzące aż na szyje – odezwał się chłopiec siedzący przy drzwiach.

– Tak. Jeden tatuaż zachodził aż na bok szyi. – Jonas pokazał ręką. – Ten drugi miał duży rysunek na karku, znikający pod włosami. To on kopał mamę Signe w głowę.

Policjanci rozglądali się, sprawdzając, czy ktoś ma jeszcze coś do dodania. Potem poprosili, by wszyscy przed opuszczeniem klubu podali swoje nazwiska, adresy i numery telefonów. Większość dzieci siedziała blada i cicha, natomiast rodzice gwałtownie wyrażali oburzenie tym, że do tak brutalnego napadu w ogóle mogło dojść na zabawie dla szóstoklasistów.

– I jeszcze jedno! – zawołał młody funkcjonariusz, gdy podniecone głosy podnosiły się coraz bardziej.

– Wezwaliśmy dwóch psychologów ze Szpitala Centralnego i zalecałbym państwu rozmowę z nimi przed powrotem do domu. Na pewno przyda się to wszystkim po tym, co tu dzisiaj zaszło. Można się też będzie umówić na dalsze spotkania.

Głównie matki z wdzięcznością pokiwały głowami i zaczęły szykować się do skorzystania z tej możliwości. Obecni tu ojcowie dalej dyskutowali o tym, jak to możliwe, że chuligani w ogóle wpadli na pomysł napaści na kobietę na oczach dzieci. Rodzice utworzyli grupki, zostawiając dzieci same sobie, chociaż po ich minach można było sądzić, że chciałyby już wrócić do domów.

Louise usłyszała, że dwie matki rozmawiają o zamknięciu sali. Miały zamiar wrócić tu nazajutrz, żeby posprzątać, wcześniej ustalając to z Ulrikiem.

Skierowała się do drzwi. Nikogo tu za dobrze nie znała. Nagle przypomniało jej się zaproszenie Britt na kieliszek wina z rodzicami, którzy mieli przyjechać po dzieci. Przecież planowały to tak niedawno.

Postała chwilę w ciemności na falochronie, chłonąc świeże powietrze i obserwując kołyszące się na wodzie żaglówki. Poświata z okien klubu padała na wodę. Zdecydowała, że musi przyspieszyć spotkanie Jonasa z Jakobsenem, psychologiem współpracującym z Wydziałem Zabójstw. Od śmierci ojca chłopiec chodził do niego regularnie na konsultacje.

– Mogę pojechać do Lassego? – spytał nagle Jonas, podchodząc do niej po ciemku.

Louise popatrzyła zaskoczona.

– Jesteś pewien, że nie wolałbyś, abyśmy we dwoje wrócili do domu i porozmawiali o tym, co tu przeżyłeś?

Szybko pokręcił głową.

– Wolałbym iść do niego, bo wtedy ty będziesz mogła pojechać do szpitala i dowiedzieć się, jak się czuje Signe i jej mama – wyjaśnił. – Przecież nikogo przy nich nie ma.

– Ale tutaj są osoby, które znają je o wiele lepiej niż ja.

– No tak, ale one nie pracują w policji – podkreślił chłopiec. – Więc nie dowiedzą się wszystkiego tak dobrze jak ty.

Louise przez chwilę się zastanawiała. W końcu objęła chłopca i odwróciła go tak, by stali naprzeciwko siebie.

– Jonas – powiedziała cicho. – Signe była nieprzytomna, kiedy zabierała ją karetka. Musisz się przygotować na to, że mogło się stać coś bardzo poważnego. Dlatego uważam, że lepiej byłoby, gdybyśmy wrócili do domu razem.

Ale Jonas już wiedział, że sytuacja jest poważna. Widziała to w jego oczach.

– I tak tam pojedź – poprosił. – Przecież ty się na tym znasz. Poza tym cię wpuszczą i będziesz mogła tam zostać, dopóki nie przyjedzie jej ojciec.

Poczuła, że chłopiec walczy z płaczem. Zaraz zresztą podszedł Lasse i spytał, czy Jonas może do niego jechać. Jonas natychmiast kiwnął głową, ale Louise wstrzymała się z odpowiedzią, dopóki nie podszedł ojciec kolegi, by mogła spytać, czy akceptuje ten pomysł.

– Rozumiem pani niepokój, ale moja żona jest

psychologiem i postara się porozmawiać z chłopcami, zanim pójdą spać.

– No dobrze – westchnęła Louise. – Wobec tego pojadę do szpitala i zostanę tam, dopóki nie przyjedzie Ulrik. Komórkę będę miała włączoną, więc proszę dzwonić, gdyby coś się działo lub gdybym miała przyjechać po Jonasa.

– Co to za ludzie, którzy potrafią zrobić coś takiego? – rzucił jeszcze ojciec Lassego ze smutkiem, kręcąc głową, kiedy szli przez pomost.

Na parkingu Louise mocno uściskała Jonasa. Obiecał zadzwonić, jeśli mimo wszystko będzie chciał wrócić do domu.

– Ty też zadzwonisz, kiedy się czegoś dowiesz, prawda? – popatrzył na nią wymownie. – Nawet jeśli będę spał.

Pogładziła go po włosach.

– Oczywiście, zadzwonię. Ale nie jest wcale pewne, czy dowiem się czegoś już dziś wieczorem, więc niepotrzebnie nie czuwaj.

W pokoju hotelowym było ciemno i zimno. Szumiała klimatyzacja. Camilla zaklęła w duchu, bo w otumanieniu zapomniała ją wyłączyć, zanim oboje z Markusem padli zmęczeni na łóżka. Kiedy wreszcie mogła położyć głowę na poduszce w hotelu w Seattle, nie spała od blisko trzydziestu sześciu godzin i z trudem mogła sobie przypomnieć, jak się nazywa, gdy recepcjonistka poprosiła ją o podanie nazwiska.

Poleżała chwilę z zamkniętymi oczami. Czuła drapanie w gardle przy przełykaniu śliny, a nos miała zupełnie zatkany. W łóżku przy oknie, zasłoniętym teraz ciężkimi storami, Markus leciutko pochrapywał z otwartymi ustami. Na myśl o nim od razu zrobiło jej się cieplej na sercu, ale resztę ciała miała wychłodzoną i zmęczoną, jakby niepostrzeżenie podkradła się do niej grypa i próbowała zaatakować wszystkie mięśnie.

Jej dwunastoletni syn bardzo dzielnie się spisywał podczas całej podróży. Smutek i bunt zniknęły. Nawet w chwili, gdy Camilla straciła już resztki cierpliwości, słysząc podawaną przez głośnik na lotnisku w Chicago informację, że samolot do Seattle jest opóźniony o dwie godziny, on zachował spokój. A przecież mieli za sobą już trzy godziny czekania! Camilla natychmiast zerwała się na równe nogi, by szukać kogoś, komu będzie mogła złożyć skargę, ale Markus złapał ją za rękę i spytał, czy nie mogliby po prostu zagrać w karty. Zanurkował do torby i pogrzebawszy wśród książek, pustych opakowań po cukierkach i komiksów, które dostał od ojca, wyciągnął talię kart i kolejną porcję słodyczy, a potem przyniósł dodatkowe krzesło mogące służyć za stolik.

Camilla, pieniąc się z wściekłości i wycieńczenia, pozwoliła się posadzić. Markus potasował karty i spytał, kto będzie rozdawał. Kolejne godziny spędzili na grze w remika, objadając się słodyczami, w które Tobias zaopatrzył synka.

Camilla leżała wpatrzona w sufit. Im większe zmęczenie podróżą odczuwała, tym większe ogarniały ją wątpliwości co do tego wyjazdu. Nie miała przecież żadnego planu oprócz wypożyczenia samochodu, no i biletu powrotnego z Los Angeles pod koniec listopada.

Dwa miesiące w samotności to długo, może nawet za długo zarówno dla niej, jak i dla Markusa. Jednocześnie czuła ulgę na myśl, że oderwała się od wszystkiego. Od zatroskanych min i życzliwych słów, nieustannie przypominających jej, że jest na skraju załamania. Tak jakby sama o tym nie pamiętała.

71

Ostatni okres był prawdziwym piekłem. Pragnęła jedynie, by jej stan nie odbił się na synu, lecz ponieważ to właśnie jego głównie dotykało jej załamanie, decyzja stała się o wiele łatwiejsza. W zasadzie nie miała innego wyjścia. Wiedziała, że musi zrobić krok w przepaść, aby móc dalej żyć i nabrać dystansu do śmierci Kaja Antonsena, pijaczyny z Halmtorvet, do której pośrednio się przyczyniła.

Głównie to właśnie poczucie winy dręczyło ją jak złośliwy wirus, chociaż Kaja znała w sumie niecałą dobę. Ale mocno zapadł jej w pamięć. Zwyczajnie polubiła go i wybrane przez niego wygnanie w świat alkoholu z muzyką Johnny'ego Casha płynącą z głośnika. Czuła pokusę pójścia w jego ślady, ale dobrze wiedziała, że ta droga ucieczki nie jest dla niej dobra. Myślami często wracała również do kościoła Stenhøj i tragicznej śmierci Henrika Holma. Wtedy przez cały czas była o dwa kroki z tyłu, dlatego teraz wyrzuty sumienia nie dawały jej spokoju za każdym razem, gdy brakowało jej sił, by walczyć z myślami i emocjami.

Jej matka natychmiast przyjechała z Jutlandii, gdy psycholog ze Szpitala Centralnego zdecydował o przeniesieniu Camilli na otwarty oddział psychiatryczny, którego był ordynatorem. Spędziła tam miesiąc, kiedy wreszcie uznał, że można ją wypisać, i to tylko po uzyskaniu od jej matki przyrzeczenia, że zostanie u córki i zajmie się wnukiem przez następne dwa tygodnie. Później miały w spokoju zdecydować, czy Camilla ma dość sił i energii, by mieszkać sama z synkiem.

Kiedy wróciła do domu, zasypały ją e-maile, esemesy i pozdrowienia na Facebooku. O mało wtedy nie zrobiło jej się słabo. Nawet przez moment nie miała możliwości nabrania bodaj odrobiny dystansu do swojego załamania. Szef jej redakcji Terkel Høyer pracowicie słał jej staroświeckie listy, mając świadomość, że ruszenie się do kosza na śmieci wymaga więcej wysiłku od kliknięcia „usuń". Camilla wiedziała, że nie chciał źle. Prawdę mówiąc, to właśnie on zaproponował, by na trochę wyjechała, chociaż prawdopodobnie wyobrażał sobie, że będzie to tydzień, najwyżej dwa. Ale propozycja zapadła jej w pamięć i pewnego ranka po nocy spędzonej podobnie jak teraz z oczami wbitymi w sufit i rękami pod głową uzgodniła ze sobą, że naprawdę powinna wyjechać, jeśli nie chce przy upadku pociągnąć za sobą Markusa.

Wyjęła z walizki grubą bluzę, potem podeszła do okna i lekko odchyliła zasłony. W ciemność pokoju wbił się klin słonecznego światła, padł na łóżko i na jej śpiącego syna.

Tuż przed nią wznosiła się wysoka wieża Space Needle, jeden z symboli miasta. Obiecała Markusowi, że wjadą na samą górę i zjedzą coś w tamtejszej obrotowej restauracji.

Okolica wyglądała przyjemnie, woda i port, po którym pływało mnóstwo żaglówek. Można by po prostu skoczyć, pomyślała nagle, opierając czoło o szybę. Dostali pokój na dwudziestym drugim piętrze i gdy patrzyła na życie w miniaturze toczące się w dole, czuła dziwne ssanie w żołądku, a po plecach chodziły jej ciarki.

– Dawno wstałaś? – dobiegło ją od strony łóżka.

Szybko cofnęła się spod okna. Przez chwilę stała nieruchomo, czekając, aż będzie mogła odwrócić się i uśmiechnąć.

– Ależ skąd! Ledwie się podniosłam i właściwie zamierzałam się tylko rozejrzeć, czy nie ma tu gdzieś karty room service, żebyśmy mogli zamówić śniadanie na górę. Nie sądzisz, że to dobry pomysł?

– Myślisz, że mają tu naleśniki albo gofry?

Już wyskoczył z łóżka i stanął przy niej z rozchylonymi ustami, chłonąc wzrokiem widok za oknem. Camilla zmierzwiła mu włosy i przyciągnęła go do siebie. Tuląc synka, czuła, jak odzyskuje spokój w tym obcym mieście w obcym kraju. Nie mieściło jej się w głowie, że ten dwunastoletni chłopiec jej fundamentem jej życia, chociaż powinno być odwrotnie.

Jajka, bekon, tosty, angielskie muffinki, bajgle, *scones*, naleśniki, *danish* – Camilla nie mogła się opanować, by nie zamówić drożdżówek, z których Duńczycy słynęli po drugiej stronie oceanu, chociaż niezbyt przypominały te kupowane u piekarza na rogu. Do tego owoce, kakao, dzbanek herbaty Earl Grey i gorące mleko. Gdy to wszystko przywieziono na wózku, Camilla od razu się zorientowała, że przesadziła, ale szybko naszykowała kilka dolarów na napiwek.

Zjedli mniej więcej połowę, kiedy skapitulowali i ułożyli talerze w wysoki stos na tacy, którą Camilla wyniosła za drzwi. Potem zawiesiła na klamce wywieszkę „Do not disturb" i wróciła do łóżka.

Wyciągnęła gazety, które zabrała z samolotu SAS-u. „Morgenavisen" i „Berlingske Tidende" niemal w całości zajmowały się skandalem w rodzinie Sachs-Smithów. Stara słynna dynastia, będąca właścicielem firmy Termo-Lux, która zbudowała ogromną fortunę na oknach zespolonych, znajdowała się na liście najbogatszych w kraju, a teraz uderzył w nią brudny, oślizgły skandal, który przetaczał się ogromnymi falami przez morze mediów.

Zaciekawiona przerzucała kolejne strony. Minęło już około dwóch tygodni od czasu, gdy flagę powiewającą nad główną siedzibą dynastii w Roskilde opuszczono do połowy masztu, a agencja informacyjna Ritzau otrzymała smutną wiadomość o tym, że Inger Sachs-Smith, żona głowy rodziny Walthera Sachs-Smitha, odebrała sobie życie. Dzień wcześniej znaleziono ją we własnej sypialni, a obok na nocnym stoliku stały dwa puste pojemniczki po środkach nasennych. Wszystkie gazety zamieściły tę informację na pierwszych kolumnach i przez wiele dni główne artykuły dotyczyły tego tematu, bo przy okazji samobójstwa wyszło na jaw, że w Termo-Lux doszło do przewrotu czy raczej przejęcia władzy w obrębie rodziny. Na ten temat jednak nie chcieli się wypowiadać ani zarząd, ani źródła w firmie, a już z całą pewnością rzecznik prasowy. Poprzestawano więc na spekulacjach i analizach ekspertów od gospodarki, których zdaniem dwoje młodszych dzieci, trzydziestoośmioletni Carl Emil i o dwa lata od niego młodsza Rebekka, wspólnie z adwokatem rodziny zdołali nakłonić Walthera Sachs-Smitha do oddania władzy następnemu pokoleniu, chociaż wciąż pozostawał on współwłaścicielem rodzinnego przedsiębiorstwa, założonego przed sześćdziesięcioma laty przez dziadków w bardzo skromnych lokalach na przedmieściach Roskilde.

Camilla czytała teraz, że Walther Sachs-Smith zniknął i nie ma go już od co najmniej trzech dni. Kilka dni po pogrzebie żony zgłoszono jego zaginięcie, a większość dziennikarzy pozwalała sobie na domysły, że postanowił pójść w ślady żony. Dziennikarze specjalizujący się w sprawach gospodarczych przeprowadzali wywiady z ekspertami na temat konsekwencji takiego przejęcia władzy i sytuacji, w której rodzeństwo stało się jedynymi przedstawicielami rodziny w zarządzie wraz ze stosunkowo niedawno zaangażowanym adwokatem. Dziennikarze zajmujący się lżejszymi tematami byli bardziej zainteresowani zdobywaniem wszelkich informacji na temat Carla Emila i Rebekki, a przede wszystkim ich kontaktów z młodszym pokoleniem z dworu królewskiego.

Tej części historii Camilla nie miała siły czytać. Interesowało ją tylko to, do czego dzieci doprowadziły rodziców. Rodzina Sachs-Smithów zawsze robiła na niej dobre wrażenie. Wprawdzie nie znała tych ludzi osobiście, ale sama przecież pochodziła z Roskilde. Rodzice zawsze wydawali jej się sympatyczni i bezpośredni, chociaż byli straszliwie bogaci, a ojciec regularnie musiał łagodzić skutki wybryków jego najmłodszych dzieci, kiedy za bardzo się rozpędziły w celebryckim życiu.

Markus włączył telewizor i z wielkim podziwem skakał po kanałach. Akurat w tej chwili zatrzymał się na America's Funniest Home Videos. Camilla wzięła drugą gazetę i aż westchnęła, nie mogąc się nadziwić temu, że można poświęcić dwie pełne strony na rozwlekłe powtórzenie historii o samobójstwie Inger Sachs-Smith i pomocy domowej, która znalazła ją w sypialni. „ZA-SNĘŁA NA WIEKI". W podtytule napisano, że pani Inger opróżniła dwa opakowania z silnymi środkami nasennymi, nie ma więc najmniejszych wątpliwości, co planowała. Zamierzała umrzeć. Dalej przytaczano plotki o licznych podbojach Carla Emila i jego rzekomym upodobaniu do wyuzdanego seksu, a także o byłym mężu Rebekki i ich wspólnym dziecku. Dziewczynka chodziła jeszcze do przedszkola, ale zamieszczone zdjęcie było dostatecznie duże, by z łatwością rozpoznali ją koledzy, jeżeli ktokolwiek wciąż jeszcze nie wiedział, że to właśnie jej matka najpewniej doprowadziła do śmierci obojga rodziców.

Jakie to wstrętne, pomyślała Camilla. Szybko przerzuciła kartkę i na następnej stronie znalazła fotografię nieco mniej słynnego brata. Najstarszego z całej gromadki rodzeństwa. Frederik Sachs-Smith nie mieszkał w Danii od piętnastu lat. Jako dwudziestosiedmiolatek przeniósł się do Stanów Zjednoczonych i nigdy nie należał do grona celebrytów, ale Camilla rozpoznała jego twarz, ponieważ pisała o nim, gdy jego pierwszy amerykański film miał premierę w Hollywood.

Był outsiderem, który odwrócił się plecami do rodzinnej dynastii, aby zrealizować swoje marzenie. Przed wyjazdem do Ameryki studiował w szkole filmowej w Kopenhadze i napisał scenariusz do dwóch duńskich filmów, z których żaden nie odniósł większego sukcesu. Później został przyjęty do renomowanej szkoły w Nowym Jorku. Z tego, co Camilla pamiętała, już wtedy mieszkał w Ameryce. Widziała w nim skrzyżowanie przedstawiciela cyganerii z wyższych sfer z zimnym biznesmenem. Frederik Sachs-Smith nie musiał się martwić o klapę swoich projektów, bo w rzeczywistości miał tyle pieniędzy na koncie, że w ogóle nie musiał zarabiać. Oprócz bowiem pracy w branży filmowej był finansistą oraz inwestorem i najwyraźniej potrafił rozsądnie wykorzystać spadek po dziadkach i pieniądze od rodziców, bo zbudował znaczącą fortunę i wstrząsy, które uszczupliły konta pozostałych członków rodziny, prawdopodobnie jego w ogóle nie dotknęły.

O tych pieniądzach Camilla wiedziała wyłącznie dlatego, że Markus chodził do jednej klasy z Signe, ona zaś przyjaźniła się z Britt Fasting-Thomsen. Ulrik, ojciec Signe, był doradcą do spraw finansowych Frederika Sachs-Smitha, zaangażowanym w inwestycje do tego stopnia, że w ubiegłym roku musiał ze względu na swoje obowiązki zrezygnować ze spędzenia letnich wakacji z żoną i córką. Na czas jego pobytu w USA Britt i Signe zaprosiły Camillę z Markusem do ich letniego domu w Gammel Skagen. Spędzili razem kilka wspaniałych tygodni, popijając białe wino w ogrodzie i zajadając się befsztykami od słynnego rzeźnika Muncha.

Uważnie przyjrzała się zdjęciu. Frederik Sachs-Smith, czterdzieści dwa lata, kawaler z nieco aroganckim, ale czarującym uśmiechem. Półdługie włosy rozwiewał mu wiatr, stał bosy na brzegu basenu przy swoim domu w Santa Barbara, w którym, jak mogła przeczytać, zamieszkał osiem lat temu, po tym, jak wiele lat spędził w Nowym Jorku i Los Angeles.

Camilla rzuciła gazetę na podłogę, a potem położyła się obok Markusa w łóżku o królewskich rozmiarach. Synek zaśmiewał się z ludzi, którzy upadali na tyłek albo przeżyli zderzenie z deską surfingową. Im bardziej im się dostawało, tym głośniej śmiała się publiczność, co było wprost niesmaczne. Ale Camilla też nie mogła się powstrzymać, widząc, jak wielki gruby facet usiłuje podjechać ogrodowym traktorkiem na zbocze i stale zatrzymuje się w połowie. W końcu rozpędził się i ruszył pełnym gazem, a w rezultacie i traktorek, i grubas przewrócili się do tyłu. Bez wątpienia upadek musiał być bardzo bolesny, ale niezaprzeczalnie wyglądało to komicznie, gdy facet leżał przygnieciony maszyną.

– Która godzina jest w Danii? – spytał Markus, patrząc na elektroniczne cyfry na radiu z budzikiem.

– Dziewięć godzin wcześniej niż u nas. To znaczy, że jest wpół do jedenastej wieczorem.

– Impreza u Signe się kończy.

Camilla pokiwała głową. Miała nadzieję, że syn jakoś o tym zapomni, chociaż rozumiała, że przykro mu, iż nie mógł uczestniczyć w pożegnalnym przyjęciu.

– O kurczę! – zawołał nagle Markus i usiadł na łóżku. – Zapomniałem przekazać Jonasowi prezent dla Signe. Teraz na pewno będzie myślała, że nie chciałem nic jej dać dlatego, że nie mogłem przyjść na imprezę! – W oczach zakręciły mu się łzy.

– A co jej kupiłeś? – spytała Camilla zaciekawiona, gładząc go po włosach.

– Nową płytę Beyoncé. Została w domu na biurku.

Przez chwilę siedział bliski płaczu, ze smutkiem patrząc na Camillę, w której znów zaczęło narastać poczucie winy.

– Kupimy jej coś tutaj i wyślemy. Myślisz, że nie ucieszy się z prezentu z Ameryki?

Markus przez chwilę wpatrywał się w reklamy migające na ekranie, ale w końcu pokiwał głową i położył się uspokojony.

Louise rozpoznała ordynatora już z daleka. Stał przed izbą przyjęć i rozmawiał z pielęgniarką oraz z innym lekarzem z ośrodka urazowego, którego również poznała tamtego wieczoru, gdy do szpitala przyjęto Jonasa i Camillę po dramacie, jaki rozegrał się w Szwecji. Później Louise przychodziła tu codziennie dowiedzieć się, jak się czują.

Przywitała się, ignorując minę pielęgniarki, wyraźnie zirytowanej tym, że Louise chce przerwać ich rozmowę.

– Właśnie przyjechałam z portu Svanemøllen – zaczęła Louise, tłumacząc, że zjawiła się na miejscu wypadku bezpośrednio po tym, jak samochód potrącił Signe. – Jonas był na tej imprezie, chodzi do jednej klasy z tą dziewczynką. – Ostatnie słowa skierowała do obu lekarzy, którzy znali chłopca.

Ordynator skinął głową pozostałym i poprosił, by Louise poszła za nim do gabinetu.

– Jak wygląda sytuacja? – spytała, gdy zamknął drzwi.

– Obiecałam matce dziewczynki, że do niej zajrzę.

Wskazał jej krzesło przeznaczone dla gości, a sam lekko odsunął swoje od założonego papierami biurka. Szare oczy pod jasnymi włosami opadającymi na czoło lekko zwilgotniały, a nad nosem zarysowała się głęboka zmarszczka.

– Przed chwilą stwierdziliśmy zgon Signe Fasting- -Thomsen – oznajmił, patrząc na nią ze smutkiem.

Louise odchyliła się, złapała za głowę i zamknęła oczy.

– Ach, nie! To nie może być prawda!

Przed oczami stanęła jej wesoła rudowłosa dziewczynka, z uśmiechem witająca gości w drzwiach klubu żeglarskiego. Przecież to było zaledwie kilka godzin temu!

– Jej matkę przewieziono na ostry dyżur. Lekarz właśnie bada, jak poważne są jej obrażenia. Czekamy na wyniki rentgena. Musimy sprawdzić, czy kości twarzy nie zostały naruszone, bo, niestety, na to wygląda. Najwyraźniej kopano ją i w twarz, i w plecy. W każdym razie ma na nich rozległe zasinienia, które raczej nie mogły powstać w wyniku upadku.

– Czy to oznacza, że matka wciąż nie wie o śmierci córki? – Louise opuściła ręce.

Ordynator pokiwał głową. Przez chwilę siedzieli w milczeniu.

– A co z ojcem? Przyjechał już? – spytała i podniosła się w ślad za doktorem, który podszedł do drzwi.

– Jest w drodze. Wyruszył od razu, gdy tylko dowiedział się, co się stało.

– Z Odsherred to spory kawałek. Chcecie się wstrzymać z rozmową z Britt, dopóki tu nie dotrze?

– Tak. Uważam, że powinni być razem, kiedy przekażemy im złą wiadomość. Ojcu powiedzieliśmy tylko, że córkę przywieziono w stanie krytycznym.

Ruszyli korytarzem w stronę izby przyjęć. Louise wyczuła wibrowanie komórki i zobaczyła krótką wiadomość przysłaną przez Jonasa: „Coś nowego?". „Jeszcze nie. Śpij dobrze. Dobranoc" – odpisała.

Inaczej nie potrafiła tego załatwić, chociaż już czuła wyrzuty sumienia.

Zbliżała się północ, a na kanapie przed wejściem na oddział, na którym Britt czekała na prześwietlenie, siedział ten sam młody funkcjonariusz, który był wcześniej w porcie. Na kolanach trzymał broszurę o zdrowiu, bez zainteresowania wodząc wzrokiem po kartkach. Na stoliku przed nim stał plastikowy kubek z resztką kawy na dnie.

– Ojciec dziewczynki już jedzie – oznajmił na widok Louise.

– Co mu powiedziałeś? – spytała, gdy odłożył ulotkę.

– Że sprawa wygląda poważnie. Wtedy nic więcej nie wiedzieliśmy, ale teraz postanowiłem tu zostać i zaczekać na niego.

Louise ciężko usiadła na kanapie. Przed oczami cały czas miała buzię Signe. Przez chwilę pomilczała, w końcu udało jej się opanować emocje i skupić.

– Pojawili się jacyś świadkowie, którzy zauważyli coś w porcie?

– Na razie jeszcze nie.

– I nikt nie widział tego chłopaka z końskim ogonem, który wybiegł za Signe w stronę ulicy?

– Nawet ci z furgonetki nikogo nie zauważyli. Jedynie tę dziewczynkę i to w momencie, gdy znalazła się tuż przed samochodem.

– Jonas widział, że on za nią biegł.

Młody policjant pokiwał głową. Louise wręczyła mu swoją wizytówkę, chociaż oboje z Jonasem podali już adres i numer telefonu funkcjonariuszom zbierającym dane w klubie.

– Będziemy kontynuować przesłuchania jutro rano – oznajmił, chowając wizytówkę do kieszeni. – W niedzielę przed południem w porcie może być trochę ludzi. Jeśli będziemy mieć szczęście, to może trafimy na kogoś, kto był tam dziś wieczorem i zauważył tych chłopaków, zanim dotarli do klubu.

Otworzyły się podwójne drzwi i pojawił się Ulrik w towarzystwie pielęgniarki, którą Louise widziała po przyjściu do szpitala. Był wstrząśnięty i blady, twarz jakby mu zastygła, zmieniając się w maskę. Oczy miał błyszczące, bił z nich lęk. Przez moment jakby chciał przystanąć na widok Louise, ale pospieszył długimi krokami za pielęgniarką, która przytrzymała mu drzwi, i zniknął w długim korytarzu.

Louise jeszcze przez chwilę walczyła z kulą, która urosła jej w gardle. W końcu podniosła się z kanapy.

– Możesz mnie informować na bieżąco – powiedziała, zwracając się do młodego policjanta. – Głównie po to, żebym wiedziała, co mówić dzieciom z tej klasy, gdy będą pytać.

Zlodowaciała w środku szła mocno oświetlonym szpitalnym korytarzem. Pielęgniarki i lekarze wchodzili i wychodzili z rozmaitych pomieszczeń w tę sobotnią, najbardziej niespokojną noc tygodnia. Louise szła z rękami w kieszeniach i wzrokiem wbitym w podłogę, a w głowie cały czas obracała tę samą myśl: To takie bezsensowne. Zupełnie bez powodu. Jak to możliwe, żeby zabawa dzieci skończyła się tak tragicznie?

Nie miała pojęcia, jak przekaże Jonasowi wiadomość o śmierci Signe, a tym bardziej jak mu wytłumaczy, że policja przypuszczalnie nie będzie nawet mogła ukarać winnego. Jeśli się okaże, że nie było świadków wypadku, sprawcy nie zostanie postawiony zarzut nieumyślnego zabójstwa. Zresztą co by z tego przyszło, pomyślała, naciskając klamkę. Skutków tej tragedii i tak już nic nie zmieni.

Kolejne dni zdawały się nie mieć końca i nie niosły ze sobą żadnych okoliczności łagodzących. Jonas ciągle był w piżamie, kiedy Louise po oddaniu protokołu z przesłuchania Mie Hartmann przyszła po niego w niedzielę przed południem. Twarze obu chłopców skamieniały, gdy jak najdelikatniej przekazała im tragiczną wiadomość. Siedzieli wraz z rodzicami Lassego przy stole nakrytym do śniadania, w koszyku leżały bułki, a na stole poranne gazety porozdzielane tematycznie.

Nie mogła dodać nic na pocieszenie, wzbudzić żadnej nadziei na szczęśliwe zakończenie albo przynajmniej na poprawę. Signe nie żyła. Nie zdążyła pochodzić do szkoły Świętej Anny, a początkowo właśnie tym najbardziej przejęli się Jonas i Lasse.

– Przecież ona tak się z tego cieszyła – powtarzali ze smutkiem.

Później zasypali Louise pytaniami. Czy Signe zginęła na miejscu? Czy ją bolało? Czy się bała? Czy było dużo krwi? A co z tym chłopakiem, który pobiegł za nią? Czy kierowca go widział? Rodzice Lassego, bardziej opanowani, spytali o rodziców Signe. Głównie o Britt, lecz również o Ulrika, który musiał odebrać ten straszny telefon, koszmar wszystkich rodziców. Louise nie wiedziała, jak długo odpowiada na coraz to nowe pytania, gdy nagle się urwały. Zapadła cisza. Postanowiła ją wykorzystać do tego, by się pożegnać i podziękować za opiekę nad Jonasem.

Pogoda była ładna, gdy wyszli z domu Lassego i spojrzeli w stronę Planetarium. Rodzice Lassego mieszkali przy Peblinge Dossering. Słońce złociło morze. Jonas od blasku aż mrużył oczy.

Ruszyli do domu. Gammel Kongevej była po niedzielnemu pusta i cicha. Kiedy zbliżali się do ratusza dzielnicy Frederiksberg, Louise zaproponowała filiżankę gorącej czekolady w barze Belis, ale Jonas wolał wracać do domu.

Przez resztę niedzieli godziny się dłużyły, jakby ten dzień nie mógł się zacząć ani skończyć. Jonas odwiesił kurtkę na wieszaku w przedpokoju, wyciągnął z regału pełen zestaw filmów o gangu Olsena, po czym zapadł się na kanapie w towarzystwie Egona, Benny'ego i Kjelda. Louise kręciła się po kuchni, nie bardzo wiedząc, co ma robić. Rozmawiać czy raczej się nie odzywać. Atmosfera była sztuczna, a przygnębienie odebrało im obojgu apetyt. Obiad prawie nietknięty wystygł na talerzach.

Wieczorem Jonas płakał. Usłyszała go najpierw przez drzwi. Weszła do niego po cichu, przysiadła na brzegu łóżka i zaczęła go głaskać po głowie. Siadywała tak wiele razy, odkąd się do niej wprowadził, ale dotychczas opłakiwał tylko ojca.

W końcu zasnął. Kim próbował dzwonić kilka razy, ale ona za każdym razem odrzucała połączenie. Nie miała siły niczego mu tłumaczyć. Wreszcie wyłączyła komórkę i poszła spać.

W poniedziałek cała klasa uczciła pamięć Signe minutą ciszy. Szkolna flaga została opuszczona do połowy masztu, a dyrektor wygłosił mowę. W kolejnych dniach Jonas siedział w salonie z pustym wzrokiem i pochłaniał tylko jeden film o gangu Olsena za drugim. Za każdym razem gdy Louise usiłowała przedrzeć się przez jego pancerz, odrzucał ją.

– Pójdziemy do kina? – zaproponowała po powrocie z pracy w środę po południu i poczuła lekką irytację, gdy odmówił, nie odrywając oczu od Egona Olsena i sejfu Franza Jägera model 1944, który miał zostać wysadzony w powietrze. Prędko się jednak opanowała, uświadamiając sobie, że to ona nie radzi sobie z tą sytuacją. Naprawdę nie wiedziała, jak ma mu pomóc. Nie zdążyli jeszcze na tyle się do siebie zbliżyć, by Jonas chciał ją do siebie dopuścić.

– Jak myślisz, kiedy policja złapie tych, którzy to zrobili? – spytał nagle, gdy już się odwróciła, chcąc z powrotem wyjść do kuchni. Patrzył na nią, a film leciał dalej.

– Myślę, że policja stara się, jak może, ale musisz wiedzieć – dodała cicho, siadając obok niego na kanapie – że to i tak niewiele zmieni. Jeśli zostaną znalezieni, oczywiście zostanie im postawiony zarzut nielegalnego wtargnięcia na obszar prywatny i użycia przemocy wobec matki Signe, ale nie poniosą sprawiedliwej kary za to, co się stało z twoją przyjaciółką.

– Przecież ty jesteś policjantką i możesz wytłumaczyć, że to była ich wina. Że wpadli i wszystko niszczyli.

– W jego głosie słychać było gniew i rozpacz, chociaż wyraźnie starał się nad sobą panować.

– To nie my prowadzimy tę sprawę, tylko miejscowa policja z Bellahøj. To ona musi odszukać tych chłopaków i stwierdzić, co się tak naprawdę wydarzyło. W niczym nie pomoże to, że przyjdę i powiem, że jeden z nich wybiegł za Signe, jeżeli nie znajdziemy świadków, którzy to widzieli.

– Przecież ja widziałem!

Jego wzrok znów przykleił się do ekranu akurat w porę, by zobaczyć, jak Kjeld odpala dynamit.

Widziałeś, jak za nią wybiegł, ale nie widziałeś, że zapędził ją aż pod samochód, więc to nie wystarczy, pomyślała Louise. Poszła włączyć piekarnik, żeby zabrać się do szykowania kolacji.

Wciąż jeszcze siedzieli przy stole w kuchni, kiedy zadzwonił Ulrik Fasting-Thomsen i z trudem wypowiadając słowa, poinformował, że pogrzeb Signe odbędzie się w kościele w Hellerup w sobotę o trzynastej.

– Moje kondolencje – powiedziała Louise, zapisawszy adres. – Naprawdę szczerze współczujemy.

Podziękował głosem starego człowieka. Louise domyślała się, że niewiele spał od czasu tego wypadku.

– Jak się czuje Britt? – spytała.

Jonas odłożył sztućce i wbił wzrok w stół, kiedy się zorientował, z kim rozmawia.

– Bardzo cię przepraszam, jeśli uznasz, że to trochę zbyt natrętne – ciągnął ojciec Signe, kiedy już powiedział, że z żoną nie jest dobrze – ale chciałbym cię prosić o przysługę. Czy nie mogłabyś jej odwiedzić? Ona potrzebuje rozmowy. Może zdołałabyś jej jakoś pomóc, ponieważ tam byłaś i też to przeżywałaś?

Błagalny ton jego łamiącego się głosu odsłonił życie, które legło w gruzach. Usiłował to ukrywać, koncentrując się na szczegółach dotyczących pogrzebu, ale Louise wyczuwała, że pod tą powierzchnią praktycznych działań kryje się ogromny ból.

– Do niej jakby jeszcze nie dotarło, że to się naprawdę stało. Jestem pewien, że rozmowa z naocznym świadkiem dobrze jej zrobi.

Louise spojrzała na Jonasa. Czy to dobry pomysł zabrać go do szpitala? Może te odwiedziny wyrwą go z tej kryjówki, w której się zaszył? Wprawdzie Jonas już rozmawiał z Jakobsenem, a ona sama nie znała się na psychologii dziecka, jednak uznała, że lepiej będzie, jeśli chłopiec zacznie przepracowywać tę niszczącą go żałobę, zamiast się za nią ukrywać. Może wizyta u matki Signe będzie czymś w rodzaju nacięcia ropnia?

– Owszem, chętnie do niej zajrzę – zdecydowała, patrząc na zegarek. Dochodziło wpół do siódmej. Musieli się pospieszyć, jeśli nie chcieli zjawić się za późno.

– Wezmę ze sobą Jonasa – dodała, wyjaśniając, że to on widział Signe wybiegającą z klubu.

– Musicie się przygotować na to, że Britt nie wygląda dobrze – ostrzegł Ulrik, zanim Louise zdążyła odłożyć słuchawkę. – Ma dużego krwiaka wokół oka, mniejszego w samym oku, a kości policzka w dwóch miejscach pęknięte i wgniecione.

Wszędzie były kwiaty. Ich świeże barwy jednak wydawały się obrazą w stosunku do stanu, w jakim znajdowała się Britt Fasting-Thomsen. Nie chodziło tylko o obrażenia fizyczne, którymi troskliwie zajęli się lekarze, ale raczej o matowość oczu, wcześniej tak błyszczących. Teraz biły z nich jedynie ból i rozpacz.

Nawet z daleka Louise zorientowała się, że Ulrik się myli. Britt doskonale rozumiała, że stało się najgorsze, ale od zrozumienia daleka była droga do zaakceptowania śmierci córki. Właśnie tę rozpacz Louise wyczytała w jej oczach, kiedy weszli do jednoosobowego pokoju.

– Czy ona płakała, kiedy leżała na tej jezdni? – spytała Britt od razu, patrząc wprost na Louise, jakby Jonasa w ogóle tu nie było.

Louise pokręciła głową.

– A jak wyglądała?

Dlaczego chcesz to wiedzieć, pomyślała Louise, obejmując chłopca. Dopiero wtedy Britt spojrzała na niego, lekko skinęła mu głową, ale zaraz znów skoncentrowała się na Louise. Widać było wyraźnie, że pytania cisną jej się na usta, ale zdusiła je w sobie i opadła na poduszkę. Położyła ręce na kołdrze i zaczęła obracać na palcu ślubną obrączkę.

– Myślałam, że oni sobie pójdą – powiedziała, zamykając oko i nie czekając na odpowiedź. Czas się dla niej cofnął. Nie wiadomo, który już raz od nowa przeżywała całą tę scenę. – Powinnam była zadzwonić na policję od razu, gdy pojawili się pod drzwiami i koniecznie chcieli wejść, ale w ogóle o tym nie pomyślałam. Uznałam za oczywiste, że sobie pójdą, gdy ich o to poproszę. – Wygładziła jakąś fałdę na kołdrze, potem mocno uderzyła w nią pięściami i krzyknęła z rozpaczą: – Przecież to były jeszcze dzieciaki, niewiele starsze od was! – Patrzyła teraz na Jonasa, kręcąc głową.

Chłopiec odwrócił się zażenowany i schował za Louise.

– Cały czas mam przed oczami Signe, która stoi i na to patrzy. Nikt nie mógł nic zrobić. Musiała być przerażona.

Cisza.

– Wcale nie – oświadczył nagle Jonas, zwracając się do Britt. – Signe w ogóle się nie bała. Była zła. Chciała pani pomóc, zmusić ich do tego, żeby przestali panią bić. Ale ani trochę się nie bała.

Nagle pojawił się jakby cień dawnej Britt. Przypomniała sobie, że ma gości, którym powinna okazać bodaj odrobinę uprzejmości. Z dużym wysiłkiem wyjęła z szafki przy łóżku bombonierkę, poczęstowała ich

i powiedziała, że z wózka na korytarzu można wziąć sok
i kawę. Louise pokręciła głową, ale przysunęła do łóżka
dwa krzesła, zdecydowana opowiedzieć Britt o śmierci
dziewczynki wszystko, co mogła. Z doświadczenia wiedziała, że dla rodziców, którzy tracą dziecko, czy ogólnie
dla bliskich ofiar, najgorsza jest niepewność. Wszystko
to, czego nie wiedzą, stale sobie wyobrażają, a niepewność powoli zmienia się w coraz agresywniej atakującego
potwora. Powstrzymać go może jedynie pełna wiedza
o tym, co się stało.

Zaczęła więc ze szczegółami relacjonować wydarzenia od chwili, gdy zadzwonił do niej Jonas. Mówiła, jak
przez telefon zorientowała się, że sytuacja kompletnie
wymknęła się spod kontroli. Britt pokiwała głową i jeszcze raz poczęstowała ich czekoladkami.

– Oni zabili Signe – oświadczyła, odstawiając bombonierkę na szafkę.

– No tak – przyznała Louise. – Ale nie po to tam
przyszli. Żadni chuligani nie wychodzą na miasto, żeby
pobić nieznajomą kobietę, a jej córkę zagnać pod jadący
samochód. Takim jak oni zależy na alkoholu i wartościo-
wych przedmiotach, kiedy wdzierają się na obcą imprezę.
Mogą liczyć na bójkę z innymi chłopakami albo z mężczyznami, ale nie chodzi im o bicie kobiet, to wbrew ich
naturze.

Britt jakby zupełnie przestała jej słuchać. Leżała wpatrzona przed siebie.

– Nigdy im tego nie wybaczę. Bez względu na to, jakie
mieli zamiary.

Surowo spojrzała na Louise, żeby podkreślić, iż ma pełne prawo do gniewu.

– Tylko dwaj z nich wpadli w amok – wtrącił Jonas.

– A kiedy Signe pobiegła po pomoc, to właśnie jeden z tych, którzy panią kopali, wybiegł za nią.

– Szkoda, że nie była cichą bojaźliwą dziewczynką, która schowałaby się pod stół – westchnęła Britt i nagle się uśmiechnęła. – Ale ona nie była tchórzem. Moja córka była silna. Ten samochód... Dlaczego nie pozwolono mi przy niej być, chociaż całą sobą czułam, że coś jej się stało?

Louise zrobiła krok do przodu.

– Dla Signe to już nie miało znaczenia, czy byłaś przy niej, czy nie – stwierdziła, chociaż zdawała sobie sprawę z tego, jak twardo zabrzmiały jej słowa. – Była nieprzytomna. A ratownicy musieli mieć miejsce i spokój, żeby móc działać. Zrobili wszystko, co w ich mocy, by ratować twoją córkę.

Opowiedziała jeszcze o kierowcy i jego żonie, którzy zauważyli Signe tuż przed maską, i o tym, jak dziewczynka leżała nieruchomo, gdy Louise dotarła na miejsce wypadku.

Jonas słuchał z wielką uwagą, a Louise przyszło do głowy, że może i on dzięki temu zapanuje nad swoim potworem. Z pewnością wiele myślał o tym, co się stało, i dużo sobie wyobrażał. On też czuł się winny i zapewne uważał, że powinien był pomóc Signe albo wybiec razem z nią. Uświadomiła sobie, że już dawno należało mu opowiedzieć ze szczegółami o tym wypadku, chociaż jej o to nie prosił, i pomóc zapanować nad obrazami, które bez wątpienia rodziły się w jego głowie.

Britt oczy zaczęły się same zamykać. Zmęczenie i leki przywoływały senność. Louise dała Jonasowi znak, że pora się pożegnać.

Po powrocie do domu Louise wzięła się do sprzątania kuchni, gdy nagle Jonas zawołał ze swojego pokoju:

– Przyszedł e-mail od Markusa i Camilli!

Minęło kilka minut, zanim najwyraźniej go przeczytał, po czym Louise usłyszała warkot drukarki i zaraz Jonas zjawił się w kuchni.

Louise wzięła kartkę, którą podał jej bez słowa, i patrzyła, jak chłopiec ze spuszczoną głową idzie do łazienki. Zaczął myć zęby, a ona czytała:

Cześć!

A więc jesteśmy tutaj. Seattle jest piękne. W ogóle nie zdawałam sobie sprawy z tego, że wokół tego miasta jest tyle wody. Podróż była wielkim wyzwaniem, w Chicago musieliśmy czekać pięć godzin na samolot, ale Markus bardzo dzielnie to zniósł.

Nasz hotel jest świetnie położony, w samym środku miasta z widokiem na Space Needle. Powoli przyzwyczajamy się do nowego rytmu doby, chociaż mnie właściwie to odpowiada, że mogę dłużej pospać!

Właśnie wróciliśmy z wycieczki na Pike Market. Słyszeliście kiedyś o tym? To miejsce, w którym sprzedawcy rzucają rybami, zamiast je podawać. Widzieliśmy, jak jakaś starsza pani przyszła po kawałek łososia i chwilkę później w powietrzu poszybowała wielka ryba. Potem została zważona i odrzucona z powrotem. Wyobrażacie sobie, że coś takiego mogłoby się wydarzyć w sklepie rybnym na Gammel Kongevej?

W środę odbieramy na lotnisku samochód i wyruszamy w drogę. Najpierw wybieramy się do Parku Narodowego Mount Rainier, głównie ja mam ochotę go zobaczyć i z trudem udało mi się namówić na to Markusa. Obiecałam mu, że zobaczy czarne niedźwiedzie i pumy!!!

Mamy nadzieję, że impreza u Signe się udała. Markus ciągle nie może sobie darować, że nie przełożyliśmy wyjazdu o kilka dni, żeby też mógł tam być. Ale kupił dla Signe bardzo ładny prezent, który jej stąd wyślemy.

Odezwiemy się niedługo.

Najserdeczniejsze pozdrowienia,
Camilla i Markus

Louise położyła wydruk na kuchennym stole. Potrzebowała powietrza i więcej energii, żeby móc odpisać.

Zgasiła tylko światło w kuchni i poszła do łóżka.

W piątek po południu Louise siedziała w swoim pokoju. Właśnie skończyła czytać protokoły ze wszystkich przesłuchań trzech zatrzymanych z Folehaven. W sprawie zabójstwa Nicka Hartmanna nie posunęli się ani o krok dalej. Nikt nie puścił pary z ust i nie zaczął sypać. Aż mdło jej się robiło od tych rockersów, bandytów i dilerów. Okazało się, że nie miała racji, gdy tak zuchwale przewidywała, że co najmniej jeden z nich wkrótce przyzna się do strzelaniny na Amager. Przed południem Hans Suhr, naczelnik Wydziału Zabójstw, zdecydował o ich wypuszczeniu, bo śledztwo nie ujawniło niczego nowego, co skłoniłoby sędziego do przedłużenia tymczasowego aresztowania.

Suhr zwołał grupę śledczą tuż przed lunchem. Willumsen był na niego wściekły, ale naczelnik jak zwykle przyjął wybuch szefa grupy śledczej z pobłażliwym uśmiechem. Ten uśmiech przez lata stał się narzędziem rozbrojenia, którego Suhr używał, gdy Willumsen za bardzo się nakręcał.

Siwe ufryzowane włosy naczelnika zafalowały, a zmarszczki na policzkach wygładziły się na chwilę. Gdy uśmiech zniknął, z powrotem ukazały się pionowe bruzdy na policzkach, a twarz odzyskała zwykłą ostrość. Ton głosu graniczył z irytacją.

– Trzymałem ich tydzień, a wy nie dostarczyliście niczego, co dałoby się wykorzystać. Nic nie wskazuje na to, by któryś z tych trzech miał jakikolwiek związek z tym zabójstwem.

Willumsen już chrząkał ze złością, ale od mówienia powstrzymała go szybko uniesiona ręka Suhra.

– Technicy już przygotowali raport. Żaden z nabojów znalezionych na Dyvekes Allé nie pasuje do broni zatrzymanej podczas przeszukania. Ci trzej oczywiście usłyszą zarzut nielegalnego posiadania broni, więc dostaną za swoje, a my dalej będziemy szukać tej, której użyto podczas strzelaniny. Ale w obecnej sytuacji musiałem ich puścić. Teraz koledzy z Bellahøj będą mieć na nich oko, a wy dalej działajcie.

Nic więcej nie było do powiedzenia, musieli zaczynać od początku.

Wszystko to tkwiło w Louise, kiedy szła na lunch. Jedząc, dała upust swojej złości i trochę za głośno skrytykowała szefostwo za to, że nie potrafi położyć kresu strzelaninom. Dopiero gdy wstała od stolika, dostrzegła komendanta okręgowego, który siedział za nią przy dwóch kanapkach i miseczce z sałatką. Ale on tylko się uśmiechnął, mówiąc, że do pewnego stopnia się z nią zgadza, lecz największy problem polega na nakłonieniu ministra sprawiedliwości do przyznania policji większych środków, tak by dało się zaangażować więcej ludzi. Zachował zimną krew, pomyślała Louise. Na szczęście rozumiał, że czasami ludzie muszą wylać z siebie dręczącą ich frustrację.

Z nogami na biurku odłożyła ostatni protokół. Sięgnęła po kubek z herbatą i odchyliła się na krześle. Rozpuściła długie ciemne włosy, loki ciężko opadły jej na ramiona. Dopóki Lars Jørgensen był na zwolnieniu, nie musiała nawet starać się o to, żeby wyglądać przyzwoicie. W końcu jednak dotarło do niej, jakie to nudne mieć jednoosobowy pokój. Nie mogła się już doczekać, kiedy jej partner odzyska siły i wróci, by podjąć walkę z Willumsenem.

Ktoś zapukał do jej drzwi. Szybko poprawiła włosy i zdjęła nogi z biurka. Wszedł Toft z aktami w ręku. Pulower niósł przerzucony przez ramię, a okulary, które podsunął na czoło, lekko się teraz przekrzywiły.

– Wyszukałem już wszystkich istotnych informatorów, którzy będą mogli potwierdzić lub wykluczyć związki Nicka Hartmanna z handlem narkotykami w środowisku rockersów.

Louise dopiła herbatę.

– Ale przestałem już wierzyć, że ich powiązania polegały właśnie na tym. Żaden z moich informatorów go nie zna i nie słyszał, by miał coś wspólnego ze sprzedażą narkotyków. Nikt nie ma pojęcia, kto to jest, i nie rozpoznaje go na zdjęciu.

A przecież Nicka Hartmanna łatwo było zapamiętać, kiedy już raz się go zobaczyło, pomyślała Louise. Miał blisko dwa metry wzrostu i grenlandzkich przodków, po których odziedziczył egzotyczne oczy i czarne jak węgiel włosy.

– Nikt – powtórzył Toft, rzucając teczkę na biurko. Usiadł na krześle Larsa Jørgensena. – Michael Stig pojechał teraz do Mikkelsena, żeby sprawdzić, czy denat mógł mieć jakiś związek z burdelami rockersów.

Mikkelsen z Komendy Rejonowej City na Halmtorvet był bez wątpienia policjantem o największej wiedzy o środowisku kopenhaskich prostytutek. I to on mógł zdobyć informacje niedostępne dla innych funkcjonariuszy, ponieważ krążył wokół tego środowiska już od tylu lat, że do pewnego stopnia zyskał w nim zaufanie. Bardzo jednak uważał na to, komu przekazuje te informacje i czemu mają one służyć. Złe języki zarzucały mu, że trzyma raczej stronę dziwek niż policji. Mimo to został szefem nowo powołanej grupy śledczej do zwalczania handlu kobietami, którego jeszcze całkiem niedawno nie traktowano z należytą powagą.

– Może Hartmann działał jako pośrednik między burdelami a rockersami? – głośno myślał Toft. Spojrzał na Louise i dodał: – Oni chętnie zgarniają kasę, ale są na tyle przebiegli, żeby nie dało się ich bezpośrednio łączyć z tym procederem.

– Masz rację – przyznała Louise. – To możliwe. Bo

przecież musi być jakiś powód, dla którego regularnie pojawiał się w ich głównej siedzibie.

Toft pokiwał głową i poprawił okulary, które zaczęły się zsuwać.

– Jeżeli się okaże, że można go powiązać z działalnością rockersów w środowisku prostytutek, to jednocześnie będziemy mogli definitywnie wykluczyć tych chłopaków z Folehaven – stwierdził. – Sutenerstwo to dla nich zbyt skomplikowana sprawa.

Louise się z nim zgodziła. Poinformowała, że poprosiła już bank o kopie wyciągów z konta Nicka Hartmanna.

– Rozmawiałam też z urzędem podatkowym. Prześle jego zeznania z ostatnich czterech lat.

Toft wyprostował się, gdy zadzwoniła komórka, którą miał w kieszonce na piersi. W trakcie rozmowy bardziej burczał, niż mówił, a kiedy skończył, pokręcił głową.

– Mikkelsen nic nie wie o denacie. Nigdy o nim nie słyszał i nie rozpoznaje go na zdjęciu. Ale spróbuje pokazać je swoim informatorom. Pięć burdeli może być szczególnie interesujących w tym kontekście. Z tego jednak, co Michael Stig zrozumiał, wynika, że Mikkelsen już zna nazwiska osób, które je prowadzą. Wszystkie są na liście płac rockersów.

To jeszcze jedna rzecz, która wywoływała mdłości u Louise. Rockersi oplatali miasto coraz większą siatką.

– A czym zajmował się Nick Hartmann? Był spedytorem?

Louise wyjaśniła, że pracował w dużej firmie shippingowej na Havnegade.

– No to czego on szukał w tej cholernej głównej kwaterze rockersów?

Wzruszyła ramionami, proponując, by tam pojechali i zadali to pytanie członkom grupy.

– A jeśli to powiązanie było całkowicie legalne? Może się przecież okazać, że Hartmann i przywódca rockersów to przyjaciele z dzieciństwa, a ich związek jest najzupełniej niewinny – oświadczyła, wstając.

Było zaledwie wpół do czwartej, a ona już wcześniej zamówiła kwiaty na pogrzeb Signe, który miał się odbyć następnego dnia. Do zrobienia pozostawały więc jej tylko zakupy, ale to mogła załatwić po drodze do domu.

– No dobrze, jedźmy – zgodził się Toft, wciągając pulower przez głowę. Zaproponował, że później odwiezie Louise na Frederiksberg.

Rzeczywiście rockersi zatroszczyli się o pełną ochronę swojego klubu. Drewniany płot sięgał tak wysoko, że ledwie wystawał zza niego dwupiętrowy dom. Nad bramą zamontowano dwie kamery, które swoim zasięgiem oprócz wejścia obejmowały długi odcinek chodnika po obu stronach. Przypominało to niezdobytą twierdzę, brakowało jedynie zwodzonego mostu i fosy. W zamian za to był zaawansowany technologicznie domofon z obiektywem, który uruchamiał się w chwili naciśnięcia dzwonka.

– Nie – rozległa się odpowiedź na pytanie Tofta, czy ktoś tutaj zna Nicka Hartmanna.

– Dajcie spokój! – Kolega Louise spojrzał wprost w oko kamery. – Wpuśćcie nas.

– Dziękujemy za wizytę – padły z głośnika spokojne słowa.

Przynajmniej nie można im zarzucić braku uprzejmości, chociaż cholernie to irytujące, pomyślała Louise i zrobiła krok naprzód.

– Jeśli nie chcecie nas wpuścić, to bardzo bym była wdzięczna, gdybyś sam do nas wyszedł albo przysłał kogoś innego, z kim moglibyśmy porozmawiać. Wiemy, że interesująca nas osoba wielokrotnie tu przychodziła, i chcielibyśmy ustalić, w jakim celu.

Jeszcze nie skończyła mówić, gdy otworzyły się drzwi w bramie i wyszedł przez nie wysoki, krótko ostrzyżony facet w kamizelce z emblematem na plecach.

Nazywał się Tønnes. Louise widziała go wcześniej w telewizji. Niedawno przeprowadzano z nim wywiad po kolejnej awanturze, w której wyniku dwóch znanych rockersów trafiło za kratki. Ten człowiek był kimś w rodzaju rzecznika prasowego i spin doktora tego środowiska. Kiedy się odrzuciło jego agresywne, prowokujące zachowanie, okazywał się wymowny jak przedsiębiorca czy adwokat. Bez wątpienia mógł się obracać w lepszych kręgach i niczym się nie wyróżniać, swoim wyglądem jednak wyraźnie podkreślał, do jakiego środowiska należy. Policję przestało już dziwić, że wśród rockersów jest wielu nadzwyczaj inteligentnych ludzi. No i oczywiście potrzebowali kogoś, kto umie się wypowiadać, szczególnie w sytuacji rosnącego zainteresowania mediów.

– Nic mi o nim nie wiadomo – oświadczył.

– Ale przecież on tu przychodził – upierał się Toft.

– Niestety, nie mogę wam pomóc. – Dalej zachowywał się uprzejmie.

– Dwa miesiące temu został zatrzymany podczas nalotu.

Rockers wzruszył ramionami i przepraszająco pokręcił głową.

– Dalej nic mi to nie mówi.

– Przestań! – zniecierpliwiła się Louise. – Wiemy, że tu przychodził, a przecież wy nie wpuszczacie byle kogo.

– Jak nazwisko? – spytał, patrząc na nią.

– Nick Hartmann.

– Nie jego, twoje.

Toft już chciał spieszyć jej na ratunek, ale go powstrzymała.

– Louise Rick, Wydział Zabójstw Komendy Miejskiej w Kopenhadze.

Nie chciała dać się sprowokować, tylko jeszcze raz spytała o powiązania denata z klubem. Mężczyzna zachował kamienną twarz, kiedy znów kręcił głową, ale intensywnie wpatrywał się w Louise ciemnymi oczami, najwyraźniej starając się zapamiętać, co widzi. W końcu jego spojrzenie znów zmieniło się na odpychające i lekko się cofnął.

– Dziękujemy za wizytę – powtórzył, gdy Toft chciał powiedzieć coś jeszcze, i zamknął im drzwi przed nosem.

– Cholera, ależ on irytujący! – zawołała Louise sfrustrowana, ale roześmiała się, idąc za Toftem do samochodu.

Nic im nie przyszło z tych odwiedzin. Kategorycznie odmówiono im wstępu, uprzejmie, ale niezłomnie.

Najgorsze jednak było to, że wbrew wszelkiemu rozsąd-
kowi czuła u siebie słabość wobec brutalnej siły tego
środowiska. „To kwestia czystego seksu" – zawyrokowała
Camilla w pewien letni dzień, gdy widziały, jak dwaj rockersi jechali po Gammel Kongevej na swoich harleyach,
bez kasków, z gołymi ramionami, w samych kamizel-
kach. Taki sam *power* otaczał jak aura tego mężczyznę
w drzwiach, pomyślała Louise, wsiadając do polo kolegi.

Kochani L & Jonasie!
Packwood to najbardziej beznadziejne i przereklamowane miejsce na ziemi. Szczególnie jeśli ktoś uwierzy w stronę internetową miasteczka. Nigdy nie widziałam czegoś podobnego. Jedynie dzięki mojemu cudownemu synowi mam teraz świadomość, że w ogóle miasto o takiej nazwie istnieje.

Po wycieczce do Mount Rainier, tego parku narodowego, o którym wcześniej pisałam – gdzie oczywiście nie zobaczyliśmy nawet cienia pumy czy czarnego niedźwiedzia – nie mogliśmy ustalić, gdzie będziemy nocować. Byłam okropnie zmęczona i marzyłam tylko o łóżku, ale Markus namówił mnie, żebyśmy pojechali dalej. Tutaj są tylko lasy, lasy i jeszcze więcej lasów i w końcu kemping. Tak to też wyglądało, kiedy dotarliśmy do Packwood długą prostą szosą, trochę tak jak w Osted, tyle że miasto jest o wiele mniejsze.

Są tu dwa hotele, minęliśmy jeden, a kiedy dotarliśmy do drugiego, podobnego do przerośniętego szałasu z drewna, Markus zawołał: „Stop!". Ja krzyknęłam: „Nigdy w życiu, nie możemy tu nocować", a on na to: „Naprawdę! Przecież sama mówiłaś, że trzeba ryzykować, jeśli chce się coś przeżyć!".

Naprawdę mogłam coś takiego powiedzieć???

Packwood reklamuje się swoim urokiem i komfortem. Są tu sklepy, restauracje, hotele i lotnisko. Nie jest to nawet kłamstwo, tyle że lotnisko okazało się łąką, na której stały dwie zniszczone dwuosobowe awionetki, a tuż obok na tej samej łące pasły się łosie – luzem!

A restauracją okazał się saloon, w którym akurat trwał wieczór taco. Na nasze szczęście, bo za dwanaście koron dostawało się dwie porcje. No i tak wylądowaliśmy razem z grupką motocyklistów, którzy mogliby statystować przy kręceniu Easy Ridera. Bardzo interesujące!

Po powrocie z wieczoru taco spotkaliśmy dorosłą córkę właścicieli hotelu, która z pełną otwartością nosiła w kaburze pod pachą pistolet. Wyjaśniła, że to do obrony przed zwierzętami z lasu (czytaj: m.in. niedźwiedziami i pumami), no i przed hotelowymi gośćmi.

Jasny piorun! Markus dostał sneakersa w rozmiarze supersize za to, że tak nalegał, abyśmy się tu zatrzymali. To miejsce egzotyczne pod względami, których człowiek w ogóle nie brał pod uwagę jako interesujące.

I po raz pierwszy od dawna przespałam nieprzerwanie siedem godzin.

Teraz jest już rano, siedzimy w barze z kawą... bez wątpienia najbardziej cywilizowanym miejscu w promieniu wielu mil. Mają tu nawet Internet. Markus je już swoją drugą muffinkę. Próbowaliśmy kontaktować się z Signe i Britt, żeby się dowiedzieć, jak jej idzie w nowej szkole, ale żadna nie oddzwoniła. Przekażcie im nasze pozdrowienia, chociaż będziemy próbowali znów dzwonić, kiedy u Was będzie rano.

Ucałowania,
C. i Markus

Kochani Camillo i Markusie!
Z ogromną przykrością przekazuję Wam tę informację: Signe zmarła w weekend. Zginęła w wypadku samochodowym tamtego wieczoru, gdy urządziła przyjęcie. Na imprezę wdarło się kilku chuliganów, którzy zaczęli wszystko dewastować, a kiedy Britt prosiła, żeby wyszli, zaatakowali ją. Wciąż leży w szpitalu ze skomplikowanym złamaniem kości policzkowej.

Signe chciała wezwać pomoc, wtedy pobiegł za nią jeden z tych chłopaków. Nie wiadomo na razie, czy ogarnęła ją panika, czy uciekała przed tym chłopakiem, w każdym razie wybiegła na ulicę wprost pod samochód, a kierowca nie miał szans jej ominąć. Dzisiaj odbędzie się jej pogrzeb.

Zadzwoniłabym do Ciebie, ale sama nie mogłam sobie z tym poradzić. Jonas zamknął się w sobie i zupełnie

nie wiem, co mam robić. Ani z nim, ani ze sobą. Jest mi naprawdę ogromnie smutno z powodu tego, co się stało. Wiem dobrze, że Ty i Britt często się spotykałyście, ale teraz znasz już powód, dla którego nie mogłaś się do niej dodzwonić.

To wszystko jest takie ogromnie smutne. Cała klasa jest głęboko poruszona. Zamówiłam wieniec również od Was.

Najserdeczniejsze pozdrowienia,
Louise

Herbata w szklance parowała, ale Camilla znieruchomiała ze wzrokiem wbitym w monitor. Już po przeczytaniu pierwszych słów e-maila od Louise czuła, jak jej ciało szykuje się do obrony przed tym, co miało w nią uderzyć. Odruchowo wstrzymała oddech, serce zaczęło mocniej uderzać, odcinając ją od wszystkich innych dźwięków z zewnątrz. Wraz z kolejnymi słowami poddawała się smutkowi, unosząc barki, wsłuchana w mocne bicie własnego serca.

Markus był pochłonięty grą na gameboyu i nie zauważył dziwnej reakcji matki. Camilla przycisnęła ręce do ust i zaczęła płakać.

– Niech to wszystko weźmie cholera!

Synek popatrzył na nią przerażony i poszedł za nią, kiedy wstała i odwróciła się do ściany małej kawiarenki, w której trzej starsi mężczyźni we flanelowych koszulach siedzieli nad maleńkimi kolorowymi filiżankami espresso. Zacisnęła zęby na miękkiej tkance między palcem wskazującym a kciukiem, ale łzy nieprzerwanie płynęły jej z oczu. Markus obserwował ją zdumiony.

– Co się stało? – spytał szeptem, również przeczuwając katastrofę.

Mężczyźni przy stolikach popatrzyli z ciekawością, ale w końcu spuścili oczy.

Camilla czuła, że traci kontrolę. Miała wrażenie, że ziemia usuwa jej się spod nóg, a przecież już za chwilę musiała przekazać tę wiadomość synkowi, a później zająć się nim i go pocieszyć. Wrażenie, że siedzi na ogromnym bloku lodu, który za sekundę oderwie się od lodowca i wpadnie do oceanu, sprawiło, że roztrzęsła się tak, że aż zaczęła dzwonić zębami. Wzięła się w garść. Przez chwilę próbowała wyregulować oddech, potem palcami otarła łzy i w końcu odwróciła się do Markusa.

Z oczu chłopca bił lęk. Stał z lekko rozchylonymi ustami i czekał.

– Coś się stało z tatą? – spytał szeptem, zanim w pełni się opanowała, ale widziała, że zareagował lekkim odprężeniem, gdy natychmiast pokręciła głową.

Objęła go mocno i zrozpaczona powiedziała mu o strasznym wypadku Signe.

Markus chciał wiedzieć wszystko. Zadawał coraz to nowe pytania, na które Camilla nie potrafiła odpowiedzieć. Przeczytał e-maila od Louise tyle razy, że nauczył się go na pamięć, ale dopiero gdy Camilla pozwoliła mu wejść na Facebooka, gdzie znalazł stronę poświęconą pamięci Signe założoną przez kolegów z klasy, wyraźnie przycichł. Pobladły czytał wszystkie wspomnienia o zmarłej koleżance, a w końcu się rozpłakał. Siedział nieruchomo, zasłaniając rękami twarz, i tylko łzy płynęły mu z oczu.

Camilla spakowała laptop i zapłaciła w barze. Z hotelu w Packwood już się wymeldowali, lecz ponieważ byli jedynymi gośćmi, bez problemu dostali ten sam pokój.

W chwili gdy otwierała klapę bagażnika, aby znów wyjąć z niego walizki, poczuła nagle ogromną wdzięczność do losu za to, że Markus nie wziął udziału w tej imprezie, na której tak bardzo chciał być.

Samochody stały gęsto wzdłuż chodników, a także na placu przed kościołem w Hellerup. Flaga zwisała jakby bezsilnie, a szara pokrywa chmur opadła nisko i ciężko nad dachy i ostrą wieżę świątyni. Ulrik Fasting-Thomsen stał razem z kościelnym i witał przybyłych. Oczy miał pełne smutku, lecz uśmiechał się i każdemu podawał rękę. Louise i Jonas przyszli znacznie przed czasem, ale i tak większość miejsc już zajęto. Na przedzie siedziała Britt ze spuszczoną głową. Nie była w stanie przywitać się ze wszystkimi, którzy przyszli pożegnać jej córkę. Właśnie wypisano ją ze szpitala. Na lewą część twarzy lekarze założyli jej nieco mniejszy opatrunek, zasłaniający jedynie samą ranę po zabiegu, podczas którego chirurdzy poskładali kość. Duszę też wciąż miała poranioną. Przepełniona rozpaczą siedziała w kościelnej ławce i była jedynie cieniem tamtej Britt, która z uśmiechem witała gości przybywających na imprezę zorganizowaną przez córkę.

Louise, obejmując Jonasa, poprowadziła go środkiem nawy do dwóch wolnych miejsc tuż za rodziną, których inni żałobnicy nie mieli odwagi zająć. Może bali się bezpośrednio odczuwać żałobę? Ale Louise już dawno uporała się z lękiem przed zetknięciem się z cudzym nieszczęściem, szczególnie że zdawała sobie sprawę z tego, jak przykry może być ów dystans dla ludzi, którym zawalił się cały świat. Delikatnie uścisnęła Britt za ramię, kiedy siadała lekko na ukos od pogrążonej w żalu matki.

Jonas ze spuszczoną głową przeszedł środkiem nawy wzdłuż dekoracji kwiatowych, które ciągnęły się aż do kruchty, nawet nie próbując nawiązać kontaktu wzrokowego z kolegami siedzącymi wraz z rodzicami w mniejszych grupkach i ściskającymi w rękach chusteczki do nosa. Starał się również nie patrzeć na białą trumnę, ale w końcu jego wzrok padł na ciemnoczerwone róże, których bukiet spoczywał na wieku.

Louise obserwowała go zatroskana.

Rano przy śniadaniu Jonas nie ruszył bułeczek, które Louise podgrzała w piekarniku, nie chciał ani pić, ani jeść, a ona w końcu nie mogła tego dłużej wytrzymać. Płacz uwiązł jej w gardle, a bezsilność i bezradność doprowadzały ją do szaleństwa. Odstawiła filiżankę i poczuła, że dłużej tego nie zniesie. W tej samej chwili uświadomiła sobie, że właśnie takiej reakcji spodziewała się po Jonasie. Liczyła, że chłopiec w końcu skapituluje i wyrzuci z siebie wszystkie emocje i złe myśli. Teraz więc sama postanowiła to zrobić.

– Już nie wiem, co mam począć – zaczęła. – Tak bardzo bym ci chciała pomóc, powiedzieć to, czego potrzebujesz. To jest nieznośne. Nie wiem, jak mogę ci ulżyć. Przecież ja nigdy wcześniej nie próbowałam nikomu matkować.

Spojrzał na nią zaskoczony i trochę przerażony.

– Tyle nieszczęść się wydarzyło w taki krótkim czasie, w jakim się znamy – ciągnęła Louise. – I już drugi raz idziemy razem na pogrzeb.

Łzy popłynęły jej z oczu, zanim zdążyła je powstrzymać. Głęboko odetchnęła i próbowała zamrugać. W końcu odzyskała kontrolę nad sobą, ale wciąż szukała odpowiednich słów. Tych słów jednak nie było. Nasuwały się jedynie te najbardziej oczywiste.

Ciemne oczy chłopca przyglądały jej się uważnie, ale przynajmniej nie odpychały.

– Chyba nie mogę już więcej płakać – powiedział w końcu, spuszczając wzrok. – I dlatego mi przykro. Jakby Signe nie była na tyle ważna, żeby nad nią płakać.

Louise poczuła pustkę w środku. Zaniemówiła, gdy zrozumiała, że Jonas w swoim przekonaniu nie boleje dostatecznie nad śmiercią koleżanki. Że nie potrafi odczuwać żałoby z taką samą mocą jak wtedy, gdy zginął jego ojciec. Wstydził się, że nie ma więcej łez.

Wstała i obeszła stół. Przygarnęła chłopca do siebie i zaczęła go gładzić po włosach.

– Żałoby tak się nie mierzy – szepnęła. – Smutku nie da się porównywać. Nigdy byś się nad tym nie zastanawiał, gdybyś całkiem niedawno nie przeżył innej śmierci.

W duchu przeklinała, że chłopiec w tym wieku w ogóle musi stawić czoło tak trudnym uczuciom. To bez sensu.

– Czy w ogóle dasz radę iść na ten pogrzeb? Może jednak będzie to za duże przeżycie? – spytała i przypomniał jej się psycholog. – A co mówi Jakobsen?

– Ja chcę iść, a on mówi to samo co ty, że nie mam się za wszelką cenę smucić, bo każdy reaguje inaczej.

– Nie możesz tak źle się osądzać. Akurat teraz to ciebie powinno być wszystkim żal. Pamiętaj o tym – powiedziała, a dostrzegając uśmiech w jego oczach, dodała: – Możesz krzyczeć, płakać albo po prostu gapić się w ścianę, jeśli akurat tego najbardziej potrzebujesz. Ja bym tylko chciała wiedzieć, jak się czujesz – zakończyła ze świadomością, że być może wymaga zbyt wiele. Inni rodzice dzieci w tym wieku też nie wiedzą wszystkiego o życiu swoich potomków, a zwłaszcza o ich uczuciach.

Zagrały organy, chór zaczął śpiewać *Na wschodzie wstaje słońce*. Pieśń wkrótce wypełniła cały kościół. Louise trzymała psałterz w taki sposób, by oboje mogli czytać tekst, lecz Jonas, syn pastora, akurat ten psalm znał na pamięć. Musiał go słyszeć nieskończenie wiele razy, gdy jego ojciec pełnił posługę kapłańską w Stenhøj. Śpiewał teraz czystym wyraźnym głosem.

Z przodu Ulrik zajął miejsce obok Britt, która siedziała wyprostowana ze złożonymi dłońmi i śpiewała wpatrzona w trumnę. Louise widziała, że po policzkach ojca dziewczynki spływają łzy i nie przyłączył się do pieśni. Wiedziała, że ani Ulrik, ani jego żona nie chcą przemawiać przy trumnie córki. Zatroszczyli się natomiast o to, by po kazaniu pastora zagrał jeden z najlepszych wiolonczelistów z Królewskiej Orkiestry Symfonicznej.

Jonas zamknął oczy i pozwolił porwać się muzyce. Gdy pastor mówił o Signe i jej przedwczesnej śmierci, po policzkach chłopca popłynęły łzy. Louise uścisnęła go za rękę i podała mu paczkę chusteczek. Kiedy ucichły ostatnie dźwięki wiolonczeli, w kościele zaległa ciężka cisza i dopiero gdy pastor wstał z krzesła przy ołtarzu, by posypać trumnę ziemią, ciszę przerwał odgłos grudek uderzających w wieko trumny, a przestrzeń znów wypełniły słowa duchownego.

Chór zaintonował kolejny psalm, dołączyły do niego głosy zebranych. Tym razem jednak trudniej było skoncentrować się na tekście, bo zewsząd rozlegały się stłumione szlochy i siąkanie nosem.

Louise całkiem zrezygnowała z powstrzymywania łez. Głęboko poruszona, cicho płakała porwana nastrojem i widokiem Britt, która rozpaczliwie wyciągała ręce do białej trumny. Ulrik objął żonę ramieniem. Siedzieli blisko siebie, a Louise pomyślała, że powinni chociaż na chwilę zostać w kościele sami z trumną.

Po ostatnich słowach pastora na środek wyszedł kwartet smyczkowy. Dwoje skrzypiec, altówka i wiolonczela. W czasie gdy muzycy się szykowali, napięte ciało Britt trochę się rozluźniło. Obcięte na pazia włosy opadły na bok, kiedy oparła głowę na ramieniu Ulrika i zamknęła oczy, wsłuchana w pierwsze dźwięki *Arii na strunie G*

Bacha. Później smyczki przeszły do *Ave verum corpus* Mozarta i dołączyły do nich organy. W połowie utworu Ulrik wstał i dał znak mężczyznom w czerni. Po chwili trumna Signe przy dźwiękach muzyki klasycznej została wyniesiona do karawanu.

Piękna była ta muzyka – stwierdził Jonas, kiedy szli w stronę samochodu.

Louise spojrzała na niego. Tak bardzo się różnił od syna Camilli, rówieśnika, do którego była przyzwyczajona. Markus interesował się rapem, hip-hopem i grami komputerowymi, Jonas natomiast lubił zatopić się w książce, słuchał muzyki instrumentalnej i sam grał na gitarze. Był bardziej zamknięty w sobie niż Markus i potrafił się skupić na tym, co go zainteresowało. Nie pasowało do niego określenie „słomiany ogień". Uwielbiał na przykład leżeć na łóżku i czytać, potrafił tak spędzać długie godziny.

– Masz ochotę tam pojechać czy wolisz, żebyśmy wrócili do domu?

Britt i Ulrik zaprosili rodzinę i przyjaciół na spotkanie po pogrzebie w swojej willi.

– Inni też się tam wybierają – zauważył Jonas, decydując tym samym o wizycie na Strandvænget.

Wzdłuż całej alejki prowadzącej przez ogród do willi paliły się świece, a zaraz za drzwiami starsza kobieta w granatowej sukni witała przybywających kolejno żałobników, biorąc od nich wierzchnie okrycia. Również w pokojach świece płonęły we wszystkich świecznikach, a dwie kelnerki przygotowały już napoje i szklanki, dbały też, żeby każdy z gości od razu dostał coś do picia. Salon ozdobiono takimi samymi ciemnoczerwonymi różami jak te, które leżały na trumnie, ale w skromnych ilościach, stanowiących jedynie cienką nić, jakby wciąż przytrzymującą Signe, mimo że była już w krematorium.

– Bardzo dziękuję, że przyszliście – powitała ich Britt, gdy tylko Louise z Jonasem weszli do salonu. Uśmiechała się ze smutkiem, ale oczy miała przytomne, a makijaż poprawiony. Salon coraz bardziej zapełniał się ludźmi, rozmawiającymi ściszonymi głosami, których szum zdawał się otulać ich wszystkich jak kocem. – Jest wino i woda, a wkrótce powinni podać kanapki – powiedziała Britt, uśmiechając się do młodej pary, która właśnie pojawiła się w drzwiach. – To cioteczna siostra Signe – przedstawiła dziewczynę, a potem wskazała jej i jej towarzyszowi stół z napojami.

Louise też już się tam kierowała, ale zatrzymała ją ręka Britt.

– Nie wiesz, czy znaleźli tych chłopaków? – spytała cicho, ale patrzyła intensywnie, z nieskrywaną nadzieją.

Louise jednak nie miała dla niej dobrych wiadomości.

– Na razie jeszcze nie, a przynajmniej ja nic o tym

nie słyszałam – odpowiedziała, w pełni rozumiejąc rozczarowanie gospodyni.

Zaledwie tydzień temu Britt i jej córka zajmowały się ostatnimi przygotowaniami do przyjęcia. Dzisiaj odbył się pogrzeb. Matka musiała znaleźć jakieś wytłumaczenie dla tej sytuacji, by móc zacząć godzić się z tym, co ją spotkało.

W pokoju muzycznym kwartet smyczkowy z kościoła wypakowywał już instrumenty i ustawiał się przy pięknym fortepianie Britt. Ale miejsce, w którym Louise ostatnio widziała wiolonczelę Signe, było puste.

– Wyniosłam instrument do jej pokoju. Nie mogłam na niego patrzeć za każdym razem, kiedy przechodziłam przez salon – wyjaśniła Britt szeptem. Z oczu spłynęła jej łza, gdy przeniosła wzrok na instrumenty. – Gdy Signe była malutka, leżała na podłodze pod fortepianem, kiedy ćwiczyłam. Miała zaledwie cztery lata, gdy sama zaczęła grać. – Ujęła Louise za ramię i lekko się do niej nachyliła. – Ja tego po prostu nie mogę pojąć. Kiedy wróciłam do domu ze szpitala i miałam się przebrać przed wyjściem do kościoła, wydawało mi się, że słyszę jej wiolonczelę. Przecież nie byłam w domu od chwili wyjścia do klubu i cały czas mi się wydaje, że ona wciąż tutaj jest. Jej odgłosy, jej zapach... bliskość... Wyczuwam ją. A jej pokój wygląda dokładnie tak jak w chwili, gdy wychodziłyśmy z domu w sobotę po południu. Jonas zresztą zapomniał zabrać bluzę. Leży u Signe w pokoju na jej łóżku.

Louise ujęła dłoń, wciąż spoczywającą na jej ramieniu. Britt z rezygnacją pokręciła głową.

– To mnie doprowadza do szaleństwa, bo wraz z całym tym bólem wypełniającym moje ciało czuję, że ona nigdy nie wróci. Jakbym była pusta, jakby ta tęsknota za nią zabrała wszystko, co człowiek ma w środku. Prawdą jest to, co się mówi: matka odczuwa fizyczny ból po stracie dziecka. Mnie amputowano najważniejszą część mojej osoby.

Louise tylko pokiwała głową, patrząc na nią ze współczuciem. Mimo że sama ani nie urodziła, ani nie straciła dziecka, to jednak rozumiała, o czym mówi Britt.

W salonie ktoś zastukał w kieliszek. Ulrik stał między podwójnymi przeszklonymi drzwiami prowadzącymi na taras. Koszula z jednej strony wysunęła mu się ze spodni. Patrzył na gości, czekając, aż skupi na sobie uwagę wszystkich. Zapadła kompletna cisza.

– Czuję ogromny ból w związku z przyczyną naszego dzisiejszego spotkania – zaczął i widać było, jak do oczu napływają mu łzy. Odetchnął głębiej i przez chwilę milczał. – Ale bardzo dziękujemy za to, że byliście z nami, kiedy żegnaliśmy naszą kochaną Signe.

Britt wyszła naprzód i stanęła u boku męża.

– Czasami nie ma sprawiedliwości – ciągnął Ulrik, ściskając żonę za rękę. – Dzieją się rzeczy niepojęte. Całe światy obracają się w ruinę. Właśnie to spotkało nas w ubiegłą sobotę. Ale Signe na zawsze pozostanie w naszych sercach. Wznieśmy toast za nią i za tę radość życia, która tak ją przepełniała. To właśnie ona pomoże nam zapamiętać ją i wszystkie te dobre chwile, które zdążyliśmy z nią spędzić. Bardzo wam dziękuję, drodzy przyjaciele, za waszą obecność. Teraz posłuchamy muzyki, a potem zapraszamy na mały poczęstunek.

Kiwnął lekko głową i muzycy zaczęli grać. Louise, słysząc piękne tony, poczuła gęsią skórkę.

Louise była bliska utraty cierpliwości, kiedy w poniedziałek po południu czekała, zadając sobie pytanie, jak długo właściwie może trwać pięć minut. Na razie minęło ich prawie dwadzieścia, odkąd Hans Suhr oświadczył, że wróci za pięć. W końcu zamknęła oczy i odchyliła głowę, opierając ją o ścianę. Barki miała zesztywniałe, cały dzień spędziła przy biurku.

Nie do końca w to wierzyła, ale kiedy Mikkelsen zadzwonił po lunchu, jasne się stało, że Nick Hartmann nie był człowiekiem znanym w środowisku prostytutek, a przynajmniej tej jego części, którą rządzili rockersi, chociaż im podlegało całkiem sporo kopenhaskich burdeli. Między wierszami wyczytała, że Mikkelsen zdobył zaufanie kobiet, a może po prostu po jednej w każdym miejscu, bo oczywiście nie było najmniejszych wątpliwości, że organizatorzy procederu nie rozmawiają z policją, nie lubią też, by robiły to zatrudniane przez nich prostytutki. Potem zaczęła myśleć o Camilli i Markusie przemierzających w ulewnym deszczu Oregon wzdłuż wybrzeża oceanu.

Dzień wcześniej Camilla przysłała e-maila, w którym napisała, że trochę korespondowała z Britt.

Opowiadała mi o pogrzebie. Naprawdę trudno pojąć, że Signe już nie ma, ale bardzo się cieszę, że Ulrik jest świadom tego, iż powinien teraz zająć się żoną. Jeśli będą się nawzajem wspierać, to przetrwają żałobę. Britt i Signe były ze sobą bardzo blisko związane, matka żyła dla córki, więc teraz z pewnością czuje ogromną pustkę. Strasznie mi jej żal.

Opisywała też, jak razem z Markusem wykrzyczeli nad oceanem swój ból:

Zatrzymaliśmy się na parkingu tuż przy brzegu. W ogóle nie potrafię określić, jak wysokie były fale. W każdym razie dosłownie ryczały. Musieliśmy do siebie wołać, żeby w ogóle się porozumieć. Do Markusa chyba jeszcze w pełni nie dotarło, że po powrocie do domu już nie zobaczy Signe. Ogromnie się tym przejął, jakby nie potrafił zrozumieć, że dziecko może umrzeć w taki sposób. Wie przecież, że Jonas stracił ojca, ale chyba nie mieści mu się w głowie, że dzieci mogą odejść wcześniej niż rodzice. Takie myślenie jest chyba zresztą naturalne. Widzę jednak, że nie daje mu to spokoju, nie potrafi sobie z tym poradzić. Świetnie go zresztą rozumiem, bo sama też trochę się tak czuję. To tak kompletnie bez sensu.

Wczoraj, kiedy zatrzymaliśmy się na chwilę, żeby rozprostować nogi, poszłam na samą krawędź klifu. Popatrzyłam wprost w otchłań. Ten widok mnie pochłonął, przez chwilę miałam ochotę wychylić się i skoczyć. Taki skok na bungee, tyle że bez liny. I nagle usłyszałam krzyk Markusa. Próbował przekrzyczeć fale i robił to z taką siłą, jakiej nigdy jeszcze nie słyszałam.

Później twierdził, że bardzo mu to pomogło na ten ból w środku, który go męczył, więc teraz za każdym razem, gdy dojeżdżamy do punktu widokowego, zatrzymujemy się i wrzeszczymy na fale. Ostatnio o mało nie wystraszyliśmy do szaleństwa pewnej pary na motorach.

– No, proszę, ucięłaś sobie drzemkę na mojej kanapie?

Hans Suhr uśmiechał się do niej od drzwi. Louise próbowała ukryć, że ją przestraszył, a jednocześnie przyłapał na przysypianiu w jego gabinecie.

Poderwała się i przysunęła sobie krzesło do jego biurka.

– Przejrzałam wyciągi z konta Nicka Hartmanna i rozliczenia roczne przesłane nam przez urząd podatkowy. Jedno do drugiego nie pasuje. Przynajmniej według mnie.

Popołudniowe słońce świeciło jej prosto w oczy, zaczęła więc wiercić się na krześle, aż wreszcie Suhr wstał, opuścił żaluzje i gabinet pogrążył się w półmroku.

– I co? – spytał, kiedy z powrotem usiadł.

– Nie ma żadnej równowagi między przychodami

a wydatkami. – Przesunęła po biurku dokumenty w jego stronę i dodała: – Poziom zarobków też nie harmonizuje z takim wysokim standardem życia jak ich.

– A czym on się zajmował?

– Był spedytorem w firmie shippingowej z Havnegade. Shipping Link International. Pracował tam od ośmiu lat na tym samym stanowisku i nigdy nie chciał skorzystać z żadnej oferty ukończenia kursu czy awansu.

Hans Suhr wziął dokumenty i sięgnął po okulary. Potem zapalił lampkę na biurku i przysunąwszy ją bliżej, zaczął studiować liczby.

– Czterysta tysięcy dochodu rocznie – przeczytał, rachując w głowie. – To znaczy prawie trzydzieści cztery tysiące miesięcznie. Chyba nie tak źle?

Louise pokręciła głową. Rzeczywiście, to nie były złe zarobki. Około dziesięciu tysięcy więcej, niż ona zarabiała bez dodatku za nadgodziny.

– No tak, ale wszystko jest względne – stwierdziła, wskazując na wyciąg bankowy. – Dla kogoś, kto w jednym roku wydaje milion na dwa samochody i mieszkanie w willi na Amager, czterysta tysięcy brutto to raczej marna sumka.

Suhr pokiwał głową.

– A czy jego żona ma jakiś majątek? – spytał, podnosząc wzrok znad papierów.

– Mie pracuje na zlecenie jako recepcjonistka w biurze projektów. Ale akurat teraz jest na urlopie macierzyńskim i nic nie zarabia. W okresach kiedy ma pracę, dostaje około dwudziestu tysięcy miesięcznie, więc to również nie wystarczy na osiągnięcie takiego poziomu. Żadnych innych dochodów nie ma.

Suhr sięgnął po wyciągi bankowe i zaczął się przyglądać rzędom cyfr.

– Kontaktowałaś się już z Rejestrem Spółek Handlowych? Wiadomo, czy nie miał jakiejś firmy na boku?

Louise pokręciła głową.

– Z tych wyciągów wynika, że na jego konto wpływały regularnie całkiem spore kwoty. Czterdzieści, sześćdziesiąt tysięcy, czasami więcej. Wygląda na to, że miały pokryć debet, który cały czas się pojawiał.

Szef Wydziału Zabójstw zaczął na odwrocie jakiejś koperty rysować tabelę. Na samej górze napisał „Nick Hartmann", a nad rubrykami „przychody" i „wydatki".

– Skąd się brały te pieniądze?

– Z jednego z kont należących do niego. A część tych pieniędzy wpłacano na konto gotówką w niewielkich kwotach, które w banku nikogo nie dziwiły.

– No tak, to oczywiste – zirytował się Suhr i rzucił długopis na biurko.

– To jasne, że musiał zarabiać na boku – ciągnęła Louise. – Ale wygląda na to, że nie chodzi ani o narkotyki, ani o prostytucję. Miał jakieś związki z rockersami, tylko na razie nie udało nam się jeszcze ustalić jakie.

– Musimy się dowiedzieć, o co chodziło, czym on się naprawdę zajmował, jeśli chcemy mieć nadzieję na znalezienie motywów tego zabójstwa.

Louise pokiwała głową. Czuła, że uda jej się nakłonić naczelnika do pójścia w kierunku, który sobie zaplanowała.

– Nie sądzisz, że powinniśmy poprosić Wydział do spraw Oszustw Gospodarczych, żeby się temu przyjrzał? – zaproponowała, dobrze wiedząc, że jej doświadczenia z przestępczością gospodarczą ograniczają się do wyłudzeń na kartę kredytową.

– Owszem – przyznał Suhr. – I wiem już nawet, do kogo się w tej sprawie zwrócę.

Louise po powrocie do swojego pokoju zastała wiadomość z centrali: „Zadzwoń na komendę Bellahøj – wewnętrzny 11-118". Kiedy tam zatelefonowała, odebrała młoda kobieta, której dobrą chwilę zajęło przypomnienie sobie powodu kontaktowania się z Louise.

– To ty jesteś matką jednego z chłopców uczestniczących w tej imprezie w klubie żeglarskim?

– Przybraną matką – poprawiła ją Louise. – A dlaczego pytasz? Czy coś się stało? Znaleźliście tych łobuzów?

– Jak się nazywasz? – spytała jeszcze raz tamta, ciągle trochę zdezorientowana.

– Louise Rick. Jestem powiązana z Jonasem Holmem, który był na tej zabawie.

Powiązana? Dlaczego tak się odcina? – upomniała się w duchu.

– No dobrze – powiedziała w końcu kobieta tonem świadczącym o tym, że wreszcie udało jej się zapanować nad papierami. – Chcielibyśmy po południu porozmawiać z twoim synem. Będziecie w domu?

– Wiecie już, kto to był? – spytała Louise. Wściekła się, gdy tamta oświadczyła, że, niestety, w tej kwestii nie może się wypowiadać. – Oczywiście, że możesz! – zaprotestowała. – Jonas był na tej imprezie, podczas której zginęła jego przyjaciółka. Co masz, u diabła, na myśli, mówiąc, że nie możesz się wypowiadać?

– Prowadzimy śledztwo... – oświadczyła tamta ostrzejszym tonem.

– No dobrze, zapomnij o tym! – Louise nagle uświadomiła sobie, że przesunęła się na drugą stronę biurka, gdzie zwykle siedzieli świadkowie. – Po prostu przyjdź. Będziemy w domu od piątej.

– Mamy kilka zdjęć, które chcielibyśmy pokazać Jonasowi Holmowi.

– W porządku, będziemy czekać – obiecała Louise, patrząc na zegarek. Nagle zaczęło jej się spieszyć.

Mówię ci, Egon! – Z telewizora w salonie dochodził głos Yvonne.

Louise rzuciła torebkę w przedpokoju i poszła się
przywitać. Jonas siedział na kanapie z podciągniętymi
nogami i oczami przyklejonymi do telewizora. *Gang Olsena w amoku*. Louise pamiętała scenę, w której Harry
Dynamit siedzi wśród skrzynek w ciężarówce przewo-
żącej piwo w świetnym humorze po zrobieniu dziury
w ścianie chłodni.

Chłopiec sięgnął po pilota, żeby wyłączyć film.

– Możesz sobie oglądać – zapewniła Louise szybko.
– Ale dzwonili do mnie z komendy na Bellahøj. Chcą
przyjść, żeby ci pokazać kilka zdjęć. Wydaje mi się, że
znaleźli tych chłopaków.

Po twarzy Jonasa przemknął cień zaniepokojenia.

– A jeśli ich nie rozpoznam?

– To po prostu powiesz. Jeżeli będziesz miał wątpliwości, to też nie powód do wstydu. Masz wskazać

tylko te osoby, których jesteś całkiem pewien. – Louise uśmiechnęła się, widząc jego zdenerwowanie.

Wyłączył telewizor i popatrzył na nią z powagą.

– Jonas, nie ma powodu do obaw, że się źle spiszesz. Przecież nie wiadomo, czy policja wybrała właściwe osoby. Jeśli to nie tamci, będą szukać dalej. I przyjdą znów, gdy zaczną podejrzewać kogoś innego.

Jonas pokiwał głową, ale drgnął, bo jednocześnie zadzwonił domofon. Oboje stanęli w przedpokoju, cierpliwie czekając, aż funkcjonariusz z Bellahøj dojdzie na czwarte piętro. Louise go poznała, to był ten sam policjant, który pojechał z Britt karetką. Powitała go uśmiechem, gdy pokonał ostatni bieg schodów, i z uznaniem pokiwała głową, że wcale się nie zasapał. Mężczyzna uścisnął jej rękę i przedstawił się jako Kent. Zaproponowała, żeby usiedli w kuchni.

– Chciałbym, żebyś razem ze mną przejrzał kilka fotografii – zwrócił się policjant do Jonasa.

Chłopiec niespokojnie poruszył się na krześle, ale pokiwał głową, a Kent z wewnętrznej kieszeni wyjął kopertę.

– Jak na nich trafiliście? – spytała Louise, stojąc przy blacie i krojąc warzywa.

– Skontaktowaliśmy się z wieloma właścicielami łodzi, które cumują na przystani. Zwrócili nam uwagę na pewien barak na Sydmolen, południowym falochronie, do którego zagląda grupa chłopaków. Były z nimi kłopoty w ciągu lata. Podejrzewano ich o kradzież piwa i wódki z pokładów. Pewnie zresztą słusznie, ale tych kradzieży nigdy nie zgłoszono policji.

Rozłożył zdjęcia na stole, a Louise natychmiast się zorientowała, że Jonas rozpoznał kilka twarzy. Bez wahania wskazał pięć z ośmiu zdjęć. Jedno podsunął policjantowi.

– To ten bił i kopał mamę Signe – oświadczył, nie patrząc na fotografię potężnego chłopaka z krótko obciętymi jasnymi włosami i dużym tatuażem z boku na szyi.

– Thomas Jørgensen, ma dziewiętnaście lat – pokiwał głową policjant i spojrzał na Louise. – I powiem ci jeszcze, bo wiem, że przecież sama możesz to sobie sprawdzić na komendzie, że już wcześniej miał zarzuty stosowania przemocy i mieszka w ośrodku dla trudnej młodzieży na Gammel Kalkbrænderivej.

– A co zrobił? – spytała Louise, wykorzystując przychylność funkcjonariusza, który rozmawiał z nią jak z koleżanką po fachu.

– Dopuszczał się różnych aktów wandalizmu. Toczy się sprawa, w której złożono wniosek o zasądzenie od niego odszkodowania w wysokości około dwustu pięćdziesięciu tysięcy koron. Już kilka lat temu trafił do poprawczaka Sønderbro i kilku innych zakładów zamkniętych. I ledwie wyszedł, od razu został zatrzymany razem z kumplem za brutalną napaść na mężczyznę, który wchodził do McDonalda z siedmioletnią córeczką. Ofiara przez tydzień była w śpiączce, aż w końcu zmarła w wyniku obrażeń. To było jakieś pięć lat temu, ale Thomas Jørgensen znów zaczął działać.

Louise usiadła przy stole. Miała ochotę przytulić Jonasa, lecz dobrze wiedziała, że w obecności policjanta nie powinna tego robić.

– A ile oni wszyscy mają lat? – spytała, bo trudno było ocenić te ponure, odpychające twarze. Domyślała się, że zdjęcia zrobiono podczas przesłuchań na komendzie, a niektóre z nich mogły być stare, skoro ci chłopcy już wcześniej mieli kontakty z policją.

– Od siedemnastu do dziewiętnastu. Wszyscy byli notowani. Mają różne wyroki. Chuligani aspirujący do rockersów, ale nimi nie są.

– A co oni mówią?

– Nic.

No tak, oczywiście. A cóż tacy czeladnicy rockersów mogliby powiedzieć, pomyślała Louise zirytowana. Z jednego ze zdjęć siedzący bokiem chłopak patrzył na nich zmrużonymi oczami. Miał tłuste włosy związane w cienki koński ogon sięgający mu do rozpięcia w bluzie, w lewym uchu kolczyk, a na policzku nieregularne znamię.

– Peter Nymann. Ma na koncie wyroki za przemoc i włamania. A z wcześniejszych śledztw wiemy, że bywa chłopakiem na posyłki rockersów, przynajmniej w tych okresach, kiedy nie jest znieczulony haszyszem i alkoholem. Przypuszczam, że zatrudnia się u nich dla kasy, ale na pewno marzy też o tym, żeby wspiąć się wyżej w hierarchii. Na razie nie wydaje mi się, żeby się do tego kwalifikował, bo brakuje mu i inteligencji, i umiejętności panowania nad własnym życiem.

– To on pobiegł za Signe – szepnął Jonas.

Kent pokiwał głową i przesunął na środek stołu trzy ostatnie zdjęcia.

– Sebastian Styhne. – Wskazał blondyna, który nie wyglądał na takiego twardziela jak tamci dwaj. – Jego ojciec ma kawiarnię w Nyhavn i kasy raczej mu nie brakuje.

Chłopak wydawał się też nieco młodszy od pozostałych. Włosy miał półdługie i falujące, a od zwyczajnych chłopców z sąsiedztwa odróżniała go jedynie duża pajęczyna wytatuowana dookoła na całej szyi.

– Nie był oskarżony o przemoc, ale wielokrotnie przyłapywaliśmy go na handlu haszyszem i amfetaminą. Sam zresztą bierze. Ma całe ciało pokryte tatuażami, jakby włożył kombinezon do nurkowania.

– Nie zmuszałeś go chyba, żeby się rozbierał? – spytała Louise zaciekawiona, a młody policjant się roześmiał.

– Pewnie, że nie, ale widziałem, co ma na rękach. Tatuaż kończy się jak rękawy bluzy przy nadgarstkach, a on sam podciągnął nogawki, żeby pokazać, co ma na nogach. Reszty nie widziałem, ale wierzę. Pochwalił się, że to tatuaż *full body*.

– Możliwe, że któryś z tatuażystów z Nyhavn ma otwarty rachunek w knajpie ojca w zamian za tę ozdobę – podsunęła Louise. Pomyślała, że chyba przykre musi być dla matki takiego ładnego chłopaka, że postanowił na stałe pokryć ciało czarnym tuszem.

Jonas wciąż wpatrywał się w dwa ostatnie zdjęcia.

– Jón Vigdísarson. Ma siedemnaście lat. Mieszka razem z matką na Strandboulevarden.

Chłopak miał gęste ciemne włosy, ładne wyraziste rysy i czarne oczy patrzące twardo i odpychająco, co było wręcz nienaturalne, zważywszy na jego wiek.

– Kradzieże samochodów i włamania.

– I on ma siedemnaście lat? – zdumiała się Louise.

Kent potwierdził.

– Ostatnio złapany ze złodziejskim łupem w skradzionym samochodzie, z alkoholem i papierosami pochodzącymi z włamania do sklepu Spar. Ten Islandczyk jedyny przyznał się, że był w klubie. Ale twierdzi, że został zaproszony. Przez Signe!

– To kłamstwo! – oburzył się Jonas.

– Inni w ogóle nic nie mówią.

– Ale naprawdę tam byli – oświadczył Jonas, wpatrując się w policjanta. – Poznaję ich.

– Potwierdzają to twoi koledzy z klasy – uspokoił go Kent i wysunął ostatnie zdjęcie.

To był wysoki potężny facet z rozległymi tatuażami na bardzo umięśnionych ramionach. Mięśniak na sterydach, który prawdopodobnie prawie mieszka na siłowni, pomyślała Louise.

– Kenneth Thim. Uczy się na mechanika, ale kilka wieczorów w tygodniu stoi na bramce w dyskotece w centrum. Też jest u nas notowany. W zasadzie za wszystko: przemoc, bójki, włamania... Też chciałby się chyba zbliżyć do rockersów. To zimny drań obojętny na wszystko. Ale z tego, co mówisz, w trakcie tej imprezy nie był agresywny?

Jonas potwierdził.

– Jak daleko jest z tego baraku na łodzie do klubu żeglarskiego? – spytała Louise, patrząc, jak Jonas wstaje, idzie do swojego pokoju i zamyka za sobą drzwi. – Czy oni mogli zobaczyć, że tam jest impreza?

Kent pokręcił głową.

– Ten barak, w którym się spotykają, znajduje się bardziej w głębi portu Svanemøllen, w pobliżu magazynów, tam, gdzie przypływają większe statki. Ale przypuszczamy, że mogli wyjść na poszukiwanie alkoholu i papierosów. O tej porze wiele żaglówek już wróciło z morza, ludzie poszli do domu. Mogli wtedy zauważyć imprezę.

Louise przytaknęła, bo wydało jej się to prawdopodobne.

– Rozmawialiście już z rodzicami Signe? – spytała.

– Jeszcze nie. Pojadę tam bezpośrednio stąd, chciałem się najpierw upewnić, czy zidentyfikowaliśmy właściwie osoby, zanim pokażę im zdjęcia.

Rozsądnie, pomyślała Louise łagodniej nastawiona do młodego funkcjonariusza.

Pieczone warzywa. Jako dziecko Louise nie znosiła tego rodzaju kolacji przygotowywanej przez matkę, zwłaszcza gdy posypywała wszystko grubą warstwą pietruszki z ogrodu, nie pytając, czy ktoś może wolałaby bez. Teraz uwielbiała długo pieczone selery, buraki, pasternak i marchewkę, ale za każdym razem, gdy stawiała to danie na stole, dostrzegała w sobie trochę z matki i wcale jej się to nie podobało. Była przekonana, że jej mieszkanie na Frederiksberg wciąż dzieli od rodziców na wsi duży dystans.

Jej matka zajmowała się ceramiką i całe dnie spędzała w roboczym kitlu z gliną we włosach. Należała do osób barwnych i głośnych, w przeciwieństwie do ojca, który w milczeniu siedział z nosem w książkach albo skupiony stukał w klawiaturę. Był znanym ornitologiem i przez większą część dzieciństwa Louise kierował swoją uwagę w zupełnie inne miejsca aniżeli te, w których przebywała córka i jej młodszy brat. Zatrudniony przez Duńskie

Towarzystwo Ornitologiczne, większość czasu spędzał z lornetką na szyi. Zajmował się głównie ochroną ptaków, ponadto redagował wydawane przez towarzystwo czasopismo.

Louise miała serdecznie dość tego, że rodzice nie pracują normalnie, w regularnych godzinach, i nienawidziła wstawania o czwartej rano, bo wyprawiali się na obserwację ptaków starą, należącą do rodziny simcą. Ojciec jednak nigdy do końca sobie tego nie uświadomił, że dzieci nie podzielają jego zachwytów. Żadne z rodziców nie dało się też wciągnąć w rywalizację z sąsiadami i przyjaciółmi na samochody czy urządzenie wnętrza. Samochód jeździł dopóty, dopóki nie odsłużył swojej powinności, ale wtedy zbuntował się tak, że nie dało się już go ożywić. Louise wolała zresztą rower, żeby nie narażać się na krzywe uśmieszki kolegów.

Odkąd Jonas zamieszkał razem z nią, wielokrotnie zauważyła, że zaczyna nieprzyjemnie przypominać rodziców. Zawiozła chłopca na imprezę starym wysłużonym saabem przekonana, że dopóki auto zapala i może przetransportować ją z punktu A do punktu B, nie ma kompletnie żadnego powodu, by zastanawiać się nad jego zmianą. A teraz jeszcze zapiekała warzywa! Jedyną okoliczność łagodzącą stanowiło to, że w przeciwieństwie do matki nie przysypywała całości pietruszką. Do diabła, pomyślała, kładąc na stole podkładkę pod gorącą blachę. No ale przecież ona nie była matką tego chłopca, poza tym wcale nie wyglądało na to, żeby Jonas się jej wstydził. Po prostu sama nie zauważyła zmiany, jaka się w niej dokonała. Nie wiedziała, w którym momencie zaczęła stawać się taka jak rodzice.

Aż pokręciła głową nad samą sobą i zawołała Jonasa:

– Jemy!

W rękawicach kuchennych wyjęła naczynie z piekarnika.

Po kolacji miała zamiar pojechać na Strandvænget, aby dowiedzieć się, jak Britt i Ulrik przyjęli wieść o tym, że policji udało się zidentyfikować tych chłopaków. Może mieli jakieś pytania, których nie zadali funkcjonariuszom z Bellahøj. Nie sądziła wprawdzie, by umiała na nie odpowiedzieć, ale może mimo wszystko mogła im jakoś pomóc, przygotować ich na to, co się będzie działo dalej, kiedy policja wystąpi z zarzutami dla chuliganów.

Jonas umówił się z Lassem, że u niego przenocuje. Obiecała, że zawiezie go na Peblinge Dosseringen. Stamtąd mogła pojechać do Svanemøllen.

Golf stał przed domem. Miejsce, na którym parkowało duże audi Ulrika, było puste, ale na parterze się świeciło. Louise zatrzymała się przy krawężniku i zadzwoniła z komórki. Nie chciała zjawiać się tak całkiem bez zapowiedzi.

– Jeśli wytrzymasz mój domowy strój i bałagan, to będzie mi bardzo miło! – zawołała zaskoczona Britt, gdy Louise wprosiła się na kawę.

Wypalone świece wciąż stały wzdłuż alejki w ogrodzie. Nikt ich nie zebrał po pogrzebie. W pustych pomieszczeniach róże wydawały się bardziej natrętne, pachniały też mocniej, cały czas przypominając o swojej obecności.

– Kocham róże – wyznała Britt, kiedy już usiadły. – Szczególnie te, które mam w ogrodzie.

Ogromny stół był zasypany fotografiami, małymi i dużymi, z czasów, gdy zdjęcia oddawało się do wywołania i wracały wydrukowane na papierze zapakowane w kopertę. Signe jako niemowlę, raczkująca, robiąca pierwsze kroki. I jako czterolatka na ławce z długimi rudymi włosami zaplecionymi w dwa warkocze z malutkimi skrzypcami przyłożonymi do policzka.

– *Memory Lane* – powiedziała Britt ze smutkiem, wskazując na zdjęcia. – Przygotowuję się na to, że będę nią wędrować jeszcze wiele razy.

W tle grała spokojna muzyka, klasyczne tony wypełniały przestrzeń, zmniejszały ją, przydawały poczucia bezpieczeństwa. Louise przyjęła propozycję filiżanki zielonej herbaty i w czasie, gdy matka Signe wyszła do kuchni nastawić wodę, rozejrzała się po salonie.

– Ulrik pojechał na wyspę Møn, na klify. Namówiłam go na ten wyjazd – powiedziała Britt z uśmiechem. – Ma fioła na punkcie lotniarstwa i paralotniarstwa, szkoli też innych. Twierdzi, że to jak medytacja. Nie bardzo chciał jechać. Od wypadku prawie nie wychodził z domu. Ale ja nie mam nic przeciwko temu, żeby pobyć sama. Jestem przecież do tego przyzwyczajona, a jemu świeże powietrze dobrze zrobi. Zwykle w ten sposób się odpręża, kiedy ma za dużo stresu. Znasz się na paralotniarstwie?

– Ani trochę. Chyba nawet nie rozróżniam lotniarstwa od paralotniarstwa – przyznała Louise.

Siedziały w głębokich fotelach w dużym salonie.

– Mnie też niewiele to mówi. Wiem, że kiedy się lata na paralotni, to siedzi się w szelkach pod czymś w rodzaju spadochronu, a na lotni niemal się leży w powietrzu pod parasolem. To zupełnie nie dla mnie.

Louise się uśmiechnęła.

– Kiedy związaliśmy się z Ulrikiem prawie dwadzieścia lat temu, właśnie zaczął skakać na spadochronie i jako jeden z pierwszych próbował skoków na bungee z mostów. Później pojawiły się kolejne sporty ekstremalne. Gdybym wiedziała, że to się rozwinie w jego pasję, to pewnie bardziej bym się zastanowiła nad wyborem partnera. Ale jego to pochłania, uwielbia te kopy adrenaliny, jakie czuje podczas lotu. – Udała, że się wzdryga, i dodała, że mąż ma też szybowiec w Allerød. – Ale zabroniłam mu zabierać na loty Signe. Mam wrażenie, że cały czas słyszy się o wypadkach lotniczych, i aż mi się słabo robi na samą myśl. Nie mam pojęcia dlaczego, ale samoloty to najwyraźniej fobia, z którą muszę się męczyć całe życie.

Louise bardzo niewiele wiedziała o Ulriku Fastingu-Thomsenie. Jedynie tyle, ile wyczytała w gazetach za każdym razem, gdy był zaangażowany w jakąś wielką fuzję. Z tego, co pamiętała, był również doradcą inwestycyjnym Frederika Sachs-Smitha, najstarszego z trójki rodzeństwa w dynastii, którą ataki mediów zalały jak lawa przebudzonego wulkanu. Skandal w rodzinie wstrząsnął życiem gospodarczym, a szczególnie duńskim rynkiem akcji. Plotki na ten temat interesowały ludzi tak, jakby to rodzina właścicieli Lego wywiesiła całą swoją brudną bieliznę na widok publiczny albo właściciel koncernu Mærsk McKinney zaczął się publicznie rozbierać. Ale Frederik Sachs-Smith najwyraźniej był na tyle mądry, by wycofać się z rodzinnego przedsiębiorstwa na długo przedtem, zanim jego rodzeństwo rozpoczęło swoją powodowaną chciwością wendetę przeciwko rodzicom. Dzięki temu uniknął obsmarowywania na pierwszych stronach gazet i nie stał się tematem plotek wypełniających pokoje śniadaniowe w różnych miejscach pracy. Nie pociągnął też za sobą Ulrika.

Herbata stanęła na stole w ciężkim kamionkowym dzbanku, który Britt przyniosła w obu rękach. Na policzku wciąż miała plaster. Wspomniała też, że pod koniec tygodnia musi iść do lekarza na zdjęcie szwów.

– Była tu dzisiaj policja – oznajmiła, kiedy popijały już herbatę z filiżanek.

Louise pokiwała głową.

– Wydawało mi się, że rozpoznaję kilku z tych chłopaków na zdjęciach, ale nagle straciłam pewność. Wszystko mi się zamazało. Pamiętam, jak goście się schodzili, a potem szykowali się na rejs. Pamiętam też, jak siadaliśmy do stołu, uczniowie ze szkoły muzycznej grali dla Signe. – Mocno zacisnęła zęby, żeby się nie rozpłakać, a jednocześnie w pokoju zrobiło się cicho, bo płyta się skończyła. – Po jedzeniu Signe rozpakowywała prezenty i tak się cieszyła. Później wszyscy pomogli w sprzątaniu i zaczęli odsuwać stoły na boki, żeby zrobić miejsce do tańca. – Teraz na chwilę w jej oczach zabłysnął uśmiech, ale zaraz ciężko spuściła głowę. – Akurat wyszłam do kuchni po chipsy, kiedy oni się zjawili. Wróciłam na salę i zobaczyłam, że tam stoją. Jeden już kierował się za bar z napojami. Pomyślałam, że to jacyś znajomi Signe, i nawet ich przywitałam. – Na moment zamknęła oczy. – Zorientowałam się jednak, że dzieci nie czują się pewnie, bo żadne nic nie mówiło. Spytałam więc tych chłopaków, czego chcą. „Zabawić się", krzyknął któryś i zażądał alkoholu. Ale przecież tam nie było alkoholu. Dwóch innych podeszło do stołu z prezentami, wtedy poprosiłam, żeby sobie poszli.

– Czy już wówczas zachowywali się groźnie? – spytała Louise.

– Nie. – Britt pokręciła głową. – I w ogóle nie spodziewałam się, że mogą być jakieś kłopoty. Sądziłam, że po prostu wyjdą, kiedy się przekonają, że nie ma ani piwa, ani nic mocniejszego. Dwóch poszło do kuchni, wzięło sushi, które tam wcześniej wynieśliśmy. Powiedziałam, że mogą sobie to zabrać. Nagle jednak zobaczyłam, że ten za barem otworzył torebkę i trzyma w ręku moją portmonetkę. Usłyszałam też, jak Signe mówi, żeby zostawili w spokoju jej prezenty. Właśnie w tym momencie zaczęłam krzyczeć, żeby sobie poszli, bo inaczej wezwę policję. Dalej nie bardzo już pamiętam, co się działo.

Louise pozwoliła jej się wypłakać. Stwierdziła, że to najwyraźniej wtedy Jonas po nią zadzwonił.

Przez chwilę nie odzywały się do siebie. Louise siedziała wpatrzona w dopalającą się świecę. Na ścianach wisiały obrazy, a w jednym rogu stała wysoka smukła rzeźba z brązu. Drzwi do pokoju muzycznego były otwarte, przy fortepianie paliły się świece.

– Opowiedz mi o swojej karierze muzycznej – poprosiła, dolewając herbaty do filiżanek.

– A co mam powiedzieć? – spytała Britt nagle zawstydzona.

– Znałaś już Ulrika, kiedy zaczęłaś grać?

Przez twarz Britt przemknął uśmiech.

– Jestem dzieckiem Suzuki, tak jak Signe. Byłam jednym z pierwszych dzieci szkolonych w Duńskim Instytucie Suzuki. To bardzo szczególna metoda uczenia małych dzieci gry na instrumentach na zasadzie naśladownictwa, wprowadzona w Danii w roku 1972. Miałam wtedy cztery lata. Pamiętam, że koledzy w szkole przezywali mnie Klasyczką. To było już ponad dwadzieścia pięć lat temu – stwierdziła. – Signe również zaczynała jako czterolatka. Dzieci tam wcześnie występują. Ale wszystko odbywa się na warunkach ustalanych przez dziecko, chociaż bardzo ważna jest też rola rodziców. Dzieci mają grać z przyjemności. Signe została przyjęta do orkiestry kameralnej w instytucie, ale kiedy ja się tam uczyłam, grałam na pianinie, więc weszłam w skład mniejszego zespołu.

Wstała, podeszła do odtwarzacza zawieszonego na ścianie, chwilę później znów rozległy się klasyczne tony. Odrobinę przyciszyła.

– *Trio H-dur* Brahmsa – oznajmiła, siadając.

– Gdzie poznałaś Ulrika? On też interesował się muzyką?

Britt roześmiała się zaskakująco swobodnie.

– Zwariowałaś? On nie słyszy różnicy między skrzypcami a kontrabasem. Poznaliśmy się banalnie, w barze na mieście. To było tego lata, kiedy zaczęłam studiować w konserwatorium. Miałam dziewiętnaście lat, właśnie skończyłam liceum, a Ulrik był o trzy lata starszy ode

147

mnie i studiował ekonomię na Uniwersytecie Kopenhaskim.

– Ale to znaczy, że byliście razem bardzo długo, zanim urodziła się Signe?

Britt pokiwała głową.

– Nie wierzyliśmy, że możemy mieć dziecko, ale właściwie nam to odpowiadało. Zaczęłam studia przygotowawcze, wtedy jeszcze dwuletnie, później czekały mnie cztery lata do dyplomu i dopiero potem mogłam myśleć o klasie solisty. Miałam dwadzieścia pięć lat i nie mogłam grać z maleńkim dzieckiem na ręku. Zresztą właśnie w tym momencie wiele kobiet rezygnuje z kariery. Ale ja całkowicie skoncentrowałam się na muzyce i miałam to szczęście, że debiutancki koncert zagrałam w sali koncertowej w Tivoli. Signe urodziłam tuż przed trzydziestką. Wtedy bardzo nam to pasowało. Miałam mnóstwo energii, którą mogłam jej poświęcić, i zabierałam ją ze sobą na koncerty za granicą. Kiedy byłam na scenie, ktoś zajmował się nią w garderobie. – Zamyśliła się. – Szczęście mi dopisało, bo mogłam koncertować w Paryżu i w Złotej Sali Musikverein w Wiedniu. I to na wspaniałym fortepianie koncertowym Bösendorfer. A kiedy ćwiczyłam w domu, Signe leżała na swojej owczej skórze, przysłuchując się mojej grze.

– Ale przestałaś koncertować?

Britt pokiwała głową.

– Ręce zastrajkowały. Choroba pojawiła się nagle i była bardzo podstępna. W końcu musiałam zupełnie zrezygnować z gry. Teraz wykładam w Królewskim

Konserwatorium Muzycznym. No i mam jeszcze prywatnych uczniów. Przychodzą tutaj. – Skinieniem głowy wskazała fortepian w pokoju muzycznym.

Louise zerknęła na zegar wiszący na ścianie przy sprzęcie stereo, a Britt, widząc to, przeprosiła, że tak się rozgadała.

– Przecież to ja chciałam słuchać! – zaprotestowała Louise i zamierzała wynieść filiżanki do kuchni, ale kiedy wstała, w Britt nagle nastąpiła gwałtowna zmiana, jakby nagle straciła wszystkie siły. Spojrzenie wbiła w jakiś punkt daleko poza ścianą.

– Napijesz się jeszcze herbaty czy mam wynieść dzbanek? – spytała Louise, ale Britt nie zareagowała.

Louise podeszła więc i przykucnęła przy jej fotelu.

– Dobrze się czujesz?

– Chcę się położyć – odparła Britt cicho, nie poruszając nawet powieką.

Louise pomogła jej wstać, wzięła ją pod rękę, nie bardzo wiedząc, co ma robić. Uświadomiła sobie, że Britt może być pod wpływem środków uspokajających, które akurat przestały działać. Nie miała jednak pojęcia, czy lekarz coś takiego jej przepisał, a nie chciała pytać, żeby za bardzo nie wdzierać się w jej prywatność.

– Kiedy Ulrik wróci do domu? – spytała, gdy zatrzymały się w jadalni.

– Niedługo powinien już być, ale mogę zostać sama do jego powrotu.

Mocniej ścisnęła Louise za ramię i zaczęła mówić głosem dziwnie głębokim i szorstkim, wydobywającym

149

się jakby z jakiegoś ukrytego miejsca za całą jej kruchością i delikatnością.

– To oni mi ją odebrali. Masz tego świadomość? Gdyby się nie pojawili i nie urządzili awantury, Signe wciąż by tu była. – Zapadła chwila ciszy, po czym Britt ciągnęła w zamyśleniu: – Ale to ja zorganizowałam dla niej to przyjęcie. Mogłam zrobić tyle innych rzeczy, żeby uczcić jej sukces, i nigdy by do tego nie doszło, wiem o tym.

Louise chciała zaprotestować, ale nie zdążyła, bo Britt dziwnie beznamiętnym tonem ciągnęła:

– Nigdy im tego nie wybaczę. Każdego dnia będę ich nienawidzić tak mocno, że na pewno to poczują. Bez względu na to, jak daleko ode mnie będą przebywali.

Nagle w jej oczach pojawił się przepraszający wyraz, jakby ją samą na moment przeraziła trawiąca ją nienawiść. Uśmiechnęła się lekko, pokręciła głową, a potem podziękowała Louise za to, że zechciała poświęcić jej czas. Louise uściskała ją na pożegnanie. Po drodze do samochodu wyjęła komórkę. Uznała, że zdąży jeszcze zadzwonić do Jonasa i powiedzieć mu „dobranoc". Zobaczyła, że ma jedno nieodebrane połączenie i jedną wiadomość. Uruchomiła silnik saaba, włączyła ogrzewanie i dopiero wtedy zadzwoniła na pocztę głosową. Wcisnęła jedynkę, żeby odsłuchać nagranie.

– Dzień dobry, Louise. Mówi Ulrik, ojciec Signe. Właśnie się dowiedziałem, że policja odnalazła tych chłopaków i zlokalizowała miejsce, w którym się kręcą na Sydmolen. Musisz wiedzieć, że ten barak na łodzie należy do magazynu, którego jestem właścicielem.

Deszcz bębnił o przednią szybę samochodu, wycieraczki pracowały na najwyższych obrotach. Markus z opuszczonymi ramionami siedział nad rozpostartą wielką mapą. Miał już dość jazdy, bolała go głowa, mimo wszystko usłuchał i wysiadł z samochodu, kiedy dotarli do czterometrowego pomnika strasznego olbrzyma Big Foot. Wyrzeźbiono go z drewna i pomalowano paskudnie i nieudolnie. Każde dziecko poniżej piątego roku życia zapewne na ten widok wybuchnęłoby płaczem.

– Stań obok tak, żebym mogła zrobić ci zdjęcie! – zawołała Camilla przez deszcz i wyjęła aparat.

– Mamo, naprawdę? Przecież leje, a ja się okropnie źle czuję. Dałabyś już spokój!

– Przecież to tylko jedno zdjęcie. Chwila i będzie załatwione. Potem możemy się czegoś napić. Albo zjeść lody, jeśli wolisz.

Ledwie Camilla to powiedziała, Markus odwrócił się do niej tyłem, nachylił i zaczął wymiotować. Stał z rękami opartymi o kolana, z głową zwieszoną, a jego chudymi ramionami wstrząsnęła kolejna fala torsji.

W siekącym deszczu Camilla usiłowała wyjąć z torebki papierowe serwetki jedną ręką, drugą przytrzymując syna za czoło.

– Ależ, skarbie, jest aż tak źle?

Spojrzał na nią z ponurą miną i kiwnął głową, gdy spytała, czy rezygnują z odszukania wielkiego drzewa, przez które można przejechać samochodem, i zamiast tego skoncentrują się na znalezieniu jakiegoś miejsca na nocleg.

Z powrotem w samochodzie Camilla odszukała swoją grubą bluzę i pomogła Markusowi zdjąć mokre ubranie. Na tylnym siedzeniu toyoty znalazła więcej serwetek i wodę. Kiedy chłopiec się położył, zwinęła jego kurtkę i podłożyła mu pod głowę, nagle uświadamiając sobie, że od dwóch dni pakują się w sposób raczej mechaniczny. Po śniadaniu wsiadali do samochodu, jakby koniecznie musieli dokądś zdążyć. Zniknęła gdzieś przyjemność poszukiwania wolności, o której marzyła, wyobrażając sobie jazdę przez zachodnie wybrzeże Stanów Zjednoczonych. Teraz miała wrażenie, że uczestniczy w pościgu za obowiązkowymi do zobaczenia atrakcjami. W dodatku jej syn czuł się paskudnie, a ona tego nawet nie zauważyła, ogarnięta chęcią skreślenia Big Foot z listy wyznaczonej na podstawie grubego przewodnika.

Wolno wyjechała tyłem z pustego parkingu. Najwyraźniej byli jedynymi turystami, którzy postanowili stawić czoło wodzie lejącej się z nieba. Nawet przy sklepach z pamiątkami nikt się nie kręcił, a leśną drogę też mieli tylko dla siebie.

Camilla ciężko westchnęła i ustawiła dźwignię automatycznej skrzyni biegów w położeniu „*drive*".

– *Turn left and then turn right* – polecił GPS ustawiony na znalezienie hotelu, kiedy dotarli do miasta, które nazywało się Eureka. Leżało na wybrzeżu, Camilla nic o nim nie wiedziała, nie miała też pojęcia o jakichkolwiek tutejszych możliwościach noclegu, ślepo więc ufała wskazówkom pani komunikującej się z satelitą.

Markus zasnął z tyłu, blady, z mokrymi włosami.

Nieudana wyprawa, kompletna pomyłka, takie miała wrażenie, skręcając w lewo i rozglądając się za drogą, która miała odchodzić w prawo. Znaleźli się w środku dzielnicy wysłużonych domów, lecz żaden nie przypominał hotelu, nie zdawał się też oferować żadnej możliwości noclegu.

Ślepa ulica, nigdzie nie można skręcić w prawo. Nawigacja kompletnie zawiodła.

Camilla zjechała na bok. Nagle zaczęło się liczyć tylko dotarcie do następnego punktu. Zupełnie nie tak to sobie wyobrażała, marząc o wyruszeniu w drogę bez świadomości, dokąd ich doprowadzi. Wszystko, co robili przez ostatnie dni, nie było ani trochę ważne, pomyślała. Z własnego wyboru sama przełączyła się na autopilota, żeby nie myśleć. Dostosowała się do trasy przewodnika, by zapomnieć o Signe i jej nieszczęśliwych rodzicach.

Zawróciła samochód. Teraz musiała znaleźć miejsce, w którym mogliby przenocować. Markus był chory i dotarcie do jakiegoś hotelu, w którym mógłby położyć się do łóżka, stało się najważniejsze.

– Cholera! – krzyknęła, uderzając ręką w kierownicę. Zahamowała tak ostro, że Markus o mało nie spadł z tylnego siedzenia.

– Dojechaliśmy? – spytał, podnosząc się na łokciach i próbując wyjrzeć przez szybę, po której deszcz ściekał jak zewnętrzna zasłona.

– Jeszcze nie. Nie mogę znaleźć tego przeklętego hotelu – odparła i o mało się nie roześmiała, zamykając oczy i wyobrażając sobie to wszystko.

Deszcz dalej walił o szybę, a ona uświadomiła sobie nagle absurd całej tej sytuacji. Jakaż była żałosna, próbując znaleźć wewnętrzny spokój w pędzie na oślep, a w tym czasie wszystko wokół niej popadało w ruinę. Podjęła kompletnie nieudaną próbę powrotu do dawnej normalności, grożącą w każdej chwili wypadnięciem za burtę. Do diabła, nie da się uciec przed żałobą nad Signe.

Wyłączyła nawigację i wolno jechała przed siebie. Markus z powrotem się położył, nie miał już na nic siły. Wierzył tylko, że wkrótce znajdzie gdzieś łóżko, w którym zniknie jego ból głowy.

Camilla znalazła się z powrotem na głównej ulicy w centrum miasta. Skręciła w stronę wody i znalazła się przy starym wiktoriańskim kolosie kojarzącym jej się z Harrym Potterem i Hogwartem, szkołą dla czarodziejów. Takie same wieżyczki i wieże. Na dużej tablicy przeczytała, że mieści się tu klub tylko dla mężczyzn. Po przeciwnej stronie stał mniej ozdobny jasnoróżowy budynek, ale przyspieszyła, mijając go i nie czytając szyldu. Objechała miasteczko, nigdzie nie zauważając żadnego hotelu. Sama czuła się już zmęczona, a mokre włosy lepiły jej się do twarzy. W ostatnich dniach przestała się malować i zaczęło jej być wszystko jedno, jak wygląda. Makijaż wydawał się tutaj kompletnie bez znaczenia. Jeden dzień zlewał się z kolejnym, no i przecież i tak spędzali pięć albo siedem godzin w samochodzie.

Już chciała się poddać, gdy wreszcie dostrzegła szyld dający jakąś nadzieję. „Carter House" – taki napis widniał na trzypiętrowym narożnym budynku. Nie mogła się jednak zorientować, czy to tylko restauracja, czy również pokoje do wynajęcia.

Markus kilka minut wcześniej obudził się i kategorycznie polecił, że mają się zatrzymać przy następnym miejscu noclegowym, na jakie natrafią, bez względu na to, co to będzie. Było mu wszystko jedno, czy wylądują w Packwood numer dwa, czy w wypasionym Hiltonie. Oświadczył, że dłużej w samochodzie nie wytrzyma.

Carter House na szczęście okazał się hotelem i w czasie, gdy czekali na zameldowanie, recepcjonista Kevin wskazał im niewielki bufet ustawiony w foyer. W wielkim kominku palił się ogień, a przy stolikach siedzieli goście, popijając i gawędząc. Wszędzie stały głębokie kanapy i patynowane meble w eleganckim lekkim stylu.

– Herbaty czy wina? – spytał kelner w białej marynarce, w pasie przewiązany kucharskim fartuchem. Wskazał im bufet z półmiskami. – Proszę się częstować, to wliczone w cenę.

Popołudniowa herbata, pomyślała Camilla i uśmiechnęła się, kierując się za Markusem do jednej z kanap. Jakie to dekadenckie i jakie szalone! Owoce, ser, kiełbaski, pasztety i maleńkie kanapeczki.

– Masz na coś ochotę? – spytała Markusa. – Przyniosę ci.

Chłopiec wciąż był nieco blady i wyglądał na osłabionego, ale widok takich frykasów skłonił go do podejścia do stołu i zanim Camilla zdążyła się rozejrzeć, sam napełnił sobie talerz i nawet poprosił kelnera o jakiś gazowany napój. Uśmiechnęła się, kiedy wrócił na kanapę.

– Wydaje mi się, że będziemy musieli zacząć od początku – oświadczyła, kiedy Markus usiadł.

Uniósł brew w taki sam sposób jak wówczas, kiedy uważał, że matka próbuje być zabawna, a w jego opinii jej dowcip jest kompletnie nietrafiony.

– Pojedziemy z powrotem? – spytał w końcu.

Pokręciła głową i sięgnęła po swoją herbatę, którą podano jej w dzbanku po tym, jak sama wybrała torebkę z ekskluzywnej skrzynki z różnymi gatunkami.

– Nie, chodzi mi o to, że powinno nam być przyjemnie. Musimy odpocząć i robić tylko to, na co mamy ochotę. Możemy zacząć od pozostania tu przez kilka dni, za czym ja bym głosowała. A może w mieście jest kino? Pójdziemy na jakiś film, kupimy popcorn...

– Dużą porcję? – spytał.

Stwierdziła więc w duchu, że mdłości musiały mu już całkiem minąć.

– Bardzo cię przepraszam – powiedziała, poczuwszy głód, kiedy wsunęła do ust pierwszy kęs. Przez ostatnie dwa dni jedli głównie hamburgery. Nie były nawet złe, tylko trąciły monotonią.

– Myślisz, że w pokoju będziemy mogli obejrzeć jakiś film? – spytał, zanim wstał po kolejną porcję truskawek.

– Tu jest fajnie, ja też chcę tu zostać.

Camilla uśmiechnęła się, po czym poszła do recepcji spytać, czy da się od razu zamówić dwa dodatkowe noclegi i czy w pokoju jest Internet.

Smutna październikowa poranna mgła zawisła nad Gammel Kongevej, kiedy Louise jechała na rowerze w stronę komendy. Ruch na ścieżce był jak zwykle duży i powolny o tej porze. Mnóstwo ludzi zaczynało w tych godzinach pracę.

Myślała o matce Signe i całym jej życiu zrośniętym z muzyką i instrumentami. Kiedy sama nie mogła już grać, z całej siły starała się rozwijać talent córki. Teraz muzyka albo pomoże jej przetrwać żałobę, albo stanie się tym elementem, który będzie ją wiązał z córką, a wtedy życie tej kruchej kobiety kompletnie legnie w gruzach. Britt miała w sobie tyle nienawiści, kiedy stała w salonie, a co gorsza, coraz bardziej dręczyło ją poczucie winy.

Louise dojechała do Otto Mønsteds gade i zostawiła rower na tyłach komendy. Było nieco po ósmej, kiedy weszła do budynku od strony dyżuru sędziowskiego i pokonała schody na piętro. W ręku trzymała klucze do pokoju, ale myślami wciąż była u Britt w dzielnicy Svanemøllen.

Początkowo więc nie zauważyła, że drzwi do jej pokoju są otwarte. Dopiero gdy wyjęła klucz i pchnęła je, oderwała się od własnych myśli.

Obie żaluzje były opuszczone, światło na suficie zgaszone, paliła się tylko lampka na biurku. Na miejscu Larsa Jørgensena siedział jakiś facet o włosach białych jak kreda. Przed nim stały dwa monitory, których Louise nigdy wcześniej tu nie widziała. Mężczyzna miał na głowie wielkie słuchawki, z których dochodziło dudnienie basów.

Oniemiała stanęła w progu, a potem cofnęła się o krok. Gdyby nie jej osobiste rzeczy i czajnik elektryczny, uznałaby, że pomyliła drzwi, ale przecież wszystko inne było znajome: herbata, teczki z aktami spraw, a na tablicy rysunki Markusa, które podarował jej przez lata.

– Kim jesteś? – spytała, rzucając torebkę, niepewna, czy nieznajomy w ogóle zauważył jej przyjście.

Mężczyzna wstał. W pierwszej chwili wydał jej się nastolatkiem ze względu na luźną bluzę z kapturem i wojskowe spodnie, ale teraz zorientowała się, że się pomyliła. Nie był wysoki, nieco niższy od niej, mógł mieć jakieś metr sześćdziesiąt pięć, lecz okazał się wcale nie tak młody. Na pewno przekroczył już czterdziestkę. Louise domyślała się również, że włosy miał tlenione, ale gdy do niej podszedł, wszystko w nim wydawało się tlenione. Oczy miał jasnoniebieskie, tęczówka zdawała się zajmować zbyt dużo miejsca, a brwi na bladej twarzy były prawie niewidoczne.

– Gylling – przedstawił się, prędko wyciągając rękę,

wciąż z muzyką dudniącą w słuchawkach. – A na imię mi Sejr.

Louise tylko kiwnęła głową. Z taką niespodzianką nie-łatwo sobie było poradzić tak wcześnie rano. Za plecami Gyllinga dostrzegła niedużą lodówkę ukrytą za krzesłem. Jej spojrzenie powędrowało dalej do półlitrowej butelki coli, która stała na biurku.

Gylling w końcu zdjął słuchawki. Ułożyły się na jego szyi jak kołnierz.

– „Guitar Gangsters and Cadillac Blood" – oznajmił. Wyjął z kieszeni spodni iPoda i wyłączył muzykę.

– Świetnie, widzę, że już się poznaliście – odezwał się Suhr od drzwi. – Gylling to jedna z najtęższych głów z Wydziału do spraw Oszustw Gospodarczych. – Przywi-tał się z obydwojgiem uściskiem dłoni, a potem przysiadł na niskim regale stojącym pod ścianą. – Ma też wielolet-nie doświadczenie z różnych innych wydziałów – dodał niemal z podziwem. – Szczególnie z wydziału przestęp-czości gospodarczej i z międzynarodowych spraw kar-nych – wyliczył. – No i, jeśli się nie mylę, przez dłuższy czas był również w służbach specjalnych.

Suhr mówił o tym człowieku tak, jakby go nie było w pokoju. Być może miał rację, stwierdziła Louise, bo jej nowy kolega znów włożył słuchawki i schronił się za swoimi monitorami. Podeszła do okna, żeby podnieść żaluzje.

– Wolałbym nie – rozległ się głos zza monitorów. – I proszę, żebyś nie zapalała światła na suficie.

Zdziwiona uniosła brwi i popatrzyła na szefa.

– Moglibyśmy chyba korzystać z jego doświadczenia, nie ruszając go z Wydziału do spraw Oszustw Gospodarczych na Store Kongensgade.

– Owszem, moglibyśmy, ale to nie rozwiązywałoby problemu ze znalezieniem ci nowego partnera, dopóki nie będziemy wiedzieli, czy Lars Jørgensen wróci.

Louise z niedowierzaniem spojrzała na Suhra, po czym przeniosła wzrok na drugą stronę biurka.

– Oczywiście, że Lars wróci, i to już za kilka tygodni, a ja sobie świetnie radzę z Toftem i Michaelem Stigiem. Nie ma żadnego powodu, żeby działać zbyt pochopnie.

– Bingo! Nick Hartmann jest w Rejestrze Spółek Handlowych. Ma firmę.

– Sama widzisz – rzucił Suhr zadowolony i wstał.

Louise wyszła za nim na korytarz.

– Dałbyś spokój! – powiedziała, stając przed nim.

– Przecież ja nawet jeszcze nie zdążyłam zajrzeć do rejestru. Dopiero wczoraj, do cholery, dostaliśmy wyciągi z jego kont i zorientowaliśmy się, że należy im się dokładniej przyjrzeć.

– Sejr to jeden z najlepszych śledczych, jeśli chodzi o oszustwa finansowe. Ma naprawdę wieloletnie doświadczenie – powtórzył Suhr. – A musimy w końcu coś zacząć robić w tej sprawie. Na razie nic wam z niczego nie przyszło, mimo że mieliście trzy osoby w areszcie przez tydzień.

Nagle „my" zmieniło się na „wy".

– A co to za jakieś cholerne wygłupy z opuszczonymi żaluzjami i lodówką? Wygląda na to, że on tu się sprowadził na stałe.

– To się nazywa albinizm. Albinosi są bardzo wrażliwi na światło, więc trzeba to brać pod uwagę – stwierdził naczelnik.

Louise po jego tonie poznała, że zaczyna ogarniać go irytacja. W pokoju zadzwonił telefon. Strażnik z kontroli wejść poinformował, że chce z nią rozmawiać Ulrik Fasting-Thomsen.

– Przyjdziesz po niego?

– Przyjdę – odparła i wyszła do kuchni sprawdzić, czy w dzbanku jest choć trochę kawy.

– Kupiłem ten budynek pięć lat temu jako inwestycję – powiedział Ulrik, kiedy już przyjął filiżankę podsuniętą mu przez Louise.

Przysunęła mu też dodatkowe krzesło do biurka i poprosiła, żeby usiadł. Sejr lekko skinął głową jej gościowi, ale oczu wciąż nie odrywał od monitora. Nie chciał proponowanej przez Louise kawy, tylko wyjął sobie z lodówki świeżą colę.

– To duży budynek magazynowy. Część jest wynajęta, ale reszta stoi pusta – tłumaczył dalej Ulrik i dodał, że jeden ze strażników portowych kontroluje dla niego ten teren. – To dla mnie kompletne zaskoczenie, że ktoś korzystał z baraku na łodzie. O tym mnie nie informowano.

Louise spojrzała na niego i lekko się pochyliła.

– Czy Britt wie, że ci chłopcy przychodzili do twojej nieruchomości?

– Tak, teraz już wie. Ale wie również, że nie mam pojęcia, kim oni są ani od jak dawna się tam kręcili.

Dopiero dzisiaj wracam do pracy, niedługo mam spotkanie na mieście, ale później pojadę porozmawiać z dozorcą, by dowiedzieć się, co się tam dzieje. Musi ich wyrzucić.

Przez chwilę milczeli.

– Zakładam, że policja również tam zajrzy. Jadąc tutaj, zadzwoniłem na Bellahøj i poinformowałem o tym funkcjonariusza, który prowadzi sprawę. Uznałem, że ty również powinnaś się o tym dowiedzieć.

Louise pokiwała głową i znów pomyślała o Britt.

– Pojawiło się coś nowego? Ci chłopcy puścili parę? – spytała.

– Nic mi o tym nie wiadomo. My w każdym razie nie dostaliśmy żadnych informacji.

Widziała, że Ulrik jest wstrząśnięty, i świetnie to rozumiała. To kompletny absurd, że ta sama rodzina w pewnym sensie udzieliła schronienia tym łobuzom, chociaż nie z własnej woli.

– Jak Britt to przyjęła?

Na twarzy Ulrika pojawił się smutek, potarł czoło.

– Teraz wreszcie śpi, chociaż przepłakała całą noc. Jest przekonana, że mogliśmy temu zapobiec albo w ogóle nie organizując tej imprezy, albo będąc na miejscu oboje. Skłaniam się do tego, żeby przyznać jej rację. Ale Britt uważa, że zachowała się nieodpowiedzialnie. Według mnie niesłusznie się obwinia. Ja jestem winien w takim samym stopniu, powinienem być przy rodzinie, gdy do tego doszło.

Louise tylko mu się przyglądała, kiedy zamilkł.

– Oczywiście teraz jest jeszcze bardziej wstrząśnięta, kiedy się dowiedziała, że sprawcy przebywali w budynku należącym do mnie – podjął. – I nie bardzo wiem, jak mam jej powiedzieć, że tym draniom pewnie ujdzie to na sucho. Dostaną najwyżej zarzut nielegalnego wtargnięcia na obszar prywatny i użycia przemocy w stosunku do Britt. Tak przynajmniej przewidywał ten młody policjant, z którym rozmawiałem dziś rano. A ona przecież by chciała, żeby skazano ich za doprowadzenie do śmierci Signe.

– Poczekamy, zobaczymy, co przyniesie rozmowa z tymi chłopakami i wyjaśnienie przebiegu zdarzeń – powiedziała Louise. – Zadzwonię do tego Kenta i dowiem się, co wynikło z przesłuchań.

Ulrik Fasting-Thomsen podziękował, a kiedy się pożegnali, Louise jeszcze przez chwilę patrzyła, jak schodził po stopniach. Szedł z głową wciśniętą w ramiona i sprawiał wrażenie o wiele niższego niż podczas ich pierwszego spotkania.

Musimy przejrzeć te wyciągi operacja po operacji – oświadczył Sejr, kiedy Louise wróciła do pokoju. Zdjął słuchawki.

– Volbeat – powiedział, wskazując na nie ruchem głowy. – Nie lubię przerywać w połowie albumu.

Louise podziękowała za colę i usiadła. Sejr już wcześniej zrobił kopie dokumentów bankowych i jeden zestaw położył na jej biurku wraz z butelką napoju.

– Jeśli ty przejrzysz jego prywatne konta, to ja się zajmę jego kontem firmowym. Ta firma jest zarejestrowana jako Hartmann Import-Eksport – wyjaśnił i podał jej przez stół wydruk z Rejestru Spółek Handlowych.

Louise już miała zaprotestować, gdy mocno pchnięte drzwi otworzyły się gwałtownie i wściekły Willumsen wciągnął za sobą Suhra do pokoju, domagając się od niego wyjaśnień, co się dzieje w jego grupie śledczej. Zapalił świetlówki na suficie i ze złością spojrzał na Sejra, który siedział w kapturze wciągniętym na głowę.

– Kto to, u diabła, jest? Co to za jakieś cholerne komputery?

Sejr Gylling wstał, żeby zgasić światło.

– Moje oczy nie znoszą ostrego światła – wyjaśnił Louise, ignorując awanturę, która wyraźnie się rozwijała.

– To ja odpowiadam za personel w wydziale – oświadczył Suhr, patrząc Willumsenowi prosto w oczy.

Louise odchyliła się, obserwując swoich dwóch szefów. Willumsena znała na tyle dobrze, by wiedzieć, że dobrowolnie nie odda żadnej sprawy nikomu innemu. W jego grupie śledczej to on podejmował decyzje, ściągał do siebie dodatkowych ludzi, kiedy uznawał, że są mu potrzebni. Za to niechętnie wypożyczał swoich innym grupom. Byłoby mu też bardzo nie w smak, gdyby musiał przyznać, że jego podwładni nie są w stanie sami rozwiązać jakiejś sprawy. Ponieważ jednak ta sprawa najwyraźniej łączyła się z przestępczością gospodarczą, Louise cieszyła się, że Suhr zgodził się z nią, iż powinni poprosić o pomoc odpowiedni wydział.

– Ja sobie tego nie życzę! – krzyknął Willumsen i bardzo niechętnie pozwolił wyprowadzić się na korytarz Suhrowi, który zamknął za nimi drzwi.

Louise miała takie wrażenie, jakby wiatr o sile orkanu zwiał jej całe włosy do tyłu, ale specjalista od oszustw po drugiej stronie biurka siedział niewzruszony, wciąż ze wzrokiem utkwionym w kolumny liczb. Pomyślała, że Willumsen jednak trochę się zmienił. Zawsze był głośny i arogancki, ale odkąd u jego żony Annelise latem stwierdzono raka i usunięto jej naprawdę dużego guza, zdarzały się dni, w których był naprawdę nieznośny. Z uwagi na okoliczności ci, którzy go znali, potrafili jakoś to wytrzymać. Gorzej było z ludźmi z zewnątrz.

– Bardzo cię za to przepraszam – powiedział Suhr, gdy nieco później znów przyszedł do ich pokoju.

Sejr podniósł głowę i wzruszył ramionami. Louise miała wrażenie, że jego niebieskie oczy utrzymują Suhra na dystans z odwróconą siłą magnetyczną. Dopiero kiedy Sejr znów zagłębił się w swoich papierach, naczelnik wszedł do środka.

– Z Willumsenem nie zawsze łatwo wytrzymać – poskarżył się.

Trochę głupio to zabrzmiało, bo nowy śledczy przyjął to całkiem obojętnie.

– Postaram się teraz skoncentrować na wyjaśnieniu tej sprawy, a kiedy razem z Louise Rick ustalimy, o co chodzi, posłuchamy, co facet ma do powiedzenia, okej? – Znów wbił spojrzenie w naczelnika, jakby zmuszając go do wyjścia, pozornie zadowolonego z takiej decyzji.

Kiedy drzwi się zamknęły, przez chwilę siedzieli w milczeniu.

Louise nienawidziła liczb i kiedy pochylała się nad plikiem wyciągów z prywatnego konta Hartmanna, sądziła, że nie zajmie jej to dużo czasu i wkrótce będzie mogła wyjść. Ale pochłonęło ją przeglądanie wyciągów w poszukiwaniu związków, które mogłyby im pomóc w wyjaśnieniu sprawy. Nagle zrobiło się już po szóstej. Czas przeleciał błyskawicznie. Z wyrzutami sumienia zaczęła pakować swoje rzeczy, żeby jak najszybciej wrócić do domu do Jonasa. Na schodach zdecydowała, że po drodze kupi jakąś tajską potrawę. *Satay* z kurczaka było jednym z ulubionych dań chłopca. Ale kiedy weszła do mieszkania z torbą jedzenia na wynos, okazało się puste i ciemne, a na stole w kuchni nie leżała żadna kartka.

Odstawiła torbę i usiadła na krześle. Próbowała zebrać myśli. Czyżby o czymś zapomniała? Jonas chodził na lekcje gry na gitarze w środy. Chciała zadzwonić do niego na komórkę, ale zorientowała się, że telefon leży na jego biurku. Dopiero teraz zwróciła uwagę na jego szkolną torbę w korytarzu i na włączony komputer w pokoju. A więc był w domu.

Zabrała się do nakrywania do stołu. Doszła do wniosku, że Jonas poszedł do kiosku albo może do biblioteki. Ale o wpół do ósmej zaczęła się już poważnie niepokoić. Sprawdziła esemesy w jego komórce. Może jednak z kimś się umówił, tylko zapomniał jej o tym powiedzieć, chociaż to było do niego niepodobne. Ale w komórce znalazła tylko te esemesy, które sama do niego wysłała, i od kolegów z klasy, lecz sprzed kilku dni.

Tajskie jedzenie wciąż leżało w papierowej torebce, kiedy siadała, żeby zadzwonić do rodziców Lassego.

– Nie – odpowiedziała matka ze współczuciem. – Nie ma go u nas. Ale zaraz spytam syna, czy czegoś nie wie.

Louise czekała cierpliwie.

– Nie – powtórzyła po chwili matka chłopca. – Niestety.

Louise na moment zamknęła oczy. Siedziała nieruchomo, próbując uspokoić myśli.

Doszła do wniosku, że biblioteka jest najbardziej oczywista. Wzięła więc kurtkę i wyszła. Biegiem przecięła Falkonér Allé i zdyszana dotarła do głównego wejścia biblioteki tylko po to, by stwierdzić, że przed chwilą została zamknięta.

Kilkakrotnie zapukała w szklaną szybę, w końcu udało jej się ściągnąć bibliotekarza, który uchylił drzwi.

– Jesteście pewni, że w środku nikt nie został?

Mężczyzna potwierdził. Powiedział też, że nie przypomina sobie ciemnowłosego chłopca, który by siedział sam.

– Dziś wieczorem prawie nikogo tu nie było. W telewizji jest, zdaje się, jakiś mecz piłki ręcznej.

Louise wracała z rękami w kieszeniach i wzrokiem wbitym w ziemię. Usiłowała stłumić wzrastający lęk na myśl o mnóstwie ewentualnych powodów nieobecności Jonasa w domu. Najprawdopodobniej jednak z kimś się umówił. Ale dlaczego nie wziął komórki?

Nagle przyszła jej do głowy nowa myśl. Czy mógł wpaść na pomysł, żeby wybrać się do baraku na łodzie, kiedy już się dowiedział, gdzie spotykają się tamci chłopcy?

Do domu wróciła biegiem. Drzwi wejściowe mocno się za nią zatrzasnęły. Wbiegła na górę po schodach po kluczyki do samochodu. Właśnie włożyła klucz w zamek, kiedy otworzyły się drzwi na trzecim piętrze i usłyszała wołanie Jonasa.

Przeszła na podest i spojrzała w dół. Na trzecim piętrze na lewo mieszkał Melvin Pehrsson. Jonas stał w drzwiach. Kiedy tam zeszła, spojrzała ponad jego głową w głąb ciemnego przedpokoju, w którym unosił się zapach starego człowieka i cygar.

– Cały czas byłeś tutaj?

Niekontrolowany gniew narastał szybciej, niż mogła go opanować.

Chłopiec kiwnął głową.

– Co ty, do diabła, sobie myślisz? Przecież ja biegam w kółko i cię szukam!

Jeszcze nigdy do tej pory nie podniosła na niego głosu, a teraz stała na klatce schodowej i wrzeszczała.

Za plecami Jonasa pojawił się Melvin Pehrsson. Louise nigdy z nim nie rozmawiała, mówiła mu tylko „dzień dobry", kiedy spotykali się na schodach. Uważała go za zasuszonego starego pedała, chociaż nie miała do tego żadnych podstaw oprócz tego, że wyglądał, jakby miał z dziewięćdziesiąt lat.

– Co ty tu robiłeś? – spytała wciąż podniesionym głosem.

– Może raczej wejdziemy do środka – zaproponował mężczyzna, kładąc Jonasowi rękę na ramieniu.

Louise chciała ją strącić, ale opanowała się. Pociągnęła tylko chłopca w stronę schodów.

– Jak w ogóle może ci przyjść do głowy, żeby wejść do mieszkania zupełnie nieznajomego człowieka? – spytała, kiedy znaleźli się już u siebie. – To dziwak. Z nikim się nie kontaktuje. Żaden z sąsiadów go nie zna. Nie

170

bierze udziału ani w zebraniach, ani w imprezach organizowanych na podwórzu.

Usiedli w kuchni. Jonas cały czas miał wzrok wbity w podłogę, ale teraz podniósł ciemne oczy i popatrzył na Louise.

– Ja go znam – oświadczył.

Louise aż drgnęła.

– Ty go znasz? Mieszkasz tu dopiero od trzech miesięcy, więc absolutnie nie znasz go na tyle, żeby przesiadywać w jego mieszkaniu, i to w dodatku nie informując mnie o tym.

– To mój ojciec zajmował się pogrzebem Nancy, kiedy umarła cztery lata temu. Od tamtej pory on przychodził na cmentarz ze świeżymi kwiatami dwa razy w tygodniu.

– A kto to, u diabła, jest Nancy?

– Jego żona.

– On nie miał żadnej żony, mój kochany.

W oczach chłopca pojawiła się złość.

– Owszem, miał. Ale ostatnie trzynaście lat życia spędziła w domu opieki w śpiączce. Była Australijką i kiedy tam mieszkali, dostała jakieś leki, które uszkodziły jej mózg. Cały czas jednak była jego żoną, dlatego sprowadził ją do Danii, żeby mogła przebywać w jakimś przyzwoitym miejscu, w którym będą ją dobrze traktowali.

– Dlaczego mi nie powiedziałeś, że znasz naszego sąsiada?

Wzruszył ramionami.

– I dlaczego nagle przyszło ci do głowy, żeby dzisiaj do niego iść?

– Wcale nie przyszło mi to do głowy dzisiaj – odparł Jonas. Złość mu minęła, ale najwyraźniej nie czuł się winny. – Jesteśmy przyjaciółmi. Często do niego zaglądam.

– Przyjaciółmi?

– Odwiedzam go po powrocie ze szkoły. Pomaga mi odrabiać lekcje. Nie wiedziałem, że tak się rozzłościsz. On lubi moje wizyty. Miło spędzamy razem czas. Jest historykiem, pisał do ważnych czasopism, ale przerwał, kiedy Nancy zachorowała.

Louise słuchała go zaskoczona.

– Oczywiście możesz go odwiedzać – powiedziała spokojnie. – Przepraszam, że na ciebie nakrzyczałam. Po prostu się przeraziłam, kiedy okazało się, że nie wiem, gdzie jesteś. A czym się zajmowaliście?

– Akurat teraz przeglądamy materiały z czasów, kiedy Mylius-Erichsen kierował duńską ekspedycją na północną-wschodnią Grenlandię w latach 1906–1908.

Louise nie mogła się nie uśmiechnąć. To rzeczywiście było coś dla Jonasa, a jednocześnie coś, w co sama nigdy nie umiałaby go wtajemniczyć.

– No to chodźmy do niego teraz – zaproponowała. – Myślisz, że coś jadł, czy za bardzo porwała go podróż saniami?

– On zwykle sobie nie gotuje. Je głównie kanapki.

Louise rozpakowała tajskie jedzenie, podgrzała je w mikrofalówce i rozłożyła na trzy talerze.

– To jak manna z nieba! – zawołał Melvin Pehrsson, gdy Louise spytała, czy nie ma nic przeciwko temu, że już przy pierwszej wizycie przynosi coś do jedzenia.

Stwierdziła, że mieszkanie jest zaskakująco czyste, chociaż wszędzie unosił się zapach cygar, ale było ładnie urządzone, a w wazonach stały świeże kwiaty.

– Kupuję również dla siebie, kiedy odwiedzam grób – wyjaśnił Pehrsson, zauważając spojrzenie Louise.

Zaprosił, by usiedli przy stole w jadalni, a sam poszedł do kuchni po coś do picia.

Na ścianach wisiały obrazy w grubych złoconych ramach, większość mebli była z ciemnego drewna. Salon przypominał jej mieszkanko babci przy Toftegårds Plads. Miłe i bezpieczne. Louise uwielbiała tam przychodzić.

– Bardzo dziękuję – powiedziała, szukając odpowiednich słów przeprosin.

– Winien jestem pani wyjaśnienie – uprzedził ją starszy mężczyzna. Włosy miał bardziej białe niż siwe, a twarz jakby nieco obwisłą z lewej strony. Mógł to być ślad po udarze mózgu, lecz poza tym sprawiał wrażenie energicznego i zadbanego, a teraz, gdy poznała go bliżej, nie dostrzegała w nim nic z zasuszonego pedała. – Nigdy nie zrobiłem niczego, żeby poznać bliżej sąsiadów. Kiedy moja żona jeszcze żyła, prawie cały czas spędzałem przy niej. A teraz, gdy już jej nie ma, często wracam do wspomnień. Dzięki Bogu zdążyliśmy przeżyć razem wiele dobrych lat, no a poza tym miałem to szczęście, że poznałem tego młodego człowieka.

Jonas się uśmiechnął, a Louise wyjaśniła, że już słyszała, skąd się znają.

– Rozumiem, że się zaprzyjaźniliście.

Melvin Pehrsson kiwnął głową.

– Jego ojciec był mi wielkim wsparciem po śmierci Nancy. To był dla mnie bardzo trudny czas. Wiem, co to znaczy stracić kogoś najbliższego, i wiem, że są chwile, kiedy rozmowa o tych, których już nie ma, pomaga.

Louise świetnie to rozumiała, chociaż w słowach Pehrssona mógł kryć się lekki wyrzut, że nie była przy Jonasie, gdy najbardziej tęsknił za ojcem. Ale nie sądziła, by mężczyzna to miał na myśli.

– Polubiliśmy się – ciągnął starszy pan, lekko ściskając Jonasa za ramię. – Ale trudno nam wybaczyć temu na górze, że nie zapobiegł śmierci ojca chłopca.

Louise znała Henrika Holma bardzo krótko, a jego śmierć stanowiła tragiczną kulminację sprawy, w którą wplątał się pastor i w której przestępcy bez jego wiedzy wykorzystywali kościół we Frederiksberg.

– Ile my się już znamy? Trzy czy cztery lata? Mam rację? – spytał Melvin Pehrsson, patrząc na Jonasa, ale nie czekając na odpowiedź, sam pokiwał głową. – Przecież brałem udział w różnych imprezach organizowanych na plebanii i nawet trochę pomagałem, kiedy kościelny miał wolne.

Jakie to dziwne, pomyślała Louise, że jej nieznajomego sąsiada coś łączyło z Jonasem. Wielokrotnie próbowała nawiązać kontakt z dorosłymi, którzy przyjaźnili się z Henrikiem Holmem, tak aby chłopiec mógł porozmawiać z kimś, kto znał jego ojca, ale za każdym razem

Jonas odrzucał takie propozycje. Najwyraźniej tego nie potrzebował, skoro miał Pehrssona tak blisko.

– Mam nadzieję, że teraz będę mógł oddać trochę z tego, co sam dostałem, kiedy przeżywałem tak trudne chwile. Ojciec Jonasa często odwiedzał dom opieki, w którym leżała Nancy. Dużo rozmawialiśmy. Z nim dzieliłem się wszystkimi najmilszymi wspomnieniami. Dlatego wiem, jak ważne jest móc z kimś porozmawiać, kiedy człowiek próbuje dalej żyć. A poza tym na szczęście okazało się, że mamy też wiele innych tematów do rozmowy. – Wskazał na wielką mapę Grenlandii rozłożoną na stole. – Chłopiec interesuje się historią, dlatego zaczęliśmy się teraz zapoznawać z wielką duńską ekspedycją z początku zeszłego stulecia.

Jonas już wcześniej wstał i stanął przy parapecie, na którym leżały stosy książek.

– Będę mógł pożyczyć tę? – spytał, podchodząc do nich z prawdziwą cegłą. – To Achton Friis – wyjaśnił.

Louise nie wiedziała nawet, czy to postać, którą powinna pamiętać z lekcji historii w szkole w Hvalsø.

– To jemu zlecono opisywanie wyprawy po śmierci Myliusa-Erichsena – tłumaczył Jonas.

Uśmiechnęła się do niego. Sama chyba z własnej woli nie miałaby odwagi zabrać się do tej książki, ale pomyślała, że powinna to zrobić, choćby po to, by zorientować się, co interesuje Jonasa.

– To było wielkie zaskoczenie, kiedy zaraz po wakacjach wpadliśmy na siebie na klatce – wyjaśnił Melvin Pehrsson. – Akurat szedłem i zastanawiałem się, co będzie dalej z Jonasem i czy nie powinienem w jakiś sposób nawiązać z nim kontaktu, a tu podniosłem głowę i okazało się, że on stoi przede mną i przytrzymuje mi drzwi.

Obaj uśmiechnęli się do siebie.

– Bardzo się cieszę, że Jonas ma ochotę do mnie przychodzić i mam nadzieję, że nie ma pani nic przeciwko temu.

– Oczywiście, że nie – powiedziała Louise. – Wygląda na to, że naprawdę miło spędzacie razem czas.

Zaczęła zbierać talerze.

– Jonas może do mnie przychodzić, kiedy chce i kiedy będzie pani potrzebowała opiekunki do dziecka, czy jak to nazwać, zważywszy na wiek jego i mój.

– Będę mógł tu nocować? – spytał Jonas z ożywieniem.

Dlaczego człowiek nie może jednym pstryknięciem powstrzymać łez napływających do oczu, pomyślała, i czym prędzej wyszła z talerzami.

Już od półtora dnia Louise i Sejr siedzieli zagrzebani w liczbach, rachunkach i kopiach wyciągów bankowych, gdy on nagle – ukryty za ciemnymi okularami, w kapturze i słuchawkach – krzyknął:

– *Yesss!*

Louise powoli przyzwyczajała się do siedzenia po ciemku, wypiła nawet dwie cole, które jej tymczasowy partner hojnie wyciągnął z przyniesionej ze sobą lodówki. Przestała też już zwracać uwagę na heavymetalowe dudnienie wydobywające się z wielkich słuchawek, ciemne okulary z żółtymi szkłami, czerwoną bluzę i skórzane spodnie, które kazały jej zadać mu pytanie, czy jeździ motocyklem. Nie jeździł.

– Mamy stary raport dotyczący prania brudnych pieniędzy.

Uśmiechnęła się do niego i pomyślała, że Sejr Gylling jest dokładnie takim nerdem, któremu mogłoby przyjść do głowy, żeby spytać o tego rodzaju sprawy, chociaż informacja była głęboko ukryta i nikt nigdy nie wszczął żadnego postępowania w tej sprawie. Codziennie ze wszystkich banków w kraju napływało sporo tego rodzaju raportów. Gdy dochodziło do dużych wpłat lub wypłat gotówkowych albo dziwnych przelewów, zawsze istniało ryzyko, że bank zawiadomi o tym służby zajmujące się praniem brudnych pieniędzy.

Sejr już siedział z telefonem przy uchu. Słuchawki rzucił na biurko. Najwyraźniej można je było zdjąć w środku albumu, jeżeli tylko powód był ważny. Miło to wiedzieć, pomyślała Louise, odchylając się i czekając, aż Sejr uzyska połączenie.

– Zajęte – przekazał jej samym ruchem warg, niecierpliwie bębniąc w klawiaturę.

Nareszcie się przebił. Podał numer konta i polecił szukać w historii rachunku sprzed dwóch lat.

– Chodzi o przelew na dwieście pięćdziesiąt tysięcy koron na pewne konto w Hongkongu – poinformował, kiedy odłożył słuchawkę. – Dwa lata temu. Oprócz tego jest jeszcze raport z lotniska z informacją, że prawie rok temu usiłował wywieźć z kraju piętnaście tysięcy euro gotówką.

– Takie rzeczy są zgłaszane?

Louise sądziła, że w zasadzie nie ma żadnych ograniczeń w przewożeniu pieniędzy.

– Z kraju można wywieźć tylko dziesięć tysięcy euro. Przypuszczam, że złapano go podczas rutynowej kontroli. Kobieta, z którą rozmawiałem, odszuka ten przelew i prześle go do nas e-mailem, a ja spróbuję znaleźć odbiorcę.

Louise się zastanawiała.

– Czy może chodzić o podróbki albo o import równoległy? – spytała, uznając, że pirackie podrabianie towarów samo się narzuca, skoro Nick Hartmann dokonywał w Chinach zakupów na tak duże kwoty.

Sejr kiwnął głową.

– Może chodzić o wszystko, od noży marki Global po podrabiane leki. Mogą za tym stać ogromne pieniądze – stwierdził w zamyśleniu, kiwając głową.

To prawda, przyznała Louise. Pojawiało się coraz więcej zdumiewających fałszywek. Podrabiano już nie tylko ekskluzywne torebki i markowe dżinsy sprzedawane w niskich cenach.

W sąsiednim pokoju Toft i Michael Stig kopali jak uparte krety, poszukując nitek wiążących przestępcze środowisko Kopenhagi z Nickiem Hartmannem. Znów wybrali się do głównej kwatery rockersów, ale tym razem z góry umówili się na spotkanie z rzecznikiem prasowym klubu, Tønnesem. Kiedy stamtąd wrócili, Michael Stig wciąż miał na szyi czerwone plamy.

Zaproszono ich na kawę. Zarówno prezes, jak i rzecznik byli uosobieniem życzliwości. Uprzejmi i otwarci, o niczym innym nie marzyli jak o tym, żeby pomóc policji. Tyle że po prostu nie mogli. Nie zaprzeczyli, że Nick Hartmann odwiedzał klub, co było dość inteligentnym posunięciem, bo przecież policja miała na to dowody. Nie mogli sobie tylko przypomnieć, kto go tam zaprosił, a tym bardziej co mogłoby go z nimi wiązać.

Toft i Michael Stig odwiedzili również Mie Hartmann w domu jej matki przy Damhusengen, ale ona nie wiedziała nawet o tym, że jej mąż miał zarejestrowaną firmę importowo-eksportową, więc niewiele im ta wizyta przyniosła.

Louise z uśmiechem opowiadała Sejrowi, że Mie miała trudności z wytłumaczeniem Toftowi i Michaelowi Stigowi, skąd przy takich dochodach jak Nicka i jej stać ich na mieszkanie w dużej willi w jednej z najbardziej renomowanych dzielnic miasta, a oprócz tego na posiadanie dwóch drogich samochodów.

– To są takie rzeczy, od których Michael Stig się gotuje – dodała Louise, myśląc jednak, że możliwe, iż Mie Hartmann odpowiadała szczerze. Wciąż mnóstwo kobiet nie interesowało się finansami, a kiedy ich mężowie przynosili duże pieniądze do domu, w ogóle ich to nie dziwiło i nie uważały za stosowne pytać o to, dopóki pieniędzy było tyle, ile potrzeba.

Sejr systematycznie badał każdą operację przeprowadzoną na koncie denata – większość dokonywana była między własnymi kontami Nicka Hartmanna, lecz – jak Louise już wcześniej zauważyła – wpływały tam również duże kwoty wpłacane gotówką.

Willumsen już dawno ostygł. Następnego dnia przed południem przyszedł z podkulonym ogonem, żeby przedstawić się Sejrowi, który okazał całkowity brak zainteresowania podejmowanymi przez szefa próbami załagodzenia sytuacji. Willumsen zaglądał do nich wielokrotnie w ciągu dnia, ale za każdym razem Sejr siedział w słuchawkach ze wzrokiem wbitym w swoje kolumny liczb.

Może być ciężko, jeżeli nie znajdą nic wskazującego na to, jaki rodzaj importu i eksportu firma Nicka Hartmanna prowadziła z Hongkongiem albo z kim handlował, pomyślała Louise i na chwilę przymknęła oczy. Na razie nie posunęli się zbyt do przodu.

– A co z dokumentami? Znaleźli coś? – spytał Sejr, patrząc na nią.

Pokręciła głową.

– Nic. Sprawdzali też w jego miejscu pracy na Havnegade, ale tam też nie było żadnego segregatora z dokumentami czy rachunkami prywatnej firmy – odparła Louise i zobaczyła, że Sejr znów wkłada słuchawki.

Nagle miała dosyć jego i ciemności w biurze zaciskającej się wokół niej klaustrofobicznie. Wstała, czując, że bardzo potrzebuje światła i powietrza.

Zbiegła ze schodów na okrągły dziedziniec komendy, gdzie głównie spędzali przerwy palacze. Oparła się plecami o jedną z szerokich kolumn rotundy, odchyliła głowę i popatrzyła w niebo. Jego głęboki błękit przywiódł jej na myśl wodę i Kima, a także ich nierokujący dobrze związek.

Czasami za nim tęskniła, ale to nie było to. O co innego im chodziło w życiu. Wkrótce miała skończyć czterdzieści lat. Niewiele już w niej było z młodej dziewczyny.

Wprawdzie jej to nie przeszkadzało, ale może najwyższy czas dokonać jakiegoś podsumowania i poświęcić trochę czasu na zastanowienie się nad przyszłością.

Jej brat Mikkel kompletnie zmienił całe swoje poukładane życie po tym, jak jego żona Trine zabrała dwoje dzieci i wyprowadziła się do mieszkania w Havdrup. Zostawiła go z domkiem i plikiem rachunków, zmuszając do wzięcia dodatkowej pracy jako przewoźnika.

– Niech to cholera! Oczywiście! – zawołała nagle Louise głośno i długimi susami pobiegła do zaciemnionego pokoju na drugim piętrze.

Firmy frachtowo-przewozowe w okolicy portu, we Frihavnen, Nordhavn i Sydhavn. Louise nie wiedziała nawet, gdzie przybijają duże kontenerowce.

Z telefonem przy uchu cierpliwie czekała na połączenie z pierwszą z listy firm położonych w rejonie portu, która pojawiła się w wyszukiwarce Krak.

– Czy możecie sprawdzić w waszych dokumentach przewozowych, czy mieliście jakieś dostawy dla firmy Hartmann Import-Eksport?

Nie zauważyła, kiedy Sejr zdjął słuchawki i ściągnął z głowy kaptur. Teraz jednak widziała, że siedzi i obserwuje ją jasnymi niebieskimi oczami, podczas gdy ona cierpliwie czekała na odpowiedź.

– Nie, nie mam ewentualnego adresu dostawcy – powiedziała Louise, gdy kobieta w słuchawce znów się odezwała. – Ale jeśli coś dla niego przewoziliście, to chciałabym wiedzieć, dokąd miała trafić ta dostawa.

Sejr z uznaniem pokiwał głową, kiedy zasłoniła ręką słuchawkę.

– Świetny pomysł.

Louise już miała podziękować za pochwałę, ale zrezygnowała. Dedukcja to była przecież jedna z metod śledztwa, którą świetnie opanowała, w przeciwieństwie do liczb i sprawozdań finansowych.

– Hartmann Import-Eksport – powtórzyła, czekając.

Sejr wciąż słuchał, a w końcu zaproponował, że pomoże jej obdzwonić pozostałe firmy przewozowe z listy. Louise szybko pokręciła głową i zasygnalizowała mu, że kobieta coś znalazła.

– Lautrupvej – powtórzyła Louise, zapisując, a w tym czasie jej rozmówczyni odszukiwała dokumenty przewozowe, żeby podać jej dokładne daty świadczenia usług dla firmy Hartmann Import-Eksport.

– W tym roku przewozili już coś dla niego dwukrotnie – przekazała Sejrowi, kiedy już się rozłączyła. – Ostatnio były to dwa kontenery, które przybyły frachtowcem z Hongkongu na początku sierpnia.

Znów włączyła wyszukiwarkę Krak i wstukała Lautrupvej. Przybliżyła ją, aż wreszcie mogła krążyć po okolicy. Sejr wciąż obserwował ją z uwagą.

– To na Sydmolen, obok elektrociepłowni Svanemøllen – stwierdziła i po chwili kompletnie odebrało jej mowę.

To był magazyn Ulrika Fastinga-Thomsena. Ten, przy którym stał barak na łodzie.

Kochana Louise!

Z Britt jest bardzo niedobrze. Właśnie dostałam esemesa od Susanne, matki Julie z klasy chłopców. Umówiła się z Britt, że wczoraj do niej zajrzy. Kiedy przyszła, nikt jej nie otworzył i już miała zrezygnować, ale dostrzegła Britt przez okno w salonie. Susanne udało się z nią nawiązać kontakt dopiero wtedy, gdy przeszła do ogrodu i zaczęła walić w te duże drzwi na taras. Britt najwyraźniej zapomniała, że się umówiły. Sprawiała wrażenie dziwnej i zamroczonej.

Wydaje mi się, że bierze coś na uspokojenie, ale najwyraźniej nie chciała pomocy psychologa, chociaż Ulrik próbował ją do tego namówić. Uważa, że nikt nie może jej pomóc. To naprawdę straszne.

Boję się, że dzieje się z nią coś bardzo złego. Z tego, co napisała Susanne, zrozumiałam, że Ulrik stara się być przy niej jak najwięcej, ale przecież nie może siedzieć w domu cały czas.

Miej na nią oko. Gdybym to ja straciła Markusa w taki sposób, bez wątpienia stanowiłabym ogromne zagrożenie dla samej siebie.

Ucałowania C.

PS. Wczoraj jechaliśmy przez obszar, na którym rosną olbrzymie sekwoje. Naprawdę niesamowite. Są tak ogromne, że człowiek czuje się zupełnie mały i nic nieznaczący, kiedy stoi przy nich i patrzy w górę.

Pnie są czerwonawe, a zapach drewna tak intensywny, że aż do wieczora został mi w nosie. Długo staliśmy

184

wpatrzeni w korony, fantazjując, że jesteśmy ptakami, możemy podlecieć do góry i usiąść na najwyższych gałęziach. Wyobraź sobie, jak by to było siedzieć tam na górze i oglądać świat z takiej wysokości. Możliwe, że człowiek znów by go polubił!

Louise siedziała z komórką w ręku. Właśnie wysłała esemesa do Camilli i uspokoiła ją, że i tak wybierała się do willi na Strandvænget porozmawiać z Ulrikiem, więc przy okazji sprawdzi, jak się czuje Britt.

– Ale dlaczego on nie wspomniał Nicka Hartmanna, kiedy przyszedł powiedzieć, że jest właścicielem tego baraku na łodzie? – spytała, patrząc na Sejra, który siedział w czerwonej czapce z daszkiem z logo Coca-Coli, wciśniętej na głowę tak, że białe włosy zasłaniały mu uszy.

Sejr złączył dłonie czubkami placów, spoglądając na nią w zamyśleniu.

– Możliwe, że o tym nie wiedział – stwierdził w końcu. Zaproponował Louise colę i wyjął z lodówki dwie butelki. – Jeżeli Nick Hartmann przy wynajmowaniu magazynu zarejestrował się wyłącznie jako firma Hartmann Import-Eksport, to nie ma pewności, że Fasting-Thomsen zwrócił uwagę na związek jego nieruchomości z tym zabójstwem. Poza tym on ma akurat teraz zupełnie inne rzeczy na głowie.

Podał jej półlitrową butelkę przez stół.

Louise przyznała mu rację, a potem wybrała wewnętrzny numer Willumsena, żeby przekazać mu, że wytropili magazyn Hartmanna.

– Dwóch ludzi do magazynu – polecił Willumsen, kiedy już ściągnął Tofta i Michaela Stiga do pokoju Louise. Wskazał teraz właśnie na nich. – Pojedziecie do portu Svanemøllen. – Zamierzał wycelować palec w Sejra, ale się pohamował i tylko skinął głową w jego stronę. – Możesz się trochę przyjrzeć Ulrikowi Fastingowi-Thomsenowi i sprawdzić, czy jego interesy są w pełni legalne? Czy w ogóle go sprawdzaliśmy? – spytał, rozglądając się, aż w końcu Louise przypomniała szefowi, że do tej pory nie mieli absolutnie żadnych powodów, by interesować się doradcą inwestycyjnym.

– I wcale nie musi istnieć żadne inne powiązanie między nimi oprócz tego, że on jest właścicielem magazynu, który wynajmowała firma denata – zauważyła i rozłożyła ręce. – Przecież to sam Fasting-Thomsen zgłosił się do nas, oświadczając, że jest właścicielem budynku na Sydmolen, więc na pewno nie usiłuje tego przed nami ukryć – dodała i opowiedziała im o Signe i powodach, dla których ojciec dziewczynki zajrzał na komendę.

– Skontaktujesz się z nim i spytasz, co wie o swoim najemcy?

Louise pokiwała głową.

– A my w tym czasie przyjrzymy się temu magazynowi i spróbujemy się dowiedzieć, co łączy tych dwóch.

Kiedy Willumsen i dwaj jej koledzy wyszli, Louise sięgnęła po komórkę i wyjęła wizytówkę Ulrika Fastinga-Thomsena z szuflady, do której ją wrzuciła, kiedy wyszedł. Wybrała numer, ale odezwała się poczta głosowa, zostawiła więc wiadomość, że chciałaby z nim porozmawiać o magazynie i człowieku, który wynajmował część przestrzeni.

– Pojadę na Strandvænget i sprawdzę, czy wrócił do domu – oznajmiła, machając rękami, żeby zwrócić na siebie uwagę Sejra.

Kiwnął jej głową zanurzony w swojej bańce dźwięku, a ona tylko się uśmiechnęła. Wstawiła pustą butelkę po coli do skrzynki stojącej za nim i zdjęła kurtkę z wieszaka. W tej samej chwili jej wciąż leżąca na biurku komórka zaczęła wibrować.

– Słucham, Louise Rick – odebrała i jednym tchem dodała: – Cześć, Ulrik.

Zaraz jednak uświadomiła sobie, że to wcale nie Ulrik Fasting-Thomsen tak szybko oddzwonił.

– Cześć, kiedy wróciłeś? – ciągnęła zaskoczona, bo w telefonie usłyszała głos Flemminga Larsena.

Minął już miesiąc, odkąd ostatnio rozmawiała z patologiem, chociaż wcześniej regularnie umawiali się na kawę albo na drinka. Na początku września Flemming wyjechał do Tajlandii z dziećmi, chociaż ani jego eksżona, ani nauczyciele nie byli szczególnie zachwyceni tym pomysłem ze względu na zajęcia w szkole. Był to jednak jedyny termin, w którym Flemming mógł dostać trzy tygodnie urlopu z Instytutu Medycyny Sądowej, więc w końcu udało się wszystkich jakoś przekonać. Po rozstaniu z żoną niełatwo mu było zapanować nad życiem, czego zresztą dawna partnerka nie omieszkała wykorzystywać przeciwko niemu, dlatego tak wiele dla niego znaczył ten wspólny wyjazd z dziećmi.

– Umówimy się na kawę? – spytał.

– Bardzo chętnie, ale właśnie wychodzę. Jadę w okolice Svanemøllen.

– Mogę cię zawieźć i poczekać w samochodzie, jeśli to nie potrwa zbyt długo. A na kawę pójdziemy później. Co z Jonasem?

– Jest u swojego nowego najlepszego przyjaciela, Melvina. To sąsiad, mieszka pod nami. Zgłębiają tajemnice duńskiej ekspedycji na Grenlandię i nie wysuwają nosa z książek historycznych. Obiecałam, że kolacja będzie na stole o siódmej, obaj przyjdą na górę zjeść.

– Świetnie. Kiedy będziesz gotowa, żeby cię zabrać?

Louise po odgłosach w tle zorientowała się, że patolog już siedzi w samochodzie.

– Może od razu? – spytała, podnosząc z podłogi torebkę.

Z Flemmingiem Larsenem znali się już od wielu lat, ale zaledwie od trzech czy czterech widywali się również prywatnie. Poza tym spotykali się głównie w salach sekcyjnych. Ich przyjaźń narodziła się tego dnia, gdy Louise wróciła do domu z pracy i zastała w salonie swojego partnera Petera, który po wypiciu kilku kieliszków zebrał się na odwagę, by wyznać jej, że właśnie zostawia ją dla koleżanki z pracy. Wieczorem zjawił się Flemming z calvadosem i papierosami. Żadne z nich nie paliło, doszedł jednak do wniosku, że tego wieczoru papierosy mogą im się przydać. Później Louise przyznała, że w zasadzie decyzja Petera wcale nie spadła na nią jak grom z jasnego nieba. W ostatnich latach ich związku nie ukrywał, że chciałby założyć rodzinę, mieć dzieci, własny dom, na co z kolei ona nie miała ochoty, i właściwie ucięcie tej presji, pod jaką się znajdowała, przyniosło jej tylko ulgę.

Golf stał samotny w podwójnej wiacie, kiedy Louise i Flemming dotarli do Strandvænget. Ale też dopiero dochodziło wpół do piątej, więc nadzieje na to, że Ulrik Fasting-Thomsen zdążył dotrzeć do domu, były zapewne mocno na wyrost. Louise spojrzała na dużą willę, w której ktoś zostawił zapalone światło nad drzwiami wejściowymi, lecz z tym wyjątkiem dom wydawał się pusty.

– Oczywiście, że wejdziesz razem ze mną! – prawie krzyknęła, kiedy Flemming zgasił silnik i zaczął szykować się do czekania w samochodzie.

Po drodze opowiedziała mu o Signe i o imprezie w klubie żeglarskim. Okazało się, że Flemming już słyszał o tym wypadku i czytał protokół z sekcji, który zastał na biurku po powrocie z urlopu.

– Jestem pewna, że Britt będzie chciała się dowiedzieć, jak umarła jej córka. Teraz wyobraża sobie niestworzone historie, więc powinieneś wejść tam razem ze mną i wszystko jej wyjaśnić.

Otworzyła drzwiczki i skinęła głową w stronę domu.

Popołudnie zrobiło się szare i wilgotne. Ostry zapach wodorostów bił z portu Svanemøllen, a znajdująca się tam elektrociepłownia wypuszczała w powietrze białe kłęby dymu, które dopiero wysoko w górze porywał wiatr. Furtka była uchylona, a alejkę prowadzącą przez ogród zasypały żółtobrązowe liście, lepiące się do siebie i przyklejające do butów, kiedy Louise z patologiem szli w stronę domu. Wypalone świece ogrodowe pełne były wody, a zwiędłe róże zwiesiły głowy.

Britt otworzyła im ubrana w gołębi domowy dres. Włosy odgarnięte do tyłu przytrzymywała szeroka złota opaska ozdobiona kwiatkami z materiału. Z zaciekawieniem spojrzała na Flemminga Larsena i długo przytrzymała dłoń prawie dwumetrowego patologa, gdy Louise ich sobie przedstawiała.

– Bardzo się cieszę, że pan przyszedł – oświadczyła i podała im dwa wieszaki na płaszcze. – Błagałam wszystkich, żeby mi powiedzieli, co dokładnie stało się z moją córką tamtego wieczoru, ale nikt nie mówił mi nic poza tym, że umarła w wyniku obrażeń. A ja tak bym chciała wiedzieć, co się dokładnie stało – powtórzyła i zaprosiła ich do środka. – Napijecie się czegoś? Kawy czy herbaty?

Poprowadziła ich dalej w stronę kuchni. Jadalnia była pogrążona w półmroku. Nie paliły się ani lampy, ani świece, a na długim stole leżał nieporządny stos gazet.

Wyglądało to tak, jakby ktoś niósł je do śmieci, ale po drodze o tym zapomniał. Podwójne drzwi do pokoju muzycznego i pozostałych pomieszczeń były zamknięte, a sprzęt stereo wyłączony.

– Głównie spędzam czas na górze – wyjaśniła Britt. Wskazała na stół stojący przy ścianie kuchni, po czym wyjęła zapałki i zapaliła grube świece na parapecie.

– Prawdę mówiąc, napiłbym się czegoś zimnego – stwierdził Flemming, wysuwając sobie krzesło.

Zadowolony pokiwał głową, kiedy Britt wyjęła z lodówki półtoralitrową butelkę wody mineralnej, pytając, czy to mu odpowiada. Kiedy usiadł, Louise zauważyła, że zaczęły mu się przerzedzać włosy, które bardzo rozjaśniły się od słońca i morskiej wody podczas trzytygodniowego urlopu. Były zresztą przystrzyżone tak krótko, że nie od razu dawało się dostrzec lekką łysinę, która zaczęła nabierać kształtu na czubku głowy. Normalnie nie było szans na to, by ją zauważyć, bo Flemming był wyższy od większości ludzi. Kiedy się uśmiechał, na jego policzkach pojawiały się życzliwe zmarszczki, a z zielonych oczu z brązowym rantem wokół tęczówki biło przekonujące ciepło i ufność, dzięki którym Louise zawsze czuła się bezpiecznie, gdy w jakieś sprawie pracowała z Flemmingiem Larsenem. Teraz jego ciepłe spojrzenie kierowało się na Britt Fasting-Thomsen, która nalewała wody do szklanek.

– Dla mnie i dla Ulrika śmierć Signe to ogromna starta – powiedziała Britt, siadając. – Mam wrażenie, jakby życie stanęło w miejscu, a dziś przed południem, kiedy poszłam po zakupy, poczułam oburzenie, że samochody i autobusy wciąż jeżdżą, że wszystko toczy się dalej, jakby nic się nie stało. Gazety ciągle piszą o tym skandalu u Sachs-Smithów. Tak było również przed śmiercią Signe. Ale żadna gazeta nie poświęciła więcej niż krótką notatkę temu wypadkowi, który kosztował ją życie. Kilka linijek i ten nekrolog, zamieszczony przez nas samych.

Z rozpaczą pokręciła głową i otarła ręką smutne, zmęczone oczy. Ich blask przepadł zupełnie. Britt Fasting-Thomsen przypominała więdnący kwiat.

– Co się z nią stało? Wiem oczywiście, że wybiegła przed tę furgonetkę. Ale ile zdążyła zauważyć? Czuła coś?

Położyła szczupłe ręce na stole, wpatrywała się we Flemminga szeroko otwartymi oczami. Nie próbowała zwierzać się z wyobrażeń, które musiały dręczyć ją od tamtej nocy, kiedy zmarła jej córka.

Louise widziała, że Flemming się zastanawia i zwlekając z odpowiedzią, opróżnia szklankę.

– Wszyscy mówią, że zmarła natychmiast, ale tak nie było, prawda?

Britt świdrowała go niebieskimi oczami. Flemming w końcu się poruszył, założył ręce na piersi i pokręcił głową.

– Nie, pani córka nie umarła od razu, ale natychmiast straciła przytomność, więc nic nie czuła. Nie cierpiała – zapewnił.

Britt w zamyśleniu wolno kiwnęła głową.

– Gdyby Signe wpadła pod samochód osobowy, prawdopodobnie uderzenie wyrzuciłoby ją w powietrze – podjął Flemming – ale w tym wypadku brała udział furgonetka, obrażeniom uległo całe ciało, a poza tym dziewczynka uderzyła głową w asfalt.

Britt znieruchomiała, ledwie oddychała.

– Kiedy przyjechali ratownicy, nie miała żadnych widocznych obrażeń na twarzy, jedynie lekkie otarcia naskórka. Ale po obu stronach głowy widać było guzy, poza tym krwawiła z uszu, co mogło świadczyć o złamaniu podstawy czaszki. Uderzenia w głowę mogą skutkować obrażeniami kory mózgowej i krwawieniem wewnątrzmózgowym. – Rozłożył ręce. – Trochę to może zbyt techniczne, ale będę kontynuował. Tego rodzaju obrażenia mogą prowadzić do krwotoków zarówno nad-, jak i podtwardówkowych. Po przywiezieniu Signe do szpitala zdążono jej jeszcze zrobić tomograf mózgu.

– Dlaczego nikt mi o tym nie powiedział?! – krzyknęła Britt, ze zdumieniem patrząc na Flemminga.

Wzruszył tylko ramionami, bo nie znał odpowiedzi.

– Tomograf wykazał dużego krwiaka pod twardówką i rozległe uszkodzenia kory mózgowej. Lekarze zamierzali otworzyć czaszkę, żeby zmniejszyć ciśnienie wewnątrz, ale nie zdążyli, pani córka zmarła – dodał Flemming, kładąc rękę na bezwładnym ramieniu Britt. – Bardzo mi przykro.

– Wszystko to się wydarzyło w czasie, kiedy i ja byłam w szpitalu. Dlaczego nikt mi o tym nie powiedział? Mogłam być przy niej?

Louise objęła zrozpaczoną matkę.

– W tym czasie leżałaś na stole operacyjnym – przypomniała jej łagodnie.

Louise również nie znała szczegółów, które podał Flemming. Po prostu przyjęła do wiadomości, że Signe zmarła wkrótce po przewiezieniu do szpitala.

– A co było dalej, kiedy już nie żyła? – spytała Britt szeptem.

– Przewieziono ją do tak zwanej sali sześciu godzin – wyjaśnił Flemming. – Tak postępuje się ze wszystkimi, kiedy stwierdzi się zgon. Należy zaczekać, aż pojawią się bezsprzeczne oznaki śmierci, dopiero wtedy sanitariusze przywożą zmarłego do chłodni, po czym następują sądowe oględziny zwłok, a w tym wypadku również sekcja. Lekarze zrobili wszystko, co mogli, aby uratować pani córkę. – Uścisnął Britt za ramię i się wyprostował.

Louise odwróciła głowę. Uważała, że Flemming trochę przesadził z niepotrzebnymi szczegółami. Miała nadzieję, że Ulrik wkrótce wróci do domu. Ale ku jej zaskoczeniu Britt wstała, podeszła do Flemminga i mocno go uścisnęła.

– Bardzo panu dziękuję – powiedziała.

– Szczerze mówiąc, chciałam porozmawiać z Ulrikiem, ale nigdzie nie mogę go złapać. Jak myślisz, kiedy wróci? – spytała Louise, wstając, żeby odstawić szklanki do zlewu.

– Dopiero w niedzielę. Poleciał na Islandię. Ma tam klientów, którym nie wiedzie się teraz najlepiej z inwestycjami, ale sądzę, że będziesz go mogła złapać w hotelu wieczorem. Powinien wylądować o ósmej, a do hotelu dotrzeć w ciągu godziny.

Britt nie sprawiała już wrażenia takiej przezroczystej jak jeszcze przed chwilą, chociaż wciąż wyglądała na zmęczoną.

Flemming też wstał. Britt odprowadziła ich do drzwi i stała w progu, dopóki nie wsiedli do srebrnoszarego passata patologa.

Komórka wibrowała w kieszeni Louise jeszcze w kuchni Britt. Zobaczyła teraz, że to wiadomość od Kima, który przyjechał do Kopenhagi i pytał, czy ona i Jonas nie mieliby ochoty zjeść z nim czegoś na mieście przed jego powrotem do Holbæk. Szybko odpisała, że pracuje razem z Flemmingiem, więc nie bardzo jej to pasuje, ale dodała, że cieszy się na spotkanie z nim w ferie jesienne. Wybierała się z Jonasem na kilka dni do swoich rodziców w Hvalsø, ale już parę tygodni temu obiecywała, że przyjedzie do Kima obejrzeć szczeniaki, zanim zostaną oddane nowym rodzinom.

„Mógłbym wpaść, przenieść sushi, jeśli tak Ci bardziej odpowiada?" – zaproponował w kolejnym esemesie.

„Brzmi ciekawie, ale niestety innym razem" – odpowiedziała i schowała komórkę do kieszeni.

– Są u ciebie w tym tygodniu dzieci? – spytała, kiedy już siedzieli w samochodzie i jechali w kierunku dworca Svanemøllen.

– Ależ skąd! Trzy tygodnie, Flemmingu – zaczął parodiować wysoki głos żony, czym rozśmieszył Louise.

– Dzieci będą ze mną jeszcze przez trzy tygodnie, dopóki nie wrócimy do normalnego rozkładu.

Louise pokręciła głową. Nigdy nie poznała byłej żony patologa. Zresztą nie mogła pojąć, jak dorośli ludzie, którzy się rozwiedli, pozwalają, by złe stosunki między nimi wpływały na dzieci.

– Chyba powinna się cieszyć, że jej synowie mieli takie wspaniałe wakacje.

– Owszem, i wydaje mi się, że się cieszy, tylko że wolałaby, żeby wyjechali razem z nią. Ale za trzy tygodnie pewnie się uspokoi i znów będę mógł się z nimi zobaczyć.

– Kiedy dzieci będą miały prawo decydowania, z kim chcą być? – spytała Louise, obserwując rowerzystę, który podjął ryzykowny manewr wyprzedzania roweru bagażowego. Przez chwilę bała się, że zahaczy o boczne lusterko passata. Ale zdołał jakoś wymanewrować.

– Chyba mniej więcej w wieku dwunastu lat, a chłopcy mają teraz dziewięć i jedenaście. Ale i tak nie mam możliwości zajmowania się nimi częściej niż teraz. Dobrze po prostu by było, gdyby cały ten układ mógł być bardziej elastyczny.

Louise pokiwała głową. Uświadomiła sobie nagle, jak dobrze dla Jonasa się złożyło, że Melvin Pehrsson mieszkał piętro niżej.

– Nie wejdziesz na górę zjeść z nami? – spytała, kiedy zbliżali się już do Frederiksberg. – Mam wszystko gotowe, trzeba tylko wystawić na stół. Poznałbyś też naszego sąsiada z dołu. Jestem pewna, że go polubisz.

Flemming szybko się zgodził, chociaż następnego dnia zaczynał dyżur o siódmej rano.

– Ale gdyby zadzwonili z pracy, to będę musiał wyjść – dodał i tylko uparł się, że w takim razie w zamian za kolację stawia wino do jedzenia.

Zerknął we wsteczne lusterko, zjechał z powrotem na środkowy pas i zamiast skręcić w Gammel Kongevej, ruszył dalej w stronę Frederiksberg Allé, dopiero tam zjechał i nieprawidłowo zaparkował przed sklepem z winami, którego pracownicy już zbierali reklamy z chodnika i szykowali się do zamknięcia. Louise została w samochodzie.

– Wydaje mi się, że jedna butelka w dzień powszedni wystarczy – oświadczył, wracając z butelką owiniętą w cienką bibułkę. – Za to wino jest naprawdę dobre.

W to Louise nie wątpiła. Obawiała się jedynie, że przyćmi ono smak jej sosu, bo dawno już odkryła, że Flemming Larsen jest prawdziwym smakoszem.

Akurat zaparkowali przed klatką, gdy na komórkę zadzwonił Michael Stig. Flemming przytrzymał Louise drzwi, a ona dała mu klucze i została lekko z tyłu, gdy wspinali się na czwarte piętro.

– Designerskie meble. Fotele „Jajka” i „Łabędzie” Arnego Jacobsena. Same podróby. Również innych wielkich projektantów: Kjærholma, Wegnera, Eamesa, Le Corbusiera – poinformował ją Michael Stig, który wrócił właśnie z Toftem z magazynu na Sydmolen.

Louise ani trochę nie zaskoczyło, że jej lekko szpanujący kolega zna wszystkie te nazwiska. Zatrzymała się, opierając się plecami o szarawą ścianę klatki.

– Wyłącznie meble i lampy, klasyki, które łatwo sprzedać – ciągnął Stig. – W każdym razie przypuszczamy, że to podróbki – poprawił się. – Wszystkie były owinięte plastikową folią, niebędącą oryginalnym opakowaniem. Brakowało też innych oznakowań. Toft próbuje teraz złapać jakiegoś eksperta z domu aukcyjnego Bruun Rasmussen albo biegłego ze Stowarzyszenia Duńskich Producentów Mebli. Może oni będą mogli nam powiedzieć, czy chodzi o podróbki, czy to oryginały. Niestety, ludzie powychodzili już z pracy.

– A więc podróbki – powtórzyła zaskoczona Louise i ruszyła po schodach na górę, jednocześnie mówiąc koledze, że dom Hartmanna był urządzony lampami PH i Vernera Pantona, designerskimi meblami i sprzętem B&O. – Ale to może też tylko imitacje – stwierdziła teraz w pełni świadoma, że sama nie zauważyłaby różnicy.

– Te meble będą zatrzymane. Jutro zostaną zabrane, żebyśmy mogli je przeliczyć i oszacować ich wartość – poinformował Michael Stig.

Louise usłyszała, że Flemming wszedł już do mieszkania, zaproponowała więc koledze, żeby zaraz zadzwonił do Mikkelsena z Komendy City i przekazał mu, czym zajmował się Nick Hartmann. Zawrócili mu głowę obchodzeniem burdeli, a okazuje się, że zupełnie niepotrzebnie.

– Nie pojmuję, gdzie się podziała ludzka moralność

– utyskiwał Michael Stig urażonym tonem. – Czy to w porządku kupować podróbkę Arnego Jacobsena i trzymać w salonie jego fotel ze świadomością, że zrobił go jakiś mały Juan, który za godzinę pracy dostał pięćdziesiąt øre.

– Przecież ludziom to jest obojętne! – stwierdziła Louise, rozbawiona jego urazą. – Większość gotowa jest na wszystko, jeśli tylko da się trochę zaoszczędzić.

Chociaż nigdy u niego nie była, przeczuwała, że jego mieszkanie musi być urządzone o wiele bardziej stylowo niż jej. Istniała też oczywiście możliwość, że część wysmakowanych dodatków ginęła pośród licznych pucharów z zawodów kręglarskich, które wspólnie z Toftem zdobywali jako przedstawiciele Policyjnego Związku Sportowego.

– Coś jeszcze planujecie na dzisiejszy wieczór? Bo jeśli tak, to mogę przyjść – zaproponowała, zatrzymując się na trzecim piętrze, by poinformować Jonasa i Melvina, że kolacja będzie za pół godziny.

– Nie. Weźmiemy się do roboty jutro. Teraz nic więcej nie możemy zdziałać. Dzwoniłem już do Sejra. W jego wydziale mieli wiele podobnych spraw. Z tego, co zrozumiałem, dobrze im się współpracowało z urzędem podatkowym i szefem jednostki, którą powołano do zwalczania fałszerstw towarów. Ale nie będziemy przerzucać całego śledztwa na nich, bo przecież to jest w głównej mierze sprawa zabójstwa.

Para wzbiła się do góry, kiedy Louise pół godziny później przerzuciła spaghetti do durszlaka. Flemming

postawił już na stole płytki pod garnki i skrzyknął mło-
dość i starość z pokoju Jonasa, gdzie panowie siedzieli
przy komputerze. Chłopiec demonstrował, jak członkowie Przymierza i Hordy zwalczali się nawzajem w World
of Warcraft. Najwyraźniej przyszła kolej na niego, by
czegoś kogoś nauczyć.

— To niewiarygodne, co ci młodzi ludzie potrafią
— stwierdził Melvin z podziwem, wchodząc do kuchni
i biorąc od Flemminga Larsena kieliszek wina. — Kiedy
ja byłem dzieckiem, mieliśmy tylko ołowiane żołnierzyki,
które ustawialiśmy w rządku i strzelaliśmy do nich z oło-
wianych armatek. — Roześmiał się i wysunął ostrożnie
krzesło, żeby nie porysować podłogi. Kołnierzyk koszuli
leżał równiutko na ściągaczu robionej na drutach kami-
zelki. Uśmiechnął się z pewnym zażenowaniem, kiedy
rozkładał papierową serwetkę i wsuwał ją za ściągacz
trochę jak śliniak. — Strasznie zacząłem rozlewać — wy-
znał przepraszającym tonem, a Louise nagle przypomniała sobie, że wiele razy widziała go z torbą na kółkach
wychodzącego z pralni na Gammel Kongevej.

Kiedy spaghetti zostało już zjedzone, przedstawiciele trzech pokoleń płci męskiej prowadzili tak ożywy-
wioną rozmowę, że Louise trudno było się włączyć.
Rozprawiali teraz o maleńkiej wiosce na południowym
wschodzie Grenlandii, którą i Melvin, i Flemming kilkakrotnie odwiedzili. Ta sama wioska stała się tłem
wypracowania oddanego właśnie przez Jonasa o wie-
lorybniku z Kulusuk, a zainspirowanego opowieścia-
mi Melvina. Mówili jeden przez drugiego, rysowali

i dopowiadali. W końcu Louise z uśmiechem wstała i zaczęła sprzątać ze stołu.

Wieczorem stolik przy kanapie zasypany był papierkami po czekoladkach z dużej puszki Quality Street, którą Melvin Pehrsson przyniósł do kawy i która prawie całkiem się już opróżniła. Opowiadał im o latach spędzonych w Australii i o swojej córce Jette, która wciąż mieszkała w miasteczku pod Melbourne razem z mężem i trójką dzieci. Nieczęsto się z nimi widywał. Od śmierci Nancy był tam tylko jeden raz, bo kiedy żona wciąż żyła, nie chciał jej zostawiać. Jette co prawda dwukrotnie odwiedziła ojca w Danii, przyleciała też na pogrzeb, ale ponieważ finansowo nie wiodło jej się najlepiej, ich kontakt ograniczał się do dwóch rozmów telefonicznych w miesiącu.

Jonas, słysząc to, nagle się wyprostował.

– No to trzeba zainstalować Skype'a na twoim komputerze! – wykrzyknął swoim ochrypłym głosem i z zapałem zaczął tłumaczyć, jak za pośrednictwem komputera można zupełnie bezpłatnie telefonować do wszystkich miejsc na świecie.

Melvin Pehrsson zaniemówił i zmienił się w żywy znak zapytania. W końcu Flemming przyszedł mu z pomocą, rysując dwa komputery wyposażone w kamerki internetowe, które łączyły się za pośrednictwem sieci.

– To tak jak zwyczajny czat – przerwał mu Jonas, ale zaraz ramiona opadły mu z rezygnacją, kiedy zrozumiał, że jego siedemdziesięciopięcioletni przyjaciel również nie wie, co to jest.

– W rzeczywistości to po prostu długie bezprzewodowe połączenie telefoniczne – spróbowała tłumaczyć Louise, uciszając Flemminga i Jonasa, którzy nieustannie wchodząc sobie w słowo, usiłowali przekonać Melvina, że to jest bardzo proste. – Wy w ogóle nie umiecie nic wyjaśnić – przerwała im. – Po prostu kupcie kamerę i ściągnijcie Skype'a na komputer Melvina. – Bo Melvin miał komputer, zauważyła go w jego pokoju, a Jonas mówił, że starszy pan korzysta z wyszukiwarki Google i pisze e-maile. – A potem możecie pomóc wszystko zainstalować, a przede wszystkim sprawdzić, czy Jette w ogóle ma jakiś adres na Skypie.

Nagle zrobiło się późno. Jonas dawno już powinien być w łóżku. Melvin także wrócił do siebie, otrzymawszy instrukcje, co ma kupić następnego dnia w sklepie Fona.

– Ten człowiek to prawdziwy skarb – stwierdził Flemming, kiedy Louise przyniosła dwie świeżo zaparzone filiżanki kawy.

– Melvin przez cały czas mieszkał na dole – powiedziała, podając mu jedną z nich. – Po prostu nigdy nie zauważyłam, że on to on, rozumiesz?

W kuchni zadzwoniła komórka Louise. Szybko zerknęła na zegar. Było już prawie wpół do pierwszej. Musiała poprosić Suhra, żeby mówił głośniej, kiedy uświadomiła sobie, że to on.

– Pożar – powtórzył naczelnik. – Chciałbym, żebyś natychmiast tam przyjechała. Pali się budynek magazynowy i barak na łodzie Fastinga-Thomsena, a przy dogaszaniu strażacy odkryli zwłoki dwóch osób.

Kim są ofiary? – spytała Louise z komórką przy uchu, ubierając się pospiesznie.

Flemming, pozbierawszy papierki po czekoladkach i filiżanki w salonie, wyszedł do przedpokoju, w którym wisiała jego kurtka.

– Nie wiadomo. Zaledwie godzinę temu udało się opanować ogień na tyle, by można było wejść do środka. W baraku paliło się wszystko, więc strażacy przy pierwszej próbie nie zdołali się dostać do wewnątrz. Musieli najpierw dogasić ogień. Po wejściu do pomieszczenia na tyłach baraku odkryli dwa częściowo zwęglone ciała.

– To dziwne, że ktoś tam był – stwierdziła Louise. – Ulrik nie życzył sobie, żeby ktoś tam dłużej się kręcił, i kazał dozorcy wyrzucić stamtąd tych chłopaków. Dużo już wiecie?

– Właśnie mnie zawiadomiono. Dopiero po odkryciu ofiar koledzy z Bellahøj zdecydowali przekazać sprawę naszemu wydziałowi do spraw pożarów. Ale ty przecież znasz ten barak i wiesz, kto się tam spotyka, dlatego chciałbym, żebyś przyjechała.

Louise poszła do pokoju Jonasa. Przez chwilę patrzyła na śpiącego chłopca, a w końcu napisała kartkę i położyła ją na podłodze przy łóżku. Umówili się, że będzie tak robić, już wtedy gdy się do niej wprowadzał, ale dopiero teraz po raz pierwszy wezwano ją w nocy do pracy. Miała nadzieję, że zdąży wrócić, zanim chłopiec rano wyjdzie do szkoły.

– Pojedziemy razem czy chcesz mieć własny samochód? – spytał Flemming, którego również wezwano na miejsca zdarzenia do oględzin zwłok.

– Chyba raczej wezmę saaba – zdecydowała Louise i włożyła do kieszeni kluczyki.

Na ulicy prawie nie było samochodów. Louise skręciła koło jezior, przejechała przez plac Lille Triangel i dalej w stronę Kalkbrænderihavnsgade. Kiedy minęła stację Nordhavn, poczuła ostry zapach spalenizny. Dym zawisł na tle nieba jak cień. Już z daleka dostrzegła wozy strażackie i zaparkowała trochę dalej, żeby nie zagradzać drogi. W powietrzu unosiła się gęsta sadza. Louise niepewnie wyminęła pojazdy gaszące ustawione w długą kolumnę. Jeden ze strażaków polecił jej je okrążyć, kiedy pokazała swój identyfikator policyjny, a potem, machając obiema rękami, kazał kierowcy podjechać jeszcze bliżej. W ciemności słychać było podniesione głosy. Louise mało co widziała. Prawie na ślepo przesuwała się wśród wozów, mając wodę po prawej stronie.

Dogaszanie trwało. Między dwoma samochodami dostrzegła strażaków wychodzących bocznymi drzwiami ze spalonego magazynu. Kierowali się ku wciąż pracującym wozom pompującym wodę. Węże szumiały, ale ogień najwyraźniej został opanowany, bo nieba nie rozświetlały płomienie.

Wszystko było ciężkie i mokre. Cząsteczki sadzy opadały i przyklejały się do twarzy Louise. Włosy spięła w kok i osłoniła plastikowym czepkiem. Zawsze woziła z sobą w samochodzie kalosze, kombinezon ochronny i zapasowe ubranie.

Nie była wcześniej na Sydmolen, ale w ciemności dostrzegła, że stoją tu i nowe, i stare budynki. Wzdłuż brzegu wybudowano dwa nowe domy ze szkła i stali. Renowacja całego nabrzeża najwyraźniej obejmowała również północny kraniec portu w Kopenhadze.

Obeszła magazyn aż do samego tyłu, gdzie przypominający eksplozję pożar niemal rozniósł niewielki barak na łodzie. Tam przywitała się z Frandsenem. Szef Wydziału Techniki Kryminalistycznej poprowadził ją przez odgrodzony obszar, na którym jego ludzie zabezpieczali ślady stóp i kół wokół spalonego drewnianego budynku. Wyraźnie było widać, że tutaj zniszczenia są o wiele większe niż w dużym magazynie, w którym ogień nie wyrządził prawdopodobnie aż tak wielkich szkód.

– Suhr już przyjechał? – spytała.

– Jeszcze go nie widziałem.

Reflektory techników oświetlały cały obszar, mimo to okolica sprawiała wrażenie nierzeczywistej z powodu silnych kontrastów czerni i bieli – to, co ciemne, było czarne jak węgiel, a to, co jasne, wręcz oślepiało. Wilgotny zapach spalenizny wisiał w powietrzu, kręcąc w nosie i kładąc się na skórze jak cienka błona.

Frandsen ujął Louise za łokieć i poprowadził ją z dala od oznakowań techników na asfalcie, tak żeby nic nie zniszczyli.

– Właściwe badania możemy zacząć dopiero jutro rano przy dziennym świetle – powiedział przez zaciśnięte zęby, bo w kąciku ust trzymał niezapaloną fajkę – ale bardzo mi zależy na zabezpieczeniu zewnętrznych śladów jeszcze dziś w nocy, bo inaczej przepadną, jeśli zacznie padać.

Louise ostrożnie stąpała między odłamkami szkła, kawałkami drewna, klockami i dochówkami rozsypanymi na nabrzeżu jakby po eksplozji, która wysadziła budynek w powietrze. Przywitała się z Åse, techniczką, która już pstrykała aparatem fotograficznym, a jej biały kombinezon cały był pokryty sadzą.

Znów musiała okazać identyfikator dwóm funkcjonariuszom, aby przejść przez ostatnią linię zabezpieczeń tuż przy samym budynku, chociaż Frandsen już uniósł przed nią plastikową taśmę. Starała się omijać kałuże powstałe przy gaszeniu, słyszała odgłos pękającego pod butami szkła.

Naczelnika nigdzie nie było widać, ale dostrzegła Flemminga w kombinezonie z torbą w ręku.

– Zaraz wchodzę – zapowiedział, gdy Louise do niego podeszła.

W tej samej chwili zza rogu wyłonił się Suhr. Szedł z rękami w kieszeniach grubego płaszcza, witając się z kolegami. W końcu dołączył do Louise.

– Wiemy już, co spowodowało eksplozję? – spytała.

Pokręcił głową i podniósł ramiona, wtulając uszy w kołnierz płaszcza. Było chłodno, wiał lekki wiatr od morza.

– Wszystko jest możliwe. Budynek był z drewna, stary. Jeśli w środku znajdowały się jakieś butle z gazem albo pojemniki z benzyną do łódek, to wiele nie było trzeba. Jak już raz się zapali, to szybko idzie – stwierdził, wskazując rozsypane dookoła nadpalone deski.

– Ale przede wszystkimi musimy ustalić, kim są ofiary. To dziwne miejsce na nocleg w taką zimną jesienną noc.

Louise pokiwała głową, myśląc o chłopakach, którzy przychodzili do baraku. Ponieważ Wydział Zabójstw nie był zaangażowany w śledztwo dotyczące imprezy zorganizowanej przez Signe, nie sądziła, by Suhr wiedział, że koledzy z Bellahøj już się z nimi kontaktowali. Opowiedziała więc o wypadkach sprzed dwóch tygodni.

– W każdym razie mają nazwiska i numery telefonów tych, którzy wdarli się na imprezę.

– Niewykluczone więc, że to któryś z nich leży tam w środku – uznał Suhr, prowadząc ją do zastępcy komendanta policji, który początkowo kierował śledztwem.

Louise przywitała się z nim i wręczyła mu wizytówkę, którą dał jej młody funkcjonariusz z Bellahøj w tamtą sobotę, kiedy rozstawali się w szpitalu. Nie wyjmowała jej od tamtej pory z kieszeni.

– On w każdym razie kontaktował się z tymi chłopakami – powiedziała, odsuwając się, bo któryś z techników chciał zainstalować dodatkowy reflektor w baraku na łodzie. – Byli wzywani na przesłuchanie. I zrobiono im zdjęcia.

Wiatr od morza się wzmógł i zastępca komendanta musiał krzyczeć:

– Poproszę dyżurnego z Bellahøj, żeby natychmiast odszukał te nazwiska!

Odwrócił się i przeszedł za budynek w poszukiwaniu spokojniejszego, bardziej osłoniętego miejsca.

– Całe szczęście. – Suhr jeszcze podniósł kołnierz. – Mamy przynajmniej od czego zacząć.

Louise pokiwała głową. Ofiary pożarów często bywały niemożliwe do zidentyfikowania, jeśli nie miało się żadnych podejrzeń, kim mogą być.

Ruszyła za Suhrem do baraku na łodzie.

Technicy przygotowali ścieżkę, którą można się było poruszać. Prowadziła przez mokre płaty popiołu i zwęglone kawałki drewna. Wysoka temperatura sprawiła, że deski napuchły warstwami i przypominały spaloną skórę krokodyla. Belki poczerniały, wszędzie walały się jakieś rzeczy. Ramy okien były puste, bo wybuch wysadził szyby. Z sufitu zwisał przewód, na którym musiała wisieć lampa. Abażur spłonął, a żarówka eksplodowała w ogniu. Została tylko oprawka i miedziane druty wcześniej pokryte gumową izolacją.

– Pod zwłokami zostały resztki materiału – poinformował patolog po zakończeniu oględzin. Wstał i wskazał na niewyraźny zarys na podłodze pod zwęglonymi ciałami. – Przypuszczam, że to materace. W większości spłonęły, z wyjątkiem tych miejsc, w których miały bezpośrednią styczność z ciałami – stwierdził i cofnął się o krok, tak by policjanci mogli lepiej to zobaczyć.

211

– Są jakieś ślady wskazujące na użycie przemocy? – spytał naczelnik, podchodząc bliżej.

– Na pierwszy rzut oka nic takiego nie widzę – odparł Flemming Larsen. – Znalazłem sadzę w nozdrzach i jej cząsteczki również w ustach, co wskazuje na to, że ofiary żyły, kiedy wybuchł pożar. Ale ciała są bardzo zniekształcone w wyniku działania ognia i trudno jest dostrzec jakieś szczegóły. Na razie nie mogę powiedzieć nic więcej, dopiero po sekcji.

Louise ostrożnie przeszła ponad dwiema nogami od krzeseł, które stanowiły resztkę spalonego mebla. Dobrze teraz rozumiała, dlaczego Flemming z powątpiewaniem kręcił głową. Z obu ciał niewiele zostało. Skóra była całkiem czarna, w wielu miejscach zupełnie zwęglona. Suhr nachylił się nad zwłokami leżącymi pod samą ścianą. Wskazał na widoczną szczelinę biegnącą przez brzuch.

– Czy to może być rana zadana nożem?

Flemming przyjrzał się uważnie.

– Nie, to pęknięcie powstałe w wyniku temperatury – wyjaśnił.

Louise zauważyła, że skóra na zwłokach obydwu osób popękała.

– Leżą w klasycznej pozycji szermierza – ciągnął, wskazując na ugięte ramiona.

Louise nigdy wcześniej nie widziała tego tak wyraźnie. Tak jak szermierz gotowy do walki z jedną ręką ugiętą i uniesioną szpadą, z drugą ręką wyprostowaną, aby utrzymać równowagę, a poza tym z lekko ugiętymi kolanami.

– Taką pozycję przyjmuje ciało, kiedy rozgrzane

mięśnie się ściągają – tłumaczył Flemming. – To się dzieje już po śmierci.

Louise nachyliła się, by przyjrzeć się zwęglonym zwłokom. Rozpoznać twarz, włosy, ubranie. Wszystko to jednak spłonęło, skóra była zwęglona i popękana jak kawałek drewna w kominku. Cofnęła się i zerknęła na zegarek. Było po drugiej. Chciała jak najszybciej poznać nazwiska i adresy młodych ludzi, z którymi kontaktowali się policjanci z Bellahøj. Naczelnik już dzwonił do Tofta i Michaela Stiga. Jeden miał zostać na miejscu pożaru, drugi natomiast pomóc w odnalezieniu młodych ludzi, aby przyspieszyć identyfikację ofiar.

– Na razie nic nie wskazuje na to, by doszło do przestępstwa – stwierdził Suhr. Cząsteczki sadzy osiadły mu na ramionach jak deszcz. – Tragiczna historia, ale najprawdopodobniej ci dwaj, leżąc, palili papierosy. A może narkotyki? Nie zgasili niedopałków, materace się zajęły, a ponieważ cały barak był drewniany, po kilku minutach ogień strawił wszystko.

Louise pokiwała głową. Dobrze wiedziała, że zaprószenie ognia niedopałkiem to najczęstsza przyczyna pożarów. W ubiegłym roku około osiemdziesięciu osób straciło w ten sposób życie, a wydawało się zupełnie nierealne, aby ci młodzi byli na tyle odpowiedzialni, by zainstalować alarm przeciwpożarowy w tym swoim klubie, pomyślała, rozglądając się dookoła. Barak stał się prawdziwą pułapką. Nikt nie miał szans na wydostanie się z pomieszczenia mieszczącego się na samym końcu, jeśli ogień wybuchł gwałtownie.

– Oczywiście będziemy wiedzieć więcej, kiedy Frandsen i jego technicy stwierdzą, gdzie znajdowało się zarzewie ognia, i określą przyczynę pożaru – ciągnął Suhr, a potem zwrócił się do Flemminga Larsena: – Jak sądzisz, kiedy będziesz mógł przeprowadzić sekcję?

Do rozpoczęcia zaplanowanych na piątek sekcji zostało już niewiele godzin, Louise spodziewała się więc odpowiedzi, że najwcześniej w poniedziałek, ale zaskoczona usłyszała, że Flemming mówi już o jutrzejszym dniu o dziesiątej.

– Pojedziesz obserwować sekcję? – spytał Suhr, gdy ostrożnie przechodziła nad spadłą z sufitu belką, chcąc wyjść z baraku.

Potwierdziła.

– Możliwe, że nie doszło tu do przestępstwa, ale to rzeczywiście niezwykły zbieg okoliczności, że pożar wybucha bezpośrednio po naszym odkryciu, że w tym budynku miał swój magazyn Nick Hartmann – powiedziała, kiedy już stali na zewnątrz, patrząc na spowity w nocny mrok port.

Suhr pokiwał głową. Ruszyli z powrotem do samochodów.

– Takie powiązanie jednak wydaje się trochę bezsensowne – stwierdził Suhr po namyśle. – Do eksplozji najwyraźniej doszło w baraku na łodzie. Bo jeśli ktoś podłożył ogień, to nie mógł przewidzieć kierunku czy siły wiatru i mieć pewność, że płomienie rozprzestrzenią się na magazyn.

Pewnie miał rację, lecz Louise upierała się przy swoim:

– Ale prawdopodobieństwo, że tak się stanie, było całkiem spore.

Wozy strażackie już odjechały, zostały tylko dwa duże pojazdy.

– No tak. – Suhr spojrzał na Louise. – Ale dlaczego ktoś miałby zabijać Hartmanna i dopiero kilka tygodni po jego śmierci palić jego skład podrabianych mebli?

– To rzeczywiście nielogiczne – przyznała Louise.

– Odwrotną kolejność mógłbym zrozumieć. Meble, które tam są, muszą mieć dużą wartość. Niewątpliwie większy sens miałoby, gdyby ci, którzy dokonali zabójstwa, później ukradli to wszystko, zgarniając za to pieniądze.

Minęli prawie cały magazyn. Suhr pokręcił głową z powątpiewaniem.

– Nie przypuszczam, żeby istniał związek między meblami a tym pożarem – stwierdził. Pomachał ręką do Tofta i Michaela Stiga, którzy już szli w ich stronę. – Ale oczywiście musimy się dowiedzieć, czy ci chłopcy z tego baraku wiedzą coś o Nicku Hartmannie i towarach, które trzymał w magazynie. Możliwe, że mieli z sobą jakiś kontakt albo widzieli, kto się kręci przy magazynie.

– Wystarczy, że człowiek się odwróci! – zawołał Michael Stig i potrząsnął wciąż mokrymi włosami.

Louise wcale nie zaskoczyło, że kolega zdążył się szybko wykąpać przed wyjściem. Toft natomiast wciąż miał włosy wyraźnie przypłaszczone od poduszki.

– A co ze wszystkimi tymi meblami, które tam stały? Suhr wzruszył ramionami.

215

– Technicy im się przyjrzą, gdy będą mieli wolne reflektory i ustawią je w środku. Ledwie skończyło się dogaszanie. Nie wiemy, jakie są szkody wewnątrz. Który z was zostanie tutaj i przyjrzy się magazynowi, a który pomoże w odnalezieniu tych młodych ludzi spotykających się w baraku na łodzie? – spytał Suhr, patrząc na swoich śledczych.

Nieobecność Willumsena na miejscu zdarzenia nie była niczym zaskakującym. Jedynie w najbardziej naglących wypadkach Suhr decydował się na budzenie komisarza, bo z wyrywania go z łóżka w środku nocy nie przychodziło nic dobrego: zachowywał się wtedy jeszcze gorzej i wszyscy woleli nie mieć z nim wówczas do czynienia.

– Ja będę szukał tych chłopaków, a Toft zostanie tutaj – oświadczył Michael Stig po naradzie z partnerem. – Ale jutro po południu mamy zawody w Haderslev, więc chcielibyśmy się trochę przespać, zanim tam pojedziemy.

Louise westchnęła.

– Zobaczymy – zbył go Suhr, kiwając głową dwóm dziennikarzom, których poinformował, że na razie nie ma jeszcze nic do powiedzenia na temat pożaru.

– A te karetki? – próbował dopytywać się jeden z reporterów, ale uciszyła go uniesiona ręka naczelnika i polecenie, by zadzwonił jutro.

Suhr odwrócił się do zastępcy komendanta policji, który do nich podszedł.

– Tu są adresy tamtych pięciu. – Podał Suhrowi jakieś kartki. – Prawie przy wszystkich są numery komórek. Próbowaliśmy już dzwonić, ale tylko jeden odebrał.

Louise wzięła kartki z pięcioma nazwiskami i zobaczyła, że nazwisko Kennetha Thima jest w kółku. A więc to nie on leżał zwęglony w zgliszczach baraku.

– Powiedział coś? – spytała, patrząc na zastępcę komendanta.

Pokręcił głową.

– Był tak pijany, że mało co dało się z niego wyciągnąć oprócz tego, że jest przynajmniej jako tako żywy.

Zaproponował, że jego ludzie dalej będą dzwonić, ale Louise pokręciła głową i stwierdziła, że sama się tym zajmie.

– Będziecie działać razem czy oddzielnie? – spytał, przenosząc wzrok z niej na Michaela Stiga.

– Oddzielnie – odparła czym prędzej. Chciała jak najszybciej się dowiedzieć, czy wśród ofiar pożaru jest ktoś z tamtej piątki. A jeśli nie, to spytać tych chłopców, czy wiedzą, kto mógł przebywać w baraku po tym, jak Fasting-Thomsen kazał im się stamtąd wynosić.

– Musimy pracować razem – oświadczył jednak Stig. – Jeśli to naprawdę aspiranci do rockersów, to nie można z nimi rozmawiać w pojedynkę.

Wycieraczki poruszały się powoli, usuwając z szyby drobne krople deszczu. Jechali przez pogrążoną w nocnej ciszy dzielnicę Østerbro. Kolejka wtoczyła się na stację Svanemøllen. Poza tym ruch był niewielki, krążyły pojedyncze taksówki zbyt szybko zjeżdżające w dół Østerbrogade.

– Jeszcze dwóch mieszka tutaj na Østerbro – przeczytała Louise. Ku jej wielkiej irytacji Suhr zgodził się z Michaelem Stigiem. Zostawiła więc saaba w porcie, przesiadła się do kombi kolegi i ruszyli pod pierwszy adres. – Jeden mieszka nad kawiarnią ojca w Nyhavn, a Kenneth Thim na Møllegade na Nørrebro. Ale jego skreśliliśmy. Tutaj jest Århusgade – wskazała.

Zobaczyła kolejkę taksówek i tłum ludzi przed Park Café, w której właśnie zamknięto dyskotekę. Czwartkowi imprezowicze postanowili albo wracać do domu, albo bawić się dalej, ale Århusgade spała. W każdym razie ciemno było w większości okien, również na tym piętrze, gdzie Peter Nymann wynajmował pokój.

Peter Nymann był tym, który według Jonasa pobiegł za Signe w stronę drogi. Louise miała przed oczami twarz ze zdjęcia: cienkie długie włosy zebrane w koński ogon i ciemne oczy patrzące twardo i odpychająco. I jeszcze to nierówne znamię na policzku.

Długo dzwonili do drzwi. W końcu Louise wyszła na chodnik i popatrzyła w górę, ale w żadnym oknie się nie świeciło. Michael Stig dalej przyciskał dzwonek, a ona próbowała telefonować na komórkę, której również nikt nie odbierał. Po kolejnych minutach w głośniku domofonu rozległ się zaspany głos sąsiadki, która niechętnie dała się namówić na wpuszczenie sił porządkowych do środka. Zrezygnowała z możliwości samodzielnego wyciągnięcia Petera Nymanna z łóżka.

Klatka schodowa była szara, a ściany na parterze pokrywały graffiti. W rogu na posadzce w biało-czarną szachownicę walały się puszki po piwie, niedopałki i pojedyncza plastikowa torba, chociaż na każdym piętrze był zsyp w postaci małego bulaja w ścianie między dwojgiem drzwi wejściowych.

Pokoje do wynajęcia zajmowały całe trzecie piętro. Kiedy doszli na górę, otwarte były drzwi prowadzące na lewo. Czekała na nich dziewczyna w obszernym swetrze, z gołymi nogami, ale na ich widok podeszła do drugich drzwi w szeregu i spytała, czy może wrócić do łóżka. Wskazała koniec korytarza i powiedziała, że Peter Nymann mieszka na samym końcu.

– W arsenale broni.

Michael Stig zdziwiony uniósł brew, ale dziewczyna ze śmiechem wyjaśniła, że to tylko drzwi są oklejone zdjęciami broni strzeleckiej, choć to wcale nie jest miłe dla pozostałych mieszkańców korytarza, którzy muszą na to patrzeć za każdym razem, kiedy idą do toalety.

Minęli wspólną kuchnię zastawioną brudnymi naczyniami i uchylone drzwi do łazienki. W końcu doszli do ostatnich drzwi w korytarzu, na których z trudem można było dostrzec brązowe drewno. Niemal całą powierzchnię pokrywały wycinki i plakaty przedstawiające broń, pistolety i karabiny rozmaitych rozmiarów i kalibrów, z których dałoby się zabić niedźwiedzia nawet z dużej odległości. Długo pukali, aż otworzyły się sąsiednie drzwi i pojawił się w nich wysoki chłopak, który sennie wystawił głowę, prosząc o zachowanie ciszy. Oświadczył, że jego sąsiada w ogóle nie ma w domu, więc nic nie stracą na tym, jak przestaną tak walić.

– Jesteś pewien, że go tu nie ma? – próbowała przyciskać Louise.

Wysoki chłopak z przekonaniem pokiwał głową.

– Absolutnie. Kiedy jest, puszcza tę swoją nieznośną metalową muzykę. Słyszę to przez ścianę. Nie można wtedy zebrać myśli. A dzisiaj wieczorem było zupełnie cicho.

Louise spytała, czy ma jakiś pomysł, gdzie znajdą Petera Nymanna.

– To nie jest ktoś, z kim utrzymujemy kontakty, więc nie mam zielonego pojęcia. Powiem tylko, że cieszę się, że go tu nie ma. Niech zostanie tam, gdzie jest, jak najdłużej.

Michael Stig miał już przygotowaną wizytówkę i podał ją chłopakowi, zanim tamten zatrzasnął drzwi.

– Skontaktuj się ze mną, kiedy go zobaczysz.

Dryblas kiwnął głową, zamknął drzwi i usłyszeli zgrzyt zamka. Louise sięgnęła po kartkę z następnym adresem.

– Najpierw pojedziemy do Jóna Vigdísarsona na Strandboulevarden, a dopiero potem na Gammel Kalkbrænderivej – zdecydowała i wsiadła do samochodu.

Już próbowała dzwonić na komórkę, ale odezwała się poczta głosowa, więc gdy usłyszała chłopięcy głos proszący o pozostawienie wiadomości, po prostu się rozłączyła.

Otworzył już po drugim dzwonku. Na czwartym piętrze przyjął ich w T-shircie i luźnych szarych spodniach od dresu. Zaspany, ale żywy, odsunął się na bok i wpuścił ich do dużej kuchni, do której wchodziło się bezpośrednio z klatki, jakby ktoś postanowił zrezygnować z przedpokoju, choć były w niej wieszaki na płaszcze i stała również komoda. Kuchnia w połączeniu z jadalnią tworzyła dużą przestrzeń. Portfenetr wychodził na podwórze. Nad stołem wisiał duży mosiężny żyrandol ozdobiony zawijasami i wyblakłymi szklanymi kwiatami, a na parapetach stały francuskie świeczniki i kryształowe wazony ze świeżymi kwiatami. Całość była urządzona ze smakiem, a na ścianach wisiała islandzka

221

sztuka i zrobione na wyspie, na której surowa przyroda przechodziła od trawiastych zboczy do pokrytej lawą pustyni, oprawione w ramki czarno-białe fotografie matki i jej syna – od najstarszych aż po zupełnie aktualne. Na dwóch zdjęciach chłopcu towarzyszył starszy mężczyzna, najprawdopodobniej dziadek.

Podczas gdy Michael Stig opowiadał o pożarze, Louise zajrzała do pokoju chłopaka. Kołdra leżała częściowo na podłodze, jakby wyskoczył z łóżka, kiedy zadzwonili do drzwi. Matki najwyraźniej nie było w domu albo też spała bardzo głęboko.

– Nie pozwolono nam tam już przychodzić – oświadczył chłopak, kompletnie niezainteresowany udzielaniem policji odpowiedzi obszerniejszych niż to konieczne. Przeczesał palcami gęste ciemne włosy, sterczące i sztywne, ale ponieważ przybyli się nie odzywali, mimo wszystko podjął: – Wyrzucili nas. Dostaliśmy trzy godziny na zabranie swoich rzeczy. Komputer gliny już wcześniej zarekwirowały, kiedy zaczęły się czepiać. No i była jeszcze lodówka oraz sprzęt grający. Seb zabrał je samochodem. Nic więcej tam nie mieliśmy, tylko jakieś stare meble, które poprzynosiliśmy ze śmietników. Ale te niech oni sami sobie usuwają.

– To już nieaktualne – przerwała mu Louise. Miała trochę dość takiego nastawienia i ostro spytała, czy któryś z nich wchodził do tego baraku, odkąd zabrali swoje rzeczy.

Jón Vigdísarson pokręcił głową.

– Przecież tam nic nie zostało, a on groził, że wezwie policję, jeśli nas tam jeszcze zobaczy.

222

– Fasting-Thomsen?

Chłopak popatrzył na nią zdziwiony.

– Właściciel baraku i magazynu – wyjaśniła Louise.

– Nie, ten psychopata, który pilnuje wszystkiego.

Oczy chłopca były prawie całkiem czarne. Błyszczały, przez co stawały się bardzo intensywne i żywe.

– W tym pożarze – odezwał się Michael Stig – zginęły dwie osoby. Dwóch ludzi spłonęło w pomieszczeniu na końcu baraku. Najprawdopodobniej te osoby spały na materacach. Jeśli to nie jest żaden z tych, z którymi się spotykasz, to masz pomysł, kto jeszcze mógł korzystać z tego miejsca?

– Nikt więcej tam nie przychodził – odparł z niechęcią chłopak. – Nie mam pojęcia, kto to może być. – Przysunął sobie krzesło i usiadł z rękami założonymi na piersi.

– A jeśli ci powiem, że te ciała są kompletnie zwęglone, a trzech z twoich kumpli nie możemy znaleźć, to co? – warknął Michael Stig.

Nareszcie pojawiła się jakaś reakcja. Chłopak jakby zmalał i coś zniknęło z jego twarzy, której wyraz bardziej pasował teraz do jego siedemnastu lat.

– Nie wiem – odparł trochę niepewnie.

Louise popatrzyła na Michaela Stiga z wyrzutem. Nie było powodu tak obcesowego traktowania tego chłopca.

– Mieszkasz z matką, prawda? Czy ona jest w domu? – spytała łagodnie, kierując wzrok na drzwi do salonu i na inne zamknięte drzwi z lewej strony.

Jón pokręcił głową.

– Wyjechała na weekend ze swoim facetem – odparł.

Znów musiał spojrzeć na Michaela Stiga, który także usiadł przy stole i spytał już nie tak agresywnie:

– Ilu was spotykało się w tym baraku, zanim was wyrzucono?

– Siedmiu, ale Mini poszedł do pierdla, a Thomas wypłynął w rejs, więc ostatnio było nas tylko pięciu. – Pokiwał głową do siebie, jakby potwierdzał, że dobrze policzył.

– Wiesz, gdzie dzisiejszy wieczór spędzali pozostali? Louise też usiadła.

– Chyba w domu. Jutro jest jakaś impreza w Vanløse. Ale cały tydzień był w zasadzie jak martwy, prawie się nie widywaliśmy, odkąd wynieśliśmy się z tego baraku. Wczoraj byliśmy u Seba. Jego ojciec ma kawiarnię w Nyhavn i coś nam podesłał na górę z kuchni.

Louise doszła do wniosku, że powinni już jechać dalej, i wstała, dając sygnał, że jest gotowa do wyjścia.

– Przy tym baraku stoi magazyn. Wiesz coś o człowieku, który przechowuje tam swój towar? – Michael Stig zignorował jej znak.

Dziecięcy wyraz znów zniknął z twarzy chłopaka, na powrót się zamknęła. Pokręcił głową, najwyraźniej przypominając sobie o zasadzie numer jeden: Nic nie mówić policji. Wszystko jedno o co chodzi, niczego nie zdradzać.

– Nie wiem, kto to jest.

– A gdzie może być Peter Nymann, skoro nie ma go w domu?

Wzruszył ramionami.

– Spróbujcie dzwonić na komórkę.

– Już próbowaliśmy – odpowiedziała Louise ze złością. – Ma jakąś dziewczynę, u której może być?

– On nie traci czasu na baby. Bardziej prawdopodobne, że jest w jakiejś knajpie albo w klubie.

– W klubie?

Chłopiec znów się zamknął, a Louise uznała, że musi chodzić o klub rockersów, z którym – jak już wiedzieli – Nymann miał jakieś powiązania.

– Spróbuj skontaktować się ze swoimi kumplami, a jeśli ci się to uda, zadzwoń do nas, żebyśmy mogli wykluczyć, że to któryś z nich leży w baraku – powiedziała na koniec i skierowała się do drzwi, licząc, że Michael Stig pójdzie za nią.

Chłopak ich nie odprowadził.

Gammel Kalkbrænderivej. Ośrodek dla młodzieży. Było już wpół do czwartej, gdy wracali Strandboulevarden i skręcali w Nordre Frihavnsgade. Za każdym razem, gdy Louise jechała tą ulicą, myślała o tym, jak pierwszy raz musiała zadzwonić do drzwi obcych ludzi i przekazać im tragiczną wiadomość. Wtedy pewien młody mężczyzna padł ofiarą bezsensownej napaści i Louise wysłano z kolegą, aby powiadomiła o tym jego partnerkę. Nie potrafiła poradzić sobie z cierpieniem tamtej młodej dziewczyny i spotkanie z nią miało swoje konsekwencje. Do tego stopnia poważne, że musiała poprosić o pomoc psychologa współpracującego z wydziałem. Ale od tamtego czasu minęło już wiele lat, podobnie jak wiele lat minęło od chwili, gdy przyjęto ją do Wydziału Zabójstw.

– To musi być ten ośrodek dla młodzieży, który znajduje się naprzeciwko przedszkola – stwierdziła, kiedy Michael Stig skręcił w prawo. – Nie mieszkają tam najgrzeczniejsi chłopcy.

Michael Stig przyznał jej rację. W ośrodku było kilka pokoi, które kopenhaska gmina przeznaczyła dla młodzieży z problemami, nie wiedząc, co z nimi zrobić.

– Wiemy coś o nim?

– Nazywa się Thomas Jørgensen, ma dziewiętnaście lat i to właśnie on skopał matkę Signe. Funkcjonariusz z Bellahøj wyliczył kilka jego wyroków z rejestru karnego.

Michael Stig znalazł wolne miejsce po drugiej stronie ulicy.

Brama do kamienicy była otwarta. Weszli na drugie piętro i pchnęli pomalowane na czerwono drzwi z tabliczką „Ośrodek dla młodzieży gminy Kopenhaga". Ale słowo „ośrodek" zostało zamazane sprejem, a nad nim napisano „Więzienie".

Znaleźli się w dużym przedpokoju. Pod ścianami leżały kurtki i buty. Pięcioro drzwi prowadziło do pokojów, a mały korytarzyk ciągnął się dalej. Nie paliło się w nim światło, Louise domyśliła się, że wiedzie do pozostałych wspólnych pomieszczeń.

Michael Stig zapalił światło. Chwilę stali, nie wiedząc, co robić. Na drzwiach były numerki, ale żadnego nazwiska. W końcu kolega się zdecydował i zapukał do pierwszych drzwi. Kilka sekund później otworzył im niewysoki ciemny imigrant. Z groźną miną ruszył na nich. Michael Stig pokazał identyfikator i oświadczył, że szukają Thomasa Jørgensena. Tamten nic nie powiedział, tylko ruchem głowy wskazał sąsiedni pokój i szybko zamknął swoje drzwi.

– Tak? – rozległ się niski głos, gdy kilka razy zapukali. Zza drzwi dobiegły jakieś odgłosy i chwilę później Thomas Jørgensen otworzył.

Był wysoki i potężny. Na pokrytych tatuażami ramionach widać było naprężające się mięśnie. Czarny rysunek przechodził przez barki na szyję i przedstawiał dużego pająka siedzącego na pajęczynie.

Nie próbował nawet ukryć, że chce się ich jak najszybciej pozbyć. Powtórzył tylko to, co powiedział im już Jón Vigdísarson o tym, że wyrzucono ich z baraku na łodzie. Dodał jednak, że jedyną osobą, której mogłoby przyjść do głowy, żeby tam nocować, był Peter Nymann, i tylko po to, żeby nie musieć znosić tych pieprzonych psycholi, z którymi mieszkał na jednym korytarzu. Nie wiedział, gdzie mogą być inni ani co robią. Nie wiedział też nic o magazynie stojącym tuż przy baraku.

– Nic nie wiem. O tym facecie, co tam przychodzi, też. – Podrapał się po brzuchu pod T-shirtem, który musiał wciągnąć, kiedy zapukali. To znaczy nic poza tym, że go widywał i wiedział, że to właśnie jego zastrzelono kilka tygodni wcześniej, przyznał w końcu, kiedy Michael Stig nie odpuszczał. Sięgnął po paczkę papierosów leżącą na biurku tuż przy drzwiach. Odłamał filtr i zapalił. – Słuchajcie, co mówię – powiedział. – Kompletnie nic o tym nie wiem i w ogóle mnie to nie obchodzi.

Tylko pokręcił głową, kiedy Louise podkreśliła, że przyszli wyłącznie po to, by wykluczyć, że to jego zwęglone zwłoki leżą w spalonym baraku.

– To mogłeś być ty albo któryś z twoich przyjaciół – dodała.

Nie zrobiło to na nim wrażenia. Zgasił papierosa w butelce i głośno ziewnął. Był tak odpychający, że Louise w ogóle nie miała ochoty prosić go o telefon, gdyby miał jakiś kontakt z kolegami, mimo wszystko dała mu wizytówkę, stwierdzając, że oszczędzi sobie kolejnych wizyt policji, jeśli zechce im pomóc.

Czuła coraz większe zmęczenie, a Michael Stig zaczął ziewać. Miała wrażenie, że wiele dni minęło, odkąd pożegnała się z Melvinem, wciskając mu do ręki pustą puszkę po Quality Street, gdy schodził do siebie w kapciach. I tyle samo czasu, odkąd mówiła Jonasowi „dobranoc", a przecież od rozstania z Flemmingiem przed jej domem minęły zaledwie trzy godziny.

Następnym przystankiem było Nyhavn. Objechali Kongens Nytorv i skręcili przy Sømandsankeret, przed którą grupka ludzi siedziała na ziemi przy dwóch skrzynkach piwa, urządzając własną zamkniętą imprezę. Byli zbyt pijani, by przeszkadzała im mżawka i temperatura nie wyższa niż dwa stopnie na plusie. Siedzieli owinięci grubymi kurtkami i kocami, które nie przypominały w niczym tych eleganckich firmy Smirnoff, jakie rozdawano gościom w modnych kawiarnianych ogródkach, gdy wiatr był zbyt chłodny. Wyglądały raczej jak koce, z których korzystają bezdomni, kiedy śpią na ulicy.

Michael Stig wolno jechał po bruku. W przeciwieństwie do Østerbro ta okolica nie była całkowicie wyludniona. Przy knajpach i studiach tatuażu kręcili się podchmieleni ludzie.

W połowie Nyhavn mieściła się kawiarnia. Była już zamknięta, ale w środku ciągle się świeciło. Przez okno zobaczyli mężczyznę siedzącego przy stoliku nad rachunkami. Przed nim stała butelka piwa. Louise zapukała w szybę, pokazała swój identyfikator i pomachała na znak, że ma im otworzyć.

– Czemu zawdzięczam tę wizytę? – spytał. – Dziwne, że policja postanowiła mnie odwiedzić mimo deszczu i w nocy – spytał jowialnym tonem, charakterystycznym dla restauratorów, którzy dbają o dobre stosunki z policją.

– Chcielibyśmy rozmawiać z Sebastianem Styhnem – oznajmił Michael Stig, tłumiąc ziewnięcie.

Mężczyzna uniósł brwi. Louise zorientowała się, że nie pierwszy raz policja pytała o jego syna. Zresztą przecież zaledwie dwa tygodnie temu wezwano go na komendę Bellahøj. Ale takie najście nocą z pewnością bardziej go zaniepokoiło.

– To mój syn, ale nie ma go w domu. Nocuje u kolegi na Østerbro.

– U Petera Nymanna? – spytała Louise, a on zaskoczony kiwnął głową.

Nie przyjęli zaproszenia, żeby usiąść, a mężczyzna przybrał teraz wyczekującą pozę, jakby wyczuwał, że czeka go coś naprawdę nieprzyjemnego.

– Dziś w nocy wybuchł duży pożar na Sydmolen. Spalił się barak na łodzie, w którym pański syn zwykle przesiadywał z kolegami – zaczęła Louise.

Restaurator przysunął sobie krzesło i oparł się o jego plecy.

– W tym pożarze zginęły dwie osoby – ciągnęła Louise. – Na razie jeszcze nie udało nam się zidentyfikować ofiar.

Mężczyzna ciężko opadł na krzesło.

– Nie udało nam się również odnaleźć Petera Nymanna – dodał Michael Stig z powagą. – Nie wiemy więc, czy on i pański syn przebywają gdzieś razem, w każdym razie nie w mieszkaniu u Nymanna, bo właśnie stamtąd przyjeżdżamy.

Restaurator bardzo pobladł.

– Dzwoniliście do nich? – spytał i chrząknął.

Louise potwierdziła. Mężczyzna położył dłonie na kolanach i nachylił się, jakby nagle zaczęło brakować mu powietrza.

– Gdzie jeszcze może przebywać pański syn? – Michael Stig próbował skłonić ojca do zastanowienia się.

– Tak na chybcika nie przychodzi mi do głowy żadne miejsce. Mieszka ze mną. Jego matka zmarła na raka pięć lat temu i odkąd zostaliśmy sami, zawsze starał się mnie informować, dokąd idzie, żebym za bardzo się o niego nie martwił. Ja głównie siedzę tutaj i pilnuję interesu. Zjedliśmy razem obiad w mieszkaniu, a kiedy miałem zejść na wieczorny dyżur, on poszedł do Nymanna, tak go nazywają. On pochodzi z Næstved, chłopcy poznali się, kiedy razem chodzili do szkoły z internatem w Haslev. – Jakby odruchowo sięgnął po butelkę i wypił łyk piwa. – Tam też poznali Jóna i tego dużego, o którym

231

zawsze mówią tylko Zły Thomsen. Tak naprawdę nazywa się Thomas Jørgensen, ma naprawdę wybuchowy temperament, nie zawsze potrafi nad sobą zapanować. – Pokręcił głową, jakby dobrze wiedział, że przedstawia policji raczej podkolorowaną wersję. – Często myślę o tym, że może lepiej by było, gdyby po skończeniu szkoły został na wsi, zamiast przyjeżdżać tu do miasta – ciągnął. – Oni wszyscy nie są najgrzeczniejsi. – Zamyślił się. – Chłopcy są w gruncie rzeczy dobrzy, nie wolno nikogo osądzać po tym, jak wygląda.

Louise powstrzymała się od komentarza. Trzej z tych „chłopców" miało już więcej wyroków niż godzin w planie lekcji w dziewiątej klasie, nie było więc mowy o pochopnym osądzaniu na podstawie tatuaży i łysych głów.

Restaurator spojrzał na parę policjantów.

– Musielibyście od razu go rozpoznać, gdyby to był mój Sebastian. Cały jest wytatuowany. Poza tym to taki ładny chłopak. Włosy układają mu się w fale jak jego matce. – Wyrzucał z siebie słowa jak tonący, który usiłuje utrzymać się na powierzchni, ale jakaś siła w nieuchronny sposób ciągnie go pod wodę. – Te tatuaże pokrywają całe ciało – tłumaczył.

Louise spojrzała na swojego kolegę, który zrobił krok do przodu i położył rękę na ramieniu mężczyzny, a potem jak najdelikatniej powiedział, że na zwęglonych ciałach nie było skóry na tyle, by dało się zidentyfikować je na podstawie tatuaży, nawet jeżeli były one *full body*.

Z ust ojca wydarł się odgłos, który zabrzmiał jak szloch.

– A włosy?

Michael Stig pokręcił głową.

– Nie wiemy, czy to był pański syn – oświadczyła szczerze Louise – ale musimy przygotować pana na taką ewentualność. A ponieważ nie możemy skontaktować się ani z nim, ani z jego kolegą, chcielibyśmy pana prosić o podanie nazwiska dentysty syna, abyśmy mogli uzyskać dostęp do jego karty. To nam pomoże przy ostatecznej identyfikacji.

Restaurator pokiwał głową i odsunął rachunki. Z tylnej kieszeni spodni wyjął portfel i odszukał w nim kartkę z datą umówionej wizyty. Zapisał im nazwisko dentysty, którego gabinet mieścił się tuż za rogiem, na Store Strandstræde.

– No cóż, muszę chyba przyznać, że mam nadzieję na najlepsze, ale boję się najgorszego.

Wypił ostatni łyk piwa i przez chwilę siedział z zamkniętymi oczami.

– Za wcześnie jeszcze, by obawiać się najgorszego. – Michael Stig przypomniał mu, że chłopców przecież wyrzucił z baraku jego właściciel i zakazał im przychodzenia tam.

Mężczyzna pokiwał głową i powiedział, że wie o tym, bo chłopcy korzystali z jego samochodu, zabierając stamtąd swoje rzeczy.

– Wszystko to stoi złożone w pokoju gościnnym do czasu, aż znajdą jakieś nowe miejsce, w którym będą mogli się spotykać. Obiecałem, że udostępnię im strych. Zobaczymy, jak to będzie.

– Pomoże pan nam w szukaniu syna? – spytała Louise. – A czy syn nie może nocować u jakiejś dziewczyny?

– Oczywiście istnieje taka możliwość – przyznał restaurator nieco ożywionym tonem. – Nie jestem zbyt na bieżąco, jeśli chodzi o damskie znajomości, ale cały czas kręcą się wokół nich jakieś dziewczyny, więc możliwe, że nocują u nich.

Nagle pojawiała się deska ratunku, której natychmiast się uchwycił, ale nadzieja, która zapaliła się w oczach, zaraz zgasła.

– Ale wtedy by o tym powiedział.

Michael Stig już szedł do drzwi, Louise ruszyła za nim, dobrze wiedząc, że ojca Sebastiana czeka trudna noc.

– Jeśli zna pan te dziewczyny, z którymi syn się widuje, proszę odszukać jakieś telefony do nich. Może znajdzie pan coś w jego pokoju. A gdyby Sebastian się odezwał, niech pan od razu do nas zadzwoni, to skreślimy go z listy.

Pożegnali się w drzwiach. Przez szybę Louise zobaczyła jeszcze, że ojciec ich obserwuje, jak idą ulicą w stronę samochodu.

– Nymann – powiedziała do siebie. – Dobrze by było znać imiona rodziców, zanim zaczniemy obdzwaniać całe Næstved, żeby kolejnych ludzi pytać, czy to może ich syn nie spłonął w porcie.

Ponieważ ofiary nie zostały zidentyfikowane, musieli skontaktować się z rodzicami tego chłopaka.

Michael Stig pokiwał głową i zaofiarował się, że odwiezie Louise do domu. Sam zamierzał pojechać na Bellahøj i dowiedzieć się o imiona rodziców Petera Nymanna. Powinny być w dokumentach jego poprzednich spraw.

Dochodziła już szósta. Jonas musiał wstać za godzinę, żeby zdążyć do szkoły. Po saaba Louise postanowiła pojechać później.

Camilla zabrała swój laptop do łóżka z baldachimem w Carter House w Eurece i otworzyła stronę „Morgenavisen". Przeczytała, że wciąż nie ma śladu po Waltherze Sachs-Smicie. Policja zintensyfikowała poszukiwania, angażując nawet specjalnie wyszkolone psy i helikoptery. Członkowie obrony cywilnej przeszukiwali lasy wokół Roskilde, a nurkowie ze specjalnej jednostki mieli w ciągu dnia zbadać fiord w okolicach posiadłości rodziny usytuowanej tuż nad wodą.

Przeleciała resztę i kliknęła w powiązany plik.

„DZIECI ROZPACZAJĄ". Rebekka i Carl Emil Sachs-Smith zostali sfotografowani przed wspaniałym domem rodziców, kojarzącym się Camilli ze starą angielską siedzibą rodową. Był to majestatyczny, ale piękny kolos z oknami tak wysokimi jak drzwi na taras. Do wejścia prowadziły szerokie kamienne schody ozdobione eleganckimi donicami po obu stronach. Na dziedzińcu przed domem był okrągły trawnik z niedużą fontanną na środku, a cały podjazd został wyłożony kamieniem. W podtytule można było wyczytać, iż dzieci postanowiły, by zarządca zajmował się wszystkim jak do tej pory, zamierzały jednak zamknąć główny dom, a wyposażenie oddać na przechowanie, by całość była gotowa do sprzedaży po przeprowadzonym postępowaniu spadkowym. Dorosłe dzieci straciły już wiarę w to, by ich ojciec odnalazł się żywy, i musiały pogodzić się z żałobą po stracie teraz już obojga rodziców.

– A to dopiero! – wykrzyknęła Camilla ze złością.

Nie minął nawet miesiąc, odkąd Inger Sachs-Smith odebrała sobie życie, a jej mąż zniknął wkrótce potem, a oni już dzielili schedę. Faktem było, że formalnie mogli czekać nawet dziesięć lat na przeprowadzenie postępowania spadkowego, gdyby ciało Walthera Sachs-Smitha nie zostało odnalezione.

Śpiący Markus poruszył się w łóżku niespokojnie, ale obrócił się na bok i naciągnął na siebie kołdrę. Camilla dalej kręciła głową i już miała zamknąć stronę, ale wiadomości odświeżyły się automatycznie i pojawił się nowy tytuł wypisany wielkimi literami: „ZANIEPOKOJENIE W ZARZĄDZIE TERMO-LUX".

Najnowsza wiadomość informowała o rozłamie w zarządzie. Dwójka najmłodszych członków rodziny zaczęła się publicznie kłócić o to, w jaki sposób firma Termo-Lux ma być prowadzona dalej. Formalnie jej właścicielami wciąż był Walther Sachs-Smith i troje jego dzieci, ale po tym, jak ojciec postanowił ustąpić, jedynie Rebekka i Carl Emil z rodziny wciąż zasiadali w zarządzie, a przy tak dużej władzy rozdzielonej na tak niewiele osób zaczęły pojawiać się napięcia.

Camilla wzdrygnęła się, patrząc na zdjęcia dwójki celebrytów, ciemnowłosej Rebekki i jasnowłosego Carla Emila. Pomyślała, że to córka jest bardziej podobna do ojca zarówno z lekko przymrużonych oczu, jak i ostrzejszego nosa. Brat był delikatny i jasnowłosy jak matka. I bardzo przystojny, pomyślała, ale szybko się z tego otrząsnęła. Prawdę mówiąc, rodzeństwo to było chyba najmniej sympatyczne spośród rodzin bogaczy i wielkich klanów.

Zdjęcia najstarszego brata, Frederika Sachs-Smitha, nie zamieszczono. Nie wspominano o nim też w ogóle w nowych artykułach. Chociaż Camilla była na pełnym urlopie, a poza tym miała wątpliwości, czy w ogóle kiedykolwiek wróci do pisania, to poczuła łaskotanie w brzuchu. Prawdę powiedziawszy, aż zaswędziały ją palce.

Ku własnemu zaskoczeniu uświadomiła sobie, że chętnie dowiedziałaby się, jaki stosunek do całej sprawy ma Frederik Sachs-Smith. Domyślała się, że istnieje jakiś powód, dla którego najstarszy z rodzeństwa jeszcze się nie odezwał i nie dołożył do skandalu swoich trzech groszy. Ale ojciec Signe go znał, pomyślała, i jeśli miałby komuś pomóc w nawiązaniu kontaktu, to chyba właśnie jej.

Bagaże były już spakowane, Markus poszedł do restauracji i znalazł stolik, przy którym mieli zjeść śniadanie. Ogarnął ich jakiś nowy spokój. Camilla bardzo się cieszyła, że postanowili zostać w jednym miejscu przez kilka dni. Udało im się nawet osiągnąć pewien stopień znudzenia w małym miasteczku, w którym jedyną rozrywką było duże kino znajdujące się na obrzeżach. Zdążyli obejrzeć dwa filmy – za każdym razem zaopatrzeni w colę supersize i popcorn z masłem. Szybko jednak stwierdzili, że multipleksowi w Eurece daleko było do nowego kina we Frederiksberg. Sale były faktycznie duże, ale pachniało w nich jak na festiwalu w Roskilde w upalny letni dzień: ciepło, kwaśno, słodko, a na dodatek moczem. W Camilli nagle coś się odezwało i uparła się, by Markus rozłożył kurtkę na fotelu, zanim usiądzie. Chłopiec ten pomysł przyjął oczywiście z niesmakiem.

Ale oprócz tego nie doszło między nimi do żadnego starcia. Byli w Lost Coast, niedrogiej restauracji, popularnej w Eurece. Ogromne pająki spadły im na głowy, kiedy weszli, a z sufitu zwieszały się potwory. Kelner zaproponował *buffalo wings*, od których w gardle rozpaliły się płomienie.

Dzień później ustalili, że pora jechać dalej do Mendocino, według przewodnika po północnej Kalifornii pięknego idyllicznego miasta na wybrzeżu z bajkowym widokiem.

Camilla zawołała kelnera i zamówiła kawę, zastanawiając się, czy lepiej napisać do Ulrika, żeby pomógł jej skontaktować się z Frederikiem Sachs-Smithem, czy może raczej zadzwonić.

Było piętnaście po dziewiątej. Louise zdążyła jeszcze wypić szybką kawę u siebie w pokoju, zanim przeszła na drugą stronę Hambroesgade po samochód z policyjnego garażu. Już z daleka pomachała do Svendsena zawiadującego pojazdami. Właśnie wracał z sekcji, gdzie dyżurowały patrole, i podszedł do niej, lekko kulejąc. Zgodnie ze swoim zwyczajem rozzłościł się, że nie zadzwoniła wcześniej i nie zamówiła auta, skoro grupa Willumsena zabrała już dwa j e g o samochody.

– I Toft, i Michael Stig jeżdżą po mieście – broniła się Louise.

Koledzy odłożyli wyjazd do Haderslev, ale wciąż liczyli, że uda im się dojechać na zawody wieczorem, by uczestniczyć przynajmniej w części rywalizacji.

– Mamy dwie ofiary śmiertelne, które trzeba jak najszybciej zidentyfikować.

Svendsen trochę złagodniał, kiedy opowiedziała o wielkim pożarze na Svanemøllen i o tym, jak przez

240

całą noc jeździli po mieście w nadziei, że dowiedzą się, kto stracił życie w płomieniach.

Minęło już wiele lat, odkąd Svendsen sam jeździł w patrolu i wchodził w skład grupy śledczej. W roku 1987 miał poważny wypadek podczas pościgu za rabusiem, który obrabował bank w Hvidovre. Jego partner wtedy zginął, a Svendsen stracił nogę od kolana. Do protezy trudno było mu się przyzwyczaić i psychicznie, i fizycznie. Louise domyślała się, że wciąż nie pogodził się z losem i stąd brał się jego ponury ton. I podczas gdy inni funkcjonariusze uważali i jego, i jego pracę za oczywistość, ona zawsze starała mu się pokazać, iż bardzo ceni jego umiejętność układania tych puzzli, jakimi było zarządzanie parkiem maszyn należących do komendy.

– Przecież już niedługo weekend, nie bierzesz wolnego? – spytał, idąc do komputera, żeby wypisać jej samochód.

– Biorę. Na pewno będzie cudownie, ale najpierw czeka mnie jeszcze asystowanie przy dwóch sekcjach.

Z wyrozumiałością pokiwał głową.

– Masz jakieś szczególne życzenia co do samochodu? – spytał, wpatrzony w monitor.

Louise odparła, że może wziąć małe auto, takim zresztą najłatwiej poruszać się po mieście.

Garaż był duży jak parking podziemny pod Falkonér Plads z długimi szeregami boksów. Wśród betonowych ścian głos brzmiał głucho, z sufitu ostro świeciły świetlówki. Oznakowane radiowozy stały wśród cywilnych samochodów, a w szeregu wzdłuż środkowej kolumny były miejsca dla motocykli. Na samym końcu parkowały większe pojazdy, opancerzone furgonetki do przewozu ludzi wysyłane na ulice w razie zamieszek. To one zajmowały najwięcej miejsca.

– Wypróbujesz nowego mondeo – zdecydował Svendsen wesoło i rzucił Louise kluczyki. – Nie jest tak szybki jak stary model, ale jeździ jak aniołek. – Powiedział to tak pieszczotliwym tonem, jakby z samochodem łączył go erotyczny związek.

Ach ci faceci! – pomyślała Louise i według wskazówek Svendsena odszukała piąty boks pod ścianą. Wielka fura, stwierdziła, ostrożnie wyprowadzając samochód poza betonową kolumnę. Svendsen najprawdopodobniej nie byłby zachwycony, gdyby zdrapała lakier z całego lewego boku aniołka.

W torebce miała dwie karty uzębienia. Michaelowi Stigowi udało się namówić funkcjonariuszy z Næstved, żeby przywieźli jedną z nich, drugą sama zabrała z gabinetu na Store Strandstræde. Sebastian Styhne i Peter Nymann. Piękny syn właściciela kawiarni z tatuażem pokrywającym całe ciało i ciemnowłosy chłopak z kucykiem, który pobiegł za Signe. Wciąż nie udało im się skontaktować z żadnym z nich, a rodzice Nymanna mieszkający w gospodarstwie pod Næstved też nie mieli wiadomości od syna. Na pewno teraz siedzieli w domu jak na szpilkach, czekając na jakieś informacje.

Otworzyły się szklane drzwi prowadzące do Instytutu Medycyny Sądowej i Louise spojrzała na zegarek.

242

Do rozpoczęcia procedury zostało dziesięć minut. Weszła na piętro, na którym mieściły się sale sekcyjne. Stanęła przy oknie, zdjęła gumkę z włosów i strzepnęła je, a potem zwinęła w ciasny kok, dający się łatwo schować pod czepek, który musiała włożyć wraz z kombinezonem i niebieskimi plastikowymi butami.

Flemming Larsen już szedł z dwiema filiżankami kawy, ale technicy kryminalistyczni jeszcze się nie zjawili. Louise przywitała się z dwoma technikami pomagającymi Flemmingowi, którzy windą przywieźli ofiary pożaru. Po zarysie widocznym przez worki wyraźnie było widać, że ciała wciąż znajdowały się w skurczonej pozycji szermierczej ze zgiętymi nogami i rękami.

Przygotowano dwie sale: salę zabójstw, tę na samym końcu, największą, przewidzianą na obecność techników kryminalistycznych i śledczych obserwujących patologa przy pracy. Drugie ciało miało być badane w sąsiedniej, mniejszej, która nie była w stanie pomieścić zbyt wielu osób.

– Właśnie skończyliśmy prześwietlać ciała, żeby sprawdzić, czy przypadkiem nie ma w nich kul, których inaczej nie zdołalibyśmy odkryć z uwagi na stan zwłok, ale nic takiego nie znaleźliśmy. Zobaczymy, czy uda nam się potwierdzić, że żyli w chwili wybuchu pożaru. – Flemming podał Louise plastikową filiżankę. – Świadczą o tym te cząsteczki sadzy, które znalazłem w nozdrzach, ale oczywiście nie mogę tego stwierdzić z całą pewnością, dopóki dokładnie im się nie przyjrzymy. Jestem natomiast przekonany, że mamy do czynienia

243

z dwoma młodymi mężczyznami, co zresztą pasuje do waszych ustaleń w śledztwie.

Louise machnęła ręką i zaczęła go poprawiać.

– Przecież my na razie jeszcze do niczego nie doszliśmy! Mamy jedynie podejrzenia, kto to może być.

Wyjęła karty od dentystów. W tej samej chwili pojawiło się czworo techników kryminalistycznych. Rozmawiali głośno, a ich kroki niosły się echem. Szczególnie głos Kleina wybijał się ponad inne.

– Możecie się cieszyć, że sezon grillowy już się w tym roku zakończył – grzmiał doświadczony misiowaty technik, patrząc na dwóch swoich kolegów, których Louise nie znała. – To byłoby bardzo nieapetyczne rozpalać w domu podpałką po dniu spędzonym w towarzystwie mocno przypieczonych zwłok.

– Przestań! – zirytowała się Åse, kładąc rękę na niebieskiej wiatrówce Kleina. – Nie musimy tego wysłuchiwać.

Åse była wprawdzie niewysoka i drobna jak nastolatka, ale jej stanowczy ton skutecznie powstrzymał makabryczne żarty hałaśliwego Kleina.

Kiedy Louise zobaczyła Åse po raz pierwszy, wzięła ją za stażystkę. Było to zresztą już cztery lata temu, a Åse już wcześniej przez osiem lat pracowała na takim samym stanowisku w Ålborg, więc doświadczenia jej nie brakowało. Poza tym okazała się zaledwie o kilka lat młodsza od Louise, która szybko musiała zmienić swoją ocenę i nabrała ogromnego szacunku dla fotografki, imponującej jej dokładnością.

– No, to zaczynamy – zdecydował Flemming Larsen z uśmiechem, gdy jego technicy poinformowali, że ciała są gotowe do oględzin.

Wszyscy razem przeszli do małego przedsionka i nagle wśród białych płytek i rzędów białych gumiaków zrobiło się tłoczno. Åse i Louise skierowały się do działu damskiego, przebrały się w kombinezony i włożyły czepki. Przez ścianę słyszały, że Klein znów zaczął dowcipkować o grillu. Åse z politowaniem pokręciła głową. Klein był jednym z najlepszych techników i przez wszystkie te lata, kiedy Louise go znała, w ogóle się nie zmieniał. Zawsze nosił taką samą niebieską wiatrówkę, choć może nie tę samą, a jego poczucie humoru było nieustannie makabryczne i nie na miejscu. Chociaż czasami pozwalało oderwać się od otaczającej ich okrutnej rzeczywistości. Poza wszystkim jednak Klein był wyjątkowo staranny i Louise zawsze miała pewność, że jeżeli w jakiejś sprawie są jakiekolwiek ślady, to Klein z całą pewnością je znajdzie. Już choćby za to można mu było wybaczyć skłonność do czarnego humoru.

Åse wyjmowała już swój aparat, kiedy Louise weszła do sali sekcyjnej. Unosił się tu charakterystyczny zapach spalonego ciała i Louise posłała wdzięczną myśl Kleinowi, który zdecydował, że sam będzie obserwował sekcję odbywającą się w sąsiedniej sali. Obawiała się, że drugi raz jej żołądek by tego nie wytrzymał.

Z notatnikiem na kolanach usiadła na krześle, które ustawiła nieco z boku, żeby nie przeszkadzać, lecz jednocześnie móc śledzić przebieg zewnętrznych oględzin ciała. Przypomniała sobie zrobione przez policję z Bellahøj zdjęcia Sebastiana Styhnego i Petera Nymanna, ale nie było szans na jakiekolwiek rozpoznanie. Przed wejściem do sali przekazała Flemmingowi i jego koleżance szykującej się do przeprowadzania sekcji w sąsiedniej sali, że Sebastian miał tatuaż *full body*, który powinno być łatwo rozpoznać, jeśli to był on i jeśli zachował się choć niewielki fragment skóry.

Badanie rozpoczęło się od zmierzenia długości ciała, lecz z powodu skurczonych mięśni rąk i nóg, musieli poprzestać na oszacowaniu wzrostu ofiary.

– Około stu osiemdziesięciu centymetrów – orzekł Flemming i spojrzał na Åse, by potwierdziła, czy się z nim zgadza.

Pokiwała głową, to wydawało się prawdopodobne.

– Rozległe oparzenia trzeciego stopnia i miejscowe zwęglenia na przedniej stronie ciała – dyktował Flemming, upewniając się, czy Louise nadąża z zapisywaniem. – Plamy opadowe na plecach intensywnie czerwone, co wskazuje na zatrucie tlenkiem węgla – podjął, gdy Åse zakończyła fotografowanie tych miejsc, na których wciąż widoczne były fragmenty skóry.

Zaczęli poszukiwać części nienaruszonych przez ogień. Przód ciała całkiem się spalił, lecz po odwróceniu zwłok znaleźli niewielkie płaszczyzny na barkach, plecach i tylnej stronie ud, na których skóra się zachowała. Patolog przyciągnął jeszcze niżej wielką lampę zawieszoną nad stalowym stołem i z bliska zaczął się przyglądać tym fragmentom w poszukiwaniu znaków szczególnych.

– W tym wypadku musiałby to być tatuaż na plecach albo przekłuty język, żebyśmy mogli mieć nadzieję na znalezienie czegokolwiek – stwierdził w końcu.

– Wszystkie inne znaki szczególne strawił ogień.

Louise siedziała w milczeniu, czując ogarniające ją zmęczenie. Światło w sali sekcyjnej było ostre i obijało się od białych kafelków oraz zimnej stali. Zmrużyła oczy, próbując się choć trochę odciąć od niego. Nadciągał ból głowy.

– Nic tu nie ma – podsumował Flemming i polecił technikom otwarcie zwłok.

A więc przynajmniej ten nie jest synem właściciela kawiarni, pomyślała z ulgą Louise i ruszyła na korytarz, ale zatrzymała się, słysząc, że koledzy z sąsiedniej sali uzgadniają, że prawdopodobnie na ich stole leży chłopak z tatuażem *full body*.

– Uprzedziłem już naszego specjalistę stomatologa. Będzie gotów przeanalizować karty uzębienia, gdy tylko określimy przyczynę zgonu – poinformował Flemming, przystępując do badania wnętrza ciała.

Na zewnątrz było szaro i nieprzyjemnie. Niewiele światła przenikało przez żaluzje przesłaniające wysokie okna w sali sekcyjnej.

– Wnętrzności są w ogóle nienaruszone! – zdumiała się Åse nachylona nad zwłokami.

– To prawda – pokiwał głową patolog. – Uległy działaniu wysokiej temperatury, ale uszkodzone nie są. Ten młody mężczyzna był zdrowy jak byk.

Zaczął od góry. Spojrzeniem omiótł twarz, szyję i pierś, po czym skoncentrował się na narządach wewnętrznych, zwracając uwagę na wszystkie szczegóły.

– Znalazłem sadzę w tchawicy i oskrzelach – oznajmił po pewnym czasie. – To znaczy, że żył w chwili wybuchu pożaru.

– Chciałabym, żebyś sprawdził, czy wdychał jakieś opary łatwopalnych płynów, czy też zmarł w wyniku zatrucia tlenkiem węgla – poprosiła Louise, podchodząc do stołu. – Musimy wiedzieć, czy ogień został podłożony.

Flemming pokiwał głową i skalpelem odciął fragment mózgu, a także cząstkę płuc i oba wycinki umieścił w szczelnych pojemnikach, które miały zostać przesłane do badania przez chemików sądowych. Potem polecił przewieźć ciało do sali badań specjalisty od stomatologii.

– Niestety, minie pewnie tydzień, zanim będziemy mieli wyniki analiz – powiedział przepraszającym tonem. – Do tej pory na pewno zdążycie już odkryć przyczynę pożaru.

– Nie wierzę, żeby ogień zaprószono przypadkiem – oświadczyła Åse, gdy Flemming postawił pojemniki na stole. – Ten barak podpalono. Doszło niemal do eksplozji i absolutnie nic nie wskazuje na to, by pożar zaczął się od świeczki czy od papierosa.

Louise wzruszyła ramionami. Zmęczenie ogarnęło ją już na dobre. W głowie miała watę niepozwalającą na domysły, wolała poczekać na wyniki badań laboratoryjnych. Na moment przymknęła oczy. Flemming i Åse dalej rozmawiali w oczekiwaniu, aż stomatolog sądowy zrobi prześwietlenie uzębienia obu ofiar i porówna je z kartami przyniesionymi przez Louise. Nie bardzo wiedziała, ile czasu minęło. Dziesięć minut, kwadrans? Może nawet na moment się zdrzemnęła, ale podniosła głowę, gdy zwłoki przetransportowano z powrotem na salę sekcyjną.

– Możecie zamykać ciała. – Flemming dał znak technikom, którzy je przywieźli.

Chwilę później w drzwiach pojawił się stomatolog.

– Mamy pozytywną identyfikację obydwu – oznajmił.

Louise ogarnęło przygnębienie. Przed oczami stanął jej restaurator. Powiedział, że ma nadzieję na najlepsze, ale obawia się najgorszego. No cóż, jego najgorsze obawy się potwierdziły.

Przejrzała swoje zapiski, upewniając się, czy zanotowała wszystko, czego potrzebowała do napisania raportu, który musiał wystarczyć do czasu, gdy patolog prześle im swoją opinię w przyszłym tygodniu. W niedużej przebieralni umyła ręce, wciągnęła przez głowę bluzę, potem zdjęła kurtkę z wieszaka. Każdy ruch wykonywała coraz wolniej, jakby jej ciało zwolniło obroty.

Czekała ją jeszcze ciężka przeprawa w Nyhavn, i to w takie popołudnie, kiedy weekend już puka do drzwi, a ona najchętniej spędziłaby wieczór na oglądaniu *Tańca z gwiazdami* na kanapie rodziców ze słodyczami w miseczce i odrobiną wina w kieliszku.

Pożegnała się z technikami, pomachała ręką Kleinowi. Stał razem z Åse z torbami pełnymi sprzętu i papierowych torebek z resztkami ubrań zabezpieczonymi ze spodów ciał ofiar. Miały teraz trafić na bardziej szczegółowe badania w Wydziale Techniki Kryminalistycznej.

– A co będziecie robić w weekend? – spytał Flemming, zapinając czysty fartuch.

– W przyszłym tygodniu są ferie jesienne – przypomniała mu Louise. – Wzięłam kilka dni wolnego, pojedziemy do moich rodziców w Hvalsø.

Ruszyli razem korytarzem.

– To już trzecia próba – dodała z uśmiechem i opowiedziała, że najpierw musieli odwołać przyjazd, ponieważ Jonas tak bardzo chciał iść na imprezę zorganizowaną przez Signe, a tydzień później odbył się pogrzeb dziewczynki. – Ale tym razem chyba nam się uda, chociaż wyjedziemy trochę później, niż liczyłam. Musimy przecież najpierw powiadomić rodziców tych chłopców. Tymi w Næstved zajmie się lokalna policja, ale sama chcę pojechać do ojca Sebastiana Styhnego. Rozmawiałam z nim dziś w nocy. Rzecz jasna, szaleje z niepokoju.

Flemming pokiwał głową i uściskał ją na pożegnanie. Louise po schodach zeszła do holu, skąd zadzwoniła do Willumsena, by przekazać mu, że zidentyfikowano obu chłopaków.

– Przyjedź potem do komendy – nakazał szef, kiedy poinformowała go, że jedzie powiadomić restauratora.

Rozłączyła się z westchnieniem. Miała nadzieję, że po wizycie w Nyhavn będzie mogła pojechać bezpośrednio do garażu odstawić mondeo, a potem autobusem po własny samochód na Sydmolen. Teraz zaczęła wątpić, czy zdążą dotrzeć do środkowej Zelandii, zanim kolacja wystygnie. Chyba powinna raczej zadzwonić do matki i uprzedzić ją, że nie zdążą zjeść z nimi.

N a Kongens Nytorv jak zwykle w piątek po południu panował duży ruch. Tłumy ludzi wchodziły do Magasin i wychodziły z niego. Louise obserwowała ich, stojąc na czerwonym świetle przed Teatrem Królewskim. Zastanawiała się, czy poszukać miejsca na zaparkowanie w okolicy Nyhavn, by oszczędzić restauratorowi widoku radiowozu przed jego kawiarnią, lecz gdy światło się zmieniło, doszła do wniosku, że za dużo czasu straci na jeżdżenie w koło. Skręciła więc w prawo przy Sømandsankeret i niedaleko imprezowiczów, którzy wciąż siedzieli przy swoich skrzynkach z piwem. Grupa się powiększyła, jeden facet spał na bruku, jakby w trakcie rozmowy zgasł niczym świeczka.

Jechała wolniutko, mijając Hong Kong, Leonorę Christine i Hyttefadet. W końcu zaparkowała przy samej krawędzi nabrzeża, ignorując zaczepki mężczyzn popijających piwo z puszek i ćmiących papierosy.

Dostrzegła restauratora już przez szybę. On jeszcze jej nie zauważył, ustawiał butelki na półkach. Kiedy otworzyła drzwi, rozległ się dzwonek. W nocy nie zwróciła na niego uwagi, ale teraz jego dźwięk wydał jej się bezwstydnie głośny i przenikliwy. Właściciel kawiarni natychmiast się do niej odwrócił, więc widziała jego reakcję w momencie, gdy ją rozpoznał. Po jego twarzy przemknął cień i zaraz skamieniała. Lęk wyzierał ze spojrzenia, ale nie słychać go było w słowach, gdy wychodząc zza baru, spytał:

– Coś nowego? – Mówił przesadnie głośno, sztucznie miłym tonem, ale maska na twarzy zdradzała, że już wie, co usłyszy.

Louise wysunęła mu krzesło, sama usiadła naprzeciwko.

– Bardzo mi przykro, że muszę to panu powiedzieć... – zaczęła, ale urwała, bo mężczyzna się rozpłakał.

Łzy płynęły mu po policzkach, nie próbował ich ukrywać ani wycierać. Płakał otwarcie, czekając na dalszy ciąg.

– Pański syn był razem z Peterem Nymannem. Obaj zginęli w płomieniach – dokończyła Louise i odwróciła wzrok, pozwalając mu na ból.

Przez chwilę siedzieli w milczeniu. On płakał, Louise zaś starała się na niego nie patrzeć.

– Jak to się stało? – spytał w końcu szeptem.

– Niestety, na razie niewiele więcej wiemy, ale mam nadzieję, że wkrótce uda nam się wyjaśnić, w jaki sposób doszło do tego pożaru. Czy ma pan jakiś pomysł, co mogło skłonić pana syna i jego kolegę do nocowania w tym baraku, skoro zostali z niego wyrzuceni?

Mężczyzna wolno pokręcił głową i zaśmiał się cierpko.

– Opowiadali mi, że wszyscy nasikali na klamkę, zanim odjechali ze swoimi rzeczami. Pewnie mieli nadzieję, że właściciel przyjdzie sprawdzić, czy się wynieśli. Ale to najwyraźniej nie powstrzymało ich przed powrotem.

Louise spojrzała na niego ze współczuciem.

– Sebastian, rany boskie! – Restaurator ukrył twarz w dłoniach, płacz wstrząsał teraz całym jego ciałem.

Louise położyła mu rękę na ramieniu, ale znów się odwróciła, bo w tej samej chwili otworzyły się drzwi i na schodkach pojawiła się para w średnim wieku, spojrzeniem pytając, czy kawiarnia jest otwarta.

– Niestety. – Louise wstała. – Proszę spróbować obok.

Przekręciła klucz w drzwiach i spytała, czy restaurator znalazłby kogoś, kto mógłby przyjść i pobyć razem z nim. Siedział z palcami wciśniętymi w oczy, jakby chciał zablokować strumień wody, ale w końcu kiwnął głową i wytarł mokre palce o spodnie.

– Niedługo przyjdzie Lene. To ona pomaga mi w weekendy – oświadczył i wstał.

Podszedł do półki z butelkami piwa, spojrzał na Louise i zaproponował jej zimnego pilznera. Pokręciła głową i w tej samej chwili usłyszała z zaplecza odgłos klucza przekręcanego w zamku.

– To ona – stwierdził mężczyzna i rzeczywiście za moment na salę weszła mniej więcej pięćdziesięcioletnia kobieta z kasztanowymi, krótko ostrzyżonymi włosami, w kolorowej chustce na szyi.

– Zauważyłam samochód – powiedziała z powagą w oczach, ruchem głowy wskazując ulicę.

Podeszła do ojca Sebastiana i w geście pociechy położyła mu ręce na ramionach.

– Poinformujemy pana, gdy tylko będziemy coś wiedzieć o przyczynie pożaru – obiecała Louise. – Ale tej wiadomości może się pan spodziewać najwcześniej na początku przyszłego tygodnia albo nawet w połowie.

Zastanowiła się, czy nie powiedzieć mu, że prowadzą śledztwo w sprawie zabójstwa osoby, która wynajmowała sąsiedni magazyn, doszła jednak do wniosku, że nie jest to informacja, której ojciec chłopaka potrzebował akurat w tej chwili.

– Bardzo mi przykro z powodu tego, co się stało – powiedziała i zostawiła numer swojej komórki na barze, a potem ruszyła do drzwi.

Jego syn dożył zaledwie siedemnastu lat. Mężczyzna nie miał teraz ani żony, ani dziecka. To chyba więcej, niż człowiek jest w stanie znieść, pomyślała, jadąc z powrotem, żeby odstawić do garażu aniołka Svendsena, a potem popędzić na górę do Wydziału Zabójstw.

Tym razem bluza była pomarańczowa, ale skórzane spodnie wciąż te same, czarne i zniszczone. Louise aż pokręciła głową, kiedy spotkała Sejra na schodach. W jednej ręce dźwigał skrzynkę półlitrowych butelek coca-coli, w drugiej niósł teczkę z dokumentami. Dzisiaj szkła okularów były niebieskie, a białe włosy sterczały do góry. Przez ramię miał przerzuconą zieloną wojskową kurtkę, która przed wejściem do pokoju spadła na podłogę.

On sobie coś kompensuje, pomyślała Louise. To taki manewr w celu odwrócenia uwagi od jego skóry pozbawionej pigmentu i bardzo skromnego wzrostu. Ale rezultat był dokładnie przeciwny. Aż rzucało się w oczy, że jest bledszy i niższy od większości ludzi. I starszy, dodała w myślach. To znaczy starszy od innych osób, które się tak ubierają, ale to akurat się jej w nim podobało.

– Nick Hartmann nie działał sam, importując te podrabiane meble – oznajmił, kiedy już napełnił lodówkę. – To jest pewne jak dwa razy dwa.

Louise podziękowała za zaproponowaną colę i zamiast tego włączyła elektryczny czajnik, który stał na regale za nią. Czuła, że musi zjeść coś słodkiego, choćby herbatnika. Zmęczenie osiągnęło takie stadium, że myśli krążyły jej po głowie bez ładu i składu.

– Właśnie byłem w porcie razem z Michaelem Stigiem – poinformował kolega, który usiadł za swoimi dwoma monitorami. Chociaż kurtkę zostawił w korytarzu, zapach pożaru wciąż bił z jego włosów i spodni. Był nie do pomylenia z niczym i czepiał się wszystkiego, co znalazło się w pobliżu zgliszczy. – Meble są uszkodzone, ale się nie spaliły i jest ich tam naprawdę dużo. Hartmann trzymał też tam dokumenty przewozowe. Nie znaleźliśmy, niestety, nic o odbiorcach i kanałach sprzedaży, z jakich korzystał, ale akurat w tej chwili to nie ma większego znaczenia. – Otworzył teczkę i wyjął segregator. – Przeciętnie Nick Hartmann płacił sześćset sześćdziesiąt tysięcy dolarów za kontener. W zależności od kursów walut to około czterech milionów koron duńskich. A jeśli sprzedawał te meble jako prawdziwe, to powinien mieć z tego trzy albo cztery razy tyle. A takich pieniędzy nie miał w rękach, chyba że ukrył gdzieś jakiś skarbiec jak wujek Sknerus, ale w to nie wierzę.

Louise słuchała, jednocześnie zalewając wrzątkiem torebkę herbaty.

– To inni czerpali z tego zyski, a on dostawał tylko procent – skonstatował kolega.

– Rockersi?

– Możliwe. W tych kręgach ludzi stać w każdym

razie na tego rodzaju inwestycje, a zysk jest tak imponujący, że to dla nich łakomy kąsek. Ale równie dobrze mógł w tym uczestniczyć ktoś inny, kto chciał szybko zbić kapitał.

Louise przyznała, że to ma sens.

– Ale według tej firmy przewozowej, z którą rozmawiałam ostatnim razem, przypłynęły dwa kontenery.

Sejr pokiwał głową i wypił trochę coli.

– To oznacza, że musiał wyłożyć na stół w Hongkongu blisko osiem milionów koron, i właśnie dlatego nie wierzę, że działał sam. Gdyby tak było, jego finanse osiągnęłyby zupełnie inny poziom.

– Czy w ogóle da się sprzedać tyle podrabianych mebli w tym przedziale cenowym? – zdziwiła się Louise, patrząc na kolegę pytająco.

Sejr Gylling chwilę się zastanawiał.

Louise sprawdzała w Internecie, ile kosztują klasyczne designerskie meble. Najdroższy fotel Arnego Jacobsena, „Jajko", kosztował trzydzieści tysięcy, jeśli wykonano go ze zwyczajnego materiału, a prawie dwa razy tyle, gdy był pokryty skórą.

– Chyba tak, jeśli zna się właściwe kanały. Na takie meble jest duży popyt w Szwecji, Niemczech i Europie południowej. Ale to oczywiste, że w jakimś momencie rynek może się nasycić, dlatego dziwię się, że on nagle podwoił zakupy. Lecz może po prostu zrobił to po to, żeby zwiększyć swoje dochody. – Wzruszył ramionami.
– Może znalazł się w trudnej sytuacji i potrzebował gotówki? Kto wie... Albo za dużo pożyczył przy ostatnich

zakupach i nie mógł tego spłacić, więc musiał teraz zaryzykować?

Louise z trudem nadążała za jego tokiem rozumowania. Nie miała do czynienia z tą formą przestępczości, a gdy nagle jeszcze przypomniała sobie pewien artykuł, który czytała jakiś czas temu, zaczęła rozumieć jeszcze mniej.

– Można by przypuszczać, że sprzedaż tych mebli stała się trudniejsza – westchnęła i opowiedziała o tym, jak kilka angielskich domów meblowych jawnie sprzedawało podrabiane klasyki. Tam najwyraźniej kopiowanie projektów, które powstały ponad dwadzieścia pięć lat temu, było legalne.

– Tak. A u nas musi minąć w tym celu pięćdziesiąt lat od śmierci projektanta – pokiwał głową Sejr. – To prawda, że możesz w Internecie kupić „Jajko" za około ośmiu tysięcy koron, a jeśli wyprodukowano je w jednym z krajów Unii, to nie będzie nawet dodatkowego cła. Legalne jest również przewiezienie go przez granicę, w przeciwieństwie do sytuacji, kiedy zostanie ono sprowadzone bezpośrednio z Chin.

– No właśnie! – przyświadczyła Louise. – Dlatego nie mogę pojąć, jak Hartmann mógł wyciągać takie pieniądze z podrabianych mebli, skoro można je kupić za stosunkowo niską cenę zupełnie legalnie. To nie ma żadnego sensu.

– Niby tak, ale ja nie sądzę, by Hartmann sprzedawał swoje meble jako kopie. Domyślam się, że pobijał cenę, sprzedając je na aukcjach internetowych i tu, i za granicą. Jeżeli te podróbki były dobre, to cholernie trudno dostrzec różnicę, chociaż zawsze różnią się jakością. Dlatego możliwe również, że współpracował z handlarzami mebli. Regularnie się zdarza, że sprzedawcy podejmują taką działalność, bo dzięki temu wzrastają ich zyski.

Louise usłyszała kroki w korytarzu. Rozpoznała ich rytm i odwróciła się w stronę drzwi, gdy Willumsen, szybko zapukawszy, wszedł i bez przepraszania za to, że przerwał ich rozmowę, zwrócił się do Louise:

– Sebastian Styhne i Peter Nymann.

Rzucił dwa zdjęcia na jej biurko. Nie te, które zrobiła policja z Bellahøj, tylko inne, ale Louise i tak poznała tych chłopaków. Nymann ciągle miał cienkie włosy zebrane w koński ogon, a zdjęcie Sebastiana wykonano przed kawiarnią w jakiś letni dzień, kiedy w Nyhavn pełno było ludzi siedzących przy wystawionych na zewnątrz stolikach. Był w T-shircie i szortach, a ona teraz zrozumiała, co Kent z Bellahøj miał na myśli, mówiąc o kombinezonie. Tatuaż wyglądał naprawdę dziwacznie.

– Czy jesteśmy zgodni co do tego, że to ci dwaj spłonęli w baraku na łodzie dziś w nocy? – spytał, patrząc na nią.

Louise kiwnęła głową.

– Czy jesteśmy również zgodni co do tego, że obaj wdarli się na tę imprezę urządzaną w klubie żeglarskim?

Louise jeszcze raz potwierdziła.

– I że to ten pawian z końskim ogonem gonił dziewczynkę, aż wpadła pod samochód?

Willumsen podszedł tuż do biurka Louise. Stukał w zdjęcia, czekając na jej odpowiedź.

– W zasadzie nie wiemy, czy ścigał ją aż do drogi – zaprotestowała Louise, ale potwierdziła, że to właśnie jego Jonas widział wybiegającego za Signe z klubu.

Willumsen rzucił na biurko obok zdjęć plastikową teczkę.

– Ogień został podłożony – oświadczył. – W przedniej części baraku znaleziono resztki łatwopalnych płynów. Chciałbym, żebyś natychmiast pojechała porozmawiać z Britt Fasting-Thomsen. Musimy wiedzieć, co robiła wczoraj wieczorem, kiedy wybuchł pożar.

Louise odjechała trochę razem z krzesłem i teraz zaczęła kręcić głową, ale Willumsen wstrzymał jej reakcję uniesioną ręką. Sejr schował się za monitory, zresztą szef grupy śledczej zwracał się wciąż wyłącznie do Louise.

– Wiem dobrze o oskarżeniach, jakie matka tej dziewczynki wysuwała wobec tych chłopaków. Obwiniała ich o śmierć córki!

Teraz to Louise podniosła rękę, żeby mu przerwać.

– Przestań! – prawie krzyknęła zirytowana i tym razem podjechała z krzesłem do niego. – Britt ma rację, obwiniając ich o śmierć Signe, to chyba zrozumiałe. Ale ta nieszczęsna matka obwinia przede wszystkim siebie o to, że urządziła tę imprezę. Musi przynajmniej część winy zdjąć z siebie, o nic więcej tu nie chodzi.

– No właśnie. Przeżywa wielki smutek, a on łatwo może się zmienić w nienawiść – zawyrokował Willumsen.

Louise poczuła, że oczy same jej się mrużą w miarę, jak coraz bardziej narastał w niej gniew. Wiadomo było, że jak Willumsen raz już wbił sobie coś do głowy, to parł naprzód, nie zważając na to, kogo przy okazji przewraca. Wstała i podniosła głos.

– Posłuchaj mnie przez chwilę! Britt Fasting-Thomsen przechodzi teraz piekło. Jest załamana. Sama nie wie, co mówi. Nie zastanawia się, jakie słowa wypowiada głośno.

Willumsen jeszcze jej nie przerywał.

– Zrozum mnie dobrze – tłumaczyła dalej Louise. – Ona nie ma siły na coś takiego, ledwie wstaje z łóżka rano. Jak, u diabła, ktoś taki mógłby zaplanować zabójstwo przez podłożenie ognia?

– Z zemsty – odparł krótko.

– Ty nie rozumiesz, jak ona się czuje – stwierdziła i usiadła.

– Daj spokój z tym gadaniem o kobiecych emocjach i tak dalej – wybuchnął ze złością szef. – To nie jest ośrodek pomocy społecznej. Mam poprosić któregoś z facetów, żeby do niej pojechał, czy ty wywiążesz się ze swoich obowiązków?

– To ty daj spokój! – odparowała, ale już słabym głosem. Czuła się pokonana. Zaraz jednak wstała i sięgnęła po kurtkę.

– Możliwie również, że jesteś w to zbyt osobiście zaangażowana – dodał Willumsen trochę ciszej, ale nie mniej kąśliwie.

Louise pokręciła głową. W duchu już sobie wyobrażała, jak Willumsen przeciąga Britt przez swoją bezlitosną wyżymarkę. Lepiej, żeby to ona pokierowała przebiegiem tej bitwy.

– A poza wszystkim, co to ma znaczyć, że wzięłaś wolne w przyszłym tygodniu? – spytał, gdy wyszła już na korytarz.

– Wracam dopiero w czwartek – odparła.

Na czole szefa zarysowała się zmarszczka wyrażająca dezaprobatę.

– Liczę na to, że te wolne dni odbierzesz sobie w innym terminie – oświadczył i ruszył z powrotem do swojego gabinetu.

– Nie – zaprotestowała Louise. – Mam tyle nadgodzin do odebrania, że wezmę te wolne dni teraz, kiedy Jonas ma ferie jesienne.

Nie miała najmniejszych wątpliwości, co myśli o tym szef ani też że nie ma zamiaru tego przemilczeć.

– Nie uważasz, że trochę nie wypada brać urlopu teraz, kiedy wydział dosłownie zasypały sprawy? – spytał, mierząc ją wzrokiem.

– Nie. Nie uważam też, żeby wypadało, abyś ty jedyny mógł się wyspać, podczas gdy naczelnika i resztę twojej grupy wzywa się do pracy w środku nocy. A jeśli brakuje ci ludzi, to możesz zadzwonić do Larsa Jørgensena i ubłagać go, żeby wrócił do pracy, albo wezwać kogoś z tych, których masz na liście gotowych do zajęcia jego miejsca.

Sięgnęła do kieszeni po komórkę, przed oczami mając zwęglone zwłoki i zgaszony wzrok Britt Fasting-Thomsen. Zadzwoniła do Jonasa, aby uprzedzić go, że miną jeszcze ze dwie godziny, zanim będzie mogła wrócić do domu. Przemilczała, że jedzie sprawdzić, czy matka Signe ma alibi, które oczyściłoby ją z podejrzeń o wywołanie pożaru, w którym zginęły dwie osoby.

Drogi Ulriku!
Jak się miewacie? Dużo myślę o Tobie i o Britt. Z całego serca wierzę, że potraficie znaleźć jakąś drogę na przyszłość, chociaż przecież nie mam pojęcia, co człowiek czuje, gdy zdarzy się najgorsze. Żałuję, że nie ma mnie teraz przy Was. Kiedy się dowiedziałam o tym wypadku, zastanawiałam się, czy nie wrócić do domu. O tym na pewno słyszałeś już od Britt, ale Ona oczywiście ma rację, z tym smutkiem musicie poradzić sobie sami. Myślami jednak cały czas jestem przy Was.

Markus i ja dotarliśmy do niedużego miasteczka, które nazywa się Mendocino. Przyjechaliśmy późnym popołudniem, weszliśmy do baru spytać o hotel i ledwie się stamtąd wydostaliśmy. Kelnerka zagadała nas prawie na śmierć, chciała wiedzieć wszystko o Danii i o Skandynawii.

Możliwe, że jest tu teraz do tego stopnia poza sezonem, że ludzie w mieście rozmawiają dosłownie z każdym, by zaspokoić swoje potrzeby towarzyskie, ale prawdę mówiąc, wyglądało mi to raczej na szczere zainteresowanie i życzliwość. Ciekawość tego, co obce. Do takiego nastawienia nie bardzo przywykliśmy w Danii.

Okazało się jednak, że ona co nieco wie o naszym lilipucim kraiku. Przede wszystkim doskonale wiedziała, kim jest Caroline Wozniacki. Jej syn również gra w tenisa i ogląda mecze w telewizji podczas wielkich turniejów. Co zrozumiałe, jest zachwycony talentem duńskiej gwiazdy, a przede wszystkim jej urodą. Ale gdy kelnerka z własnej inicjatywy zaserwowała mi drugie espresso, ku mojemu zdumieniu sama poruszyła temat rodziny Sachs-Smithów i skandalu w Termo-Lux. Jak zapewne zdajesz sobie sprawę, ta historia dotarła również tutaj, ponieważ Frederik Sachs-Smith kręci akurat swój pierwszy amerykański film fabularny i przy tej okazji wyciągnięto historię rodzinnej firmy i związany z nią skandal. Gdy w grę wchodzą miliony i czyjaś śmierć, amerykańskie media bardzo się tym interesują, a przypuszczam, że w Danii jeszcze bardziej mieli się tę historię.

Dobrze wiesz, że jestem na urlopie i w żadnym wypadku nie miałam zamiaru pracować podczas tego wyjazdu. Przecież właśnie z tego powodu wyjechałam. Wiem też dobrze, że być może proszę Cię o zbyt wiele akurat teraz, ale prawdę mówiąc, bardzo by mi zależało na przeprowadzeniu wywiadu z Frederikiem Sachs-Smithem. Wiem, że się znacie, więc gdyby to nie było dla

266

Ciebie zbyt dużym kłopotem i uznałbyś, że to wypada, to może mógłbyś mnie z nim skontaktować?

Zadzwonię do Britt w weekend, kiedy dotrzemy do Sacramento. Mam nadzieję, że tam komórka będzie miała lepszy zasięg niż tutaj.

Najserdeczniejsze pozdrowienia,
Camilla

Louise wsiadła do taksówki przy Dworcu Głównym i poprosiła o zawiezienie jej na Strandvænget. Przejazd przez Triangel trwał długo, samochody poruszały się w ślimaczym tempie i nie pomagały pasy do skrętu w prawo i w lewo. Louise obserwowała ludzi robiących piątkowe zakupy na Østerbrogade. Dźwigali pełne torby z supermarketu Irma i prowadzili dzieci za ręce. Myślami jednak była zupełnie gdzie indziej. Zastanawiała się, jak powinna zaaranżować rozmowę z Britt Fasting-Thomsen. O pożarze pisały już internetowe wydania gazet, chociaż nie podawały nazwisk ofiar, ponieważ miejscowa policja w Næstved jeszcze nie zdążyła powiadomić rodziców Petera Nymanna.

W końcu światło zmieniło się na zielone, taksówkarz dodał gazu, pasem do skrętu ominął korek i przyspieszył.

Już kiedy płaciła za przejazd, zauważyła Britt. Matka Signe chodziła po ogrodzie z taczką i zamiatała liście.

Na widok taksówki znieruchomiała w pół ruchu. Stanęła wyczekująco, oparta o szczotkę, ale odłożyła ją i pomachała, kiedy Louise otworzyła furtkę. Oczy wciąż miała podkrążone i ogromnie schudła, jakby celowo dręczyła ciało.

– Cześć – powiedziała Louise i szybko wyciągnęła rękę, nie chcąc dopuścić do powitalnych objęć, do których Britt już rozłożyła ramiona.

– Cześć. – Britt ścisnęła jej dłoń i od razu zaprosiła na kawę, ale nie spytała, co sprowadza Louise w piątkowe popołudnie. Może uznała, że przysłała ją Camilla.

Louise zamierzała z miejsca wyjaśnić, że to wizyta służbowa, bo chciała mieć to już za sobą. Britt wzięła od niej płaszcz i wyjęła wieszak.

– Tak się cieszę, że miałam możliwość porozmawiać z tym twoim przyjacielem patologiem. Doceniam fakt, że go tutaj przywiozłaś. Żaden z funkcjonariuszy z Bellahøj nie wpadł na taki pomysł. A udało ci skontaktować z Ulrikiem na Islandii?

Louise pokręciła głową i ruszyła za Britt przez salon. Nawet nie próbowała telefonować do Ulrika poprzedniego wieczoru. Od pożaru nie miała w zasadzie ani jednej wolnej chwili, a on nie oddzwonił w odpowiedzi na wiadomość, którą mu zostawiła.

– To jego magazyn płonął w porcie dziś w nocy – oznajmiła Britt, nastawiając wodę. – Nie wiem, czy o tym słyszałaś.

Louise przytaknęła, ale nie zdążyła wykorzystać okazji, by wejść jej w słowo.

– Przed południem był tu ktoś z towarzystwa ubezpieczeniowego, ale ja przecież nic o tej sprawie nie wiem, a Ulrik może wrócić do domu samolotem dopiero jutro. Wydaje mi się, że ląduje około jedenastej. Lot z Rejkiawiku trwa chyba mniej więcej trzy godziny.

Spytała, czy Louise zadowoli się kawą rozpuszczalną, a ona kiwnęła głową. Wszystkie blaty i abażur lampy pokrywał kurz. Zawirował lekko w powietrzu, kiedy Louise zdejmowała z szyi szal i kładła go na krześle.

– Właśnie o pożarze przyszłam porozmawiać – zaczęła, gestem prosząc o odrobinę mleka do kawy. – W baraku na łodzie przylegającym do magazynu twojego męża spłonęło dwóch młodych ludzi. A technicy kryminalistyczni niedawno stwierdzili, że ogień został podłożony. – Na chwilę zawiesiła głos. – Britt, muszę cię spytać, co robiłaś wczoraj wieczorem.

Matka Signe znieruchomiała z filiżankami w dłoniach. Unosiła się z nich para, musiały więc parzyć. Louise wstała, by wyjąć je z jej rąk.

– Byłam tutaj – odezwała się Britt w końcu. Podeszła do stołu i usiadła. – Nikt mi nie mówił, że w tym pożarze ktoś poniósł śmierć.

Louise objęła dłońmi swoją filiżankę.

– Spalili się dwaj chłopcy.

Przez chwilę siedziały w milczeniu. Louise miała nadzieję, że Britt wreszcie sama coś powie, ale matka Signe wpatrywała się tylko nieruchomo w swoją kawę, z której leniwie unosiła się para, meandrując i rozwiewając się w powietrzu. Dom spowiła ciężka cisza. Nie

270

dochodziły tu ani odgłosy ruchu ulicznego, ani hałas kolejki jeżdżącej w pobliżu. Louise miała już dość tej martwoty i chrząknęła.

– To byli członkowie tej grupy, która wdarła się na waszą imprezę. Jednego z nich Jonas widział biegnącego za Signe.

Britt wciąż na nią nie patrzyła, ale lekko pokręciła głową.

– Rozumiesz, dlaczego muszę cię spytać o to, co robiłaś wczoraj?

Matka Signe znów znieruchomiała.

– Co robiłaś wczoraj wieczorem? – powtórzyła Louise, czując ściskanie w żołądku.

– Cały wieczór byłam w domu – odparła Britt. – Przecież wy mnie odwiedziliście, więc wiesz, że tu byłam. – Podniosła teraz na Louise oczy, w których zgasły ostatnie resztki życia. – Nie poszłam podpalić magazynu mojego męża. Po waszym wyjściu położyłam się spać.

Louise wypiła łyk kawy. Miała ochotę dotknąć ramienia Britt, ale tego nie zrobiła.

– Ulrik wyrzucił tych chłopaków od razu tego samego dnia, kiedy się zorientował, że spotykają się w jego budynku. Kazał im zabierać wszystkie rzeczy i się wynosić. W baraku na łodzie nikogo już nie było! – powiedziała głośniej, chcąc przekonać Louise.

– Zdaniem techników podłogę i kanapę, którą ci chłopcy zostawili, oblano jakąś łatwopalną substancją, a przez okno wrzucono kawałki palącego się drewna. Wybuchł pożar przypominający eksplozję.

271

Britt przytrzymała ją wzrokiem, a w kąciku jej ust pojawił się lekki uśmiech.

– Podejrzewacie, że ja za tym stoję?

Louise wzruszyła ramionami, ale zaraz energicznie pokręciła głową.

– Nie, nie jesteś podejrzana. Musimy tylko wykluczyć, że to nie byłaś ty. Mój szef ma trochę racji, twierdząc, że mogłaś mieć ochotę na taką zemstę. Ale śledztwo dopiero się zaczęło i próbujemy znaleźć motywy, jakimi kierowała się osoba, która podłożyła ogień i spaliła dwie osoby. To po prostu jedna z ewentualności, które musimy brać pod uwagę.

Britt w zamyśleniu pokiwała głową.

– No tak, to znaczy, że jestem dość oczywistą podejrzaną – przyznała, patrząc przed siebie.

– W każdym razie miałaś motyw – potwierdziła Louise. – Ale są też inne ewentualności. Pożar mógł mieć związek z wynajmowaną przez Ulrika częścią magazynu. To również ślad, nad którym pracujemy.

– Rozumiem. – Britt czekała na dalsze jej słowa.

– Co robiłaś między godziną dwudziestą drugą a dwudziestą czwartą?

Britt nie odpowiedziała, poprawiła się tylko w fotelu i przymknęła oczy. Louise wyjęła z zewnętrznej kieszeni torebki notatnik i długopis.

– Przykro mi, że musisz przez to przechodzić – powiedziała, ale Britt zbyła ją machnięciem ręki.

– W porządku, to przecież twoja praca. – Otworzyła oczy. – Ja sobie po prostu nie przypominam, żebym cokolwiek robiła.

– Wyszliśmy stąd około wpół do szóstej – pomogła jej Louise. – Jak spędziłaś resztę wieczoru?

– Po prostu byłam w domu, spałam – odparła Britt szybko. – Zażyłam dosyć silne środki nasenne – przyznała po namyśle. – Mam brać jedną tabletkę, ale wzięłam dwie wkrótce po waszym wyjściu. Nie opuszczałam domu i nie mam pojęcia, co się wokół mnie działo. Nie słyszałam nawet syren, a przecież powinnam, jeśli rzeczywiście pożar był tak duży, jak mówisz.

Louise przyznała jej rację.

– Czy ktoś może potwierdzić, że cały ten wieczór spędziłaś w domu?

– Nie. Przecież Ulrik wyjechał.

– Rozmawiałaś z kimś?

– Nie, niestety.

– Ani przez komórkę, ani przez telefon stacjonarny?

– Nie, nie przypominam sobie.

– A jeździłaś gdzieś samochodem?

– Chodzi ci o ten moment, gdy byłam nieprzytomna po zażyciu tabletek? Nie, nigdzie nie jeździłam.

Louise uśmiechnęła się do niej, schowała notes z powrotem do torebki i powiedziała, że wychodząc, chciałaby obejrzeć jej samochód.

– Zapraszam, kluczyki leżą na komodzie.

Britt wstała i skierowała się do przedpokoju.

Louise zapomniała o swoim szalu przewieszonym przez oparcie krzesła, poszła więc po niego, a kiedy wróciła, Britt już wkładała bluzę i wsuwała stopy w kalosze, które miała na nogach wcześniej, gdy zamiatała liście.

Czarny golf miał najwyżej rok i wciąż pachniał nowością, co Louise stwierdziła, rozglądając się w środku. Na przednim siedzeniu leżała szminka od Diora i mała próbka perfum. Typowe damskie autko, pomyślała. Tylne siedzenie było puste.

W rzeczywistości sprawdzała samochód głównie ze względu na Willumsena. Nie chciała się narażać na kolejne uwagi o niedopatrzeniach z jej strony. Zrobi to i na tym koniec, niedługo pojadą z Jonasem na wieś i będą się cieszyć dodatkowymi wolnymi dniami.

Zamknęła drzwiczki i otworzyła klapę bagażnika. Potem zrobiła krok do tyłu i spojrzała na Britt.

– Wozisz z sobą zazwyczaj zapasowy kanister?

Matka Signe pokręciła głową.

– Ja w ogóle mało jeżdżę. Głównie zresztą na rowerze. Samochód biorę tylko wtedy, kiedy wybieram się gdzieś dalej.

– W bagażniku twojego auta leży kanister na benzynę. – Louise przywołała Britt do siebie

Nie było żadnej reakcji. Nic nie pojawiło się na twarzy ani w oczach, które patrzyły na nią zdumione. Powoli jednak Britt podeszła do samochodu i nachyliła się, żeby zajrzeć do bagażnika.

– Nic o nim nie wiem – oświadczyła, patrząc na Louise. – Nie mam takiego kanistra.

Louise zamknęła bagażnik rękawem bluzy. Poczuła lekką irytację i nieprzyjemne napięcie narastające między nimi.

– Britt, do diabła!

Stały naprzeciwko siebie. Louise była bliska wybuchu, ale matka Signe sprawiała wrażenie kompletnie obojętnej.

– Ja nic nie wiem o tym kanistrze – powtórzyła stanowczo. – Nigdy wcześniej go nie widziałam. – Odwróciła się w stronę pustego miejsca, gdzie zwykle parkowało audi. – Może to kanister Ulrika? Jego samochód stoi na lotnisku, mógł przełożyć ten kanister do mojego samochodu, żeby zmieściła mu się walizka. Innego pomysłu nie mam na to, skąd mógł się wziąć.

Louise podeszła do Britt i ją objęła. Kiedy tak stała ze spuszczoną głową, wydawała się krucha jak pisklę.

– Byłaś tej nocy w porcie?

Cofnęła się lekko, żeby na nią spojrzeć.

– A skąd mogłabym wiedzieć, że tam spali jacyś chłopcy? – spytała Britt nie bez logiki.

Oczy jej zwilgotniały. Nagle wyglądała jak mała dziewczynka, którą ktoś zapomniał odebrać z przedszkola.

– Nie mogłaś. Chyba że obserwowałaś barak i widziałaś, jak tam wchodzą.

– Ale tego nie robiłam. W ogóle nie byłam w porcie od czasu tamtej imprezy i najprawdopodobniej nigdy już tam nie pójdę.

– Niestety, muszę kazać zabrać twój samochód na staranniejsze przeszukanie – oznajmiła Louise przepraszającym tonem.

– Oczywiście. – Britt szybko wytarła oczy. – To jasne. Nie mam nic do ukrycia i tylko będę się cieszyć, jeśli zdołasz się dowiedzieć, skąd wziął się ten kanister, bo wtedy może przestaniecie mnie mieszać w tę sprawę.

Louise odeszła kawałek na bok i odszukała w telefonie numer Frandsena. Rozmawiała z szefem Wydziału Techniki Kryminalistycznej odwrócona tyłem do Britt. Ale później zorientowała się, że nie było to potrzebne, bo Britt już podeszła do drzwi domu i najwyraźniej chciała wrócić do ciepłego wnętrza.

– W ciągu godziny powinien pojawić się ktoś po samochód.

Britt kiwnęła głową. Louise weszła po schodach na ganek i uściskała ją na pożegnanie.

– Dobrze, że Ulrik jutro wraca. Zadzwoń, gdyby coś się działo. My z Jonasem jedziemy dziś wieczorem do moich rodziców na wieś. Zaczynają się ferie jesienne. Zostajemy tam do środy. Ale komórkę będę miała włączoną.

Britt uśmiechnęła się, rozciągając wargi w wąską kreskę.

– Bardzo mi przykro, jeśli sprawiam ci kłopot. Ale wczoraj wieczorem naprawdę nigdzie nie wychodziłam – powtórzyła, otwierając drzwi. – Cały czas byłam w domu.

Kiedy Louise szła w stronę portu Svanemøllen, powoli zapadał zmierzch. Zadzwoniła do Willumsena na komórkę, a kiedy włączyła się poczta głosowa, zostawiła mu wiadomość o tym, że poprosiła o zabranie samochodu Britt Fasting-Thomsen na dokładniejsze badanie, mimo że kobieta twierdzi, iż cały wieczór spędziła w domu.

Przypomniała mu jeszcze, że do pracy przychodzi dopiero w następny czwartek.

– Życzę ci miłego weekendu – zakończyła, a potem zadzwoniła do Jonasa przekazać mu, że już wraca, i obiecała, że dotrą na wieś przed ósmą, tak żeby mogli obejrzeć *Taniec z gwiazdami*.

Sobotę Louise przeleżała na kanapie. Próbowała udawać, że czyta, ale głównie spała. Jej ojciec zabrał Jonasa na dwór Skjoldnæsholm. Tam zjedli najpierw lunch w wozowni, a potem wdrapali się na wzgórze Gyldenløvego. Jej ojciec swoim zwykłym nauczycielskim tonem poinformował chłopca, że to najwyższy punkt Zelandii. Spędzili tam kilka godzin z lornetkami, obserwując ptaki, a kiedy trochę zmarznięci wrócili do domu późnym popołudniem, byli rozemocjonowani tym, co widzieli.

Wieczorem na kolację była dziczyzna, później grali w scrabble, dopóki Louise prawie nie spadła z krzesła ze zmęczenia.

Dzwonił Kim, żeby ustalić plany na niedzielę, i z lekkim rozczarowaniem musiał przyjąć, że nie zjawią się w Holbæk wcześnie rano. Louise miała zamiar spać, dopóki sama się nie obudzi, i spokojnie zacząć dzień.

Kiedy w niedzielę przed południem Louise i Jonas przejeżdżali przez most Munkholm, słońce wisiało nisko i mimo opuszczonych przesłonek świeciło im prosto w oczy. Louise pokazała Jonasowi, gdzie w młodości zwykle jeździła w ciepłe letnie wieczory na lody i spotkania z przyjaciółmi. Chociaż chłopiec nie powiedział tego wprost, to wyczuwała, że był na tyle miejskim dzieckiem, iż nie potrafił sobie wyobrazić, że trzeba jechać piętnaście kilometrów na rowerze, żeby się z kimś spotkać i zjeść lody.

Louise uśmiechnęła się do niego, napawając się widokiem. Liście spadły już z drzew, a kiosk z lodami zamknięto. Mimo wszystko było tu pięknie, światło migotało, gdy jechali przez las, a półnagie gałęzie filtrowały promienie słońca. Skręciła w lewo w stronę Dragerup, podziwiając krajobraz. Szosa była węższa, bardziej kręta. Odchodziły od niej wąskie szutrowe drogi prowadzące do gospodarstw położonych bliżej wody, a fiord Holbæk lśnił za zaoranymi polami.

Czerwone gospodarstwo Kima było usytuowane z lewej strony. Trzcinowy dach i szachulcowe ściany uzupełniały tę idyllę. Ale Louise najbardziej oczarował widok z podwórza na pola ciągnące się aż pod sam las.

Kiedy pierwszy raz odwiedziła Kima, przed domem stała ławka, z której można było napawać się tym widokiem. Jedyny minus polegał na tym, że była z rodzaju tych zrobionych z pociętych i oheblowanych pni drewna, a na oparciu wypalono wielkie litery układające się w napis: „PIWNA ŁAWECZKA OJCA". W zeszłym roku na urodziny Louise podarowała Kimowi bardziej neutralną ławkę ze stołem i dwoma krzesłami do kompletu. Wieczorem przyciągnęli tu grill z ogrodu, bo właśnie to miejsce zapewniało pełny widok, gdyż nie zasłaniały go wysokie drzewa.

Wyżlica, która zawsze pierwsza witała gości, podbiegła, gdy tylko zaparkowali i wysiedli z samochodu. Chwilę później w kuchennych drzwiach pojawił się Kim. Na nogach miał drewniaki, a ubrany był w czarny golf i nowe dżinsy. Świeżo ogolony i pachnący, stwierdziła Louise, gdy z uśmiechem podszedł do niej, uściskał ją i mocno pocałował w usta. Żółta labradorka też ich powitała, chociaż nieco bardziej powściągliwie. Jonas natychmiast zaczął się bawić z psami.

– Jak tam szczeniaki? – spytał, podchodząc do Kima i pozwalając mu się objąć.

Kim najwyraźniej bardzo lubił chłopca, wielokrotnie proponował, że przyjedzie do miasta i zostanie z nim, jeśli Louise będzie miała jakieś inne zajęcia. Na razie jednak z takiego rozwiązania nie skorzystali.

– Są w sieni. Możesz do nich zajrzeć.

Jonas pobiegł przez podwórze, a Kim przyciągnął Louise do siebie i pocałował ją mocniej, kiedy chłopiec zniknął im z oczu. Objęci ruszyli w stronę domu.

Kim uśmiechnął się, widząc Jonasa siedzącego na podłodze z pięcioma baraszkującymi szczeniakami, trzema czarnymi i dwoma żółtymi. Jeden z tych jasnych próbował wspiąć się na nogę chłopca, ale za każdym razem spadał, kiedy miał podciągnąć tylne łapy. Wreszcie

Jonas zlitował się nad nim i wziął go na kolana. Louise też z uśmiechem obserwowała, jak Jonas z miną wyrażającą uniesienie nachyla się i przytula policzek do miękkiego futerka szczeniaka.

To był już ostatni weekend piesków u Kima. W przyszłym tygodniu miały zostać odebrane przez swoich nowych właścicieli. Louise nagle jakoś trudno było sobie przypomnieć, dlaczego właściwie nie ma psa. Na szczęście dość szybko uświadomiła sobie, że pies wymaga opieki i regularnego wyprowadzania, a temu przecież nie podoła. Zresztą Kim proponował, żeby jednego sobie wybrała.

– Wszystkie już są sprzedane? – Przykucnęła i zaczęła się bawić z jednym z czarnych.

Kim pokiwał głową i wysłał wyżła na podwórze. Ten pies myśliwski nie był tak bardzo domowy jak pozostałe, ale też dopominał się o swoją porcję czułości. Potrafił jednak być zbyt gwałtowny, gdy za bardzo zbliżył się do szczeniaków.

– Prawie – odparł Kim. – Z wyjątkiem Diny.

Wskazał na szczeniaka, którego pieścił Jonas.

– Weterynarz uważa, że jest głucha. Przynajmniej częściowo. Nie nadaje się więc na polowanie, a nikt nie chce płacić tyle za psa, który źle słyszy. Inni hodowcy zapewne by ją uśpili, ale ja jakoś nie potrafię.

– Nie widać po niej, żeby była głucha – oświadczył Jonas.

Kim wzruszył ramionami i wyjaśnił, że problemem stanie się to dopiero po rozpoczęciu szkolenia.

Po lunchu wybrali się na długi spacer do lasu z wyżłem kręcącym im się między nogami. Właściwie nie powinni puszczać suki luzem, ale psy Kima były posłuszne. Na jego gwizdnięcie przybiegały nawet z odległości kilkuset metrów i nie ruszały się z miejsca, kiedy kazał im siedzieć, dopóki nie wydał innej komendy. Dlatego Kim śmiało łamał obowiązujące w lesie przepisy i pozwalał wyżlicy biegać swobodnie. Jonas starał się dotrzymać jej kroku, rzucał jej patyki między drzewami.

– Co słychać w mieście? – spytał Kim. Szli, trzymając się z Louise za ręce, i zostali trochę z tyłu. – Chyba niezbyt przyjemnie się tam teraz mieszka. Wygląda na to, że walki gangów stały się codziennością.

Louise z uśmiechem pokręciła głową.

– Aż tak źle nie jest.

– Nie martwisz się, że Jonasowi mogłoby się coś stać? – spytał, z powagą spoglądając jej w oczy.

– Aha, a więc o to chodzi! – Louise go przejrzała. – Pamiętaj, że Jonas nie zostanie u mnie na zawsze. To tylko tymczasowe rozwiązanie. Po Nowym Roku trzeba będzie poszukać bardziej stałego.

– Przecież on się u ciebie dobrze czuje. – Kim uścisnął jej rękę. – Nie możesz oddać go ludziom, którzy w ogóle go nie znają!

Louise puściła go i schowała obie ręce do kieszeni, lekko kopnęła kamyk, który potoczył się po ziemi i wpadł w wysoką trawę.

– Nie ma innej możliwości – oświadczyła w końcu.

– Naprawdę bardzo lubię Jonasa, z każdym dniem coraz

mocniej się do niego przywiązuję i pragnę dla niego jak najlepiej, ale mieszkanie ze mną nie jest dla niego optymalnym rozwiązaniem. Cały czas go zawodzę. Jednego dnia nie przychodzę w porze obiadu, następnego, kiedy musi odrabiać lekcje. Zawsze coś nam krzyżuje plany. Nie w takich warunkach powinien dorastać. Musi tylko uporać się z tym wszystkim, co się wydarzyło, i kiedy będzie gotowy, wspólnie znajdziemy jakieś inne rozwiązanie.

– Uciekasz od obowiązku – powiedział Kim cicho.

Odwróciła się do niego.

– Do cholery, ja nie mam żadnego obowiązku, od którego miałabym uciekać. To ja postanowiłam się dostosować. Oddałam się do dyspozycji Jonasowi, ale nie wzięłam na siebie żadnego obowiązku.

– To dziecko straciło oboje rodziców. Nie ma nikogo oprócz ciebie, to chyba wystarczający obowiązek.

Louise spojrzała na niego z rezygnacją.

– Dlaczego tak się upierasz? – spytała w końcu.

– Bo istnieje inne rozwiązanie. Moglibyście się tu przenieść. U mnie jest dość miejsca i obowiązki rozłożyłyby się na nas dwoje. Spójrz tylko na niego!

Chłopiec i pies jednakowo się zasapali, ale nie przestawali biegać i podskakiwać, a Jonas, który głównie spędzał czas w swoim pokoju zatopiony w książkach albo w grach komputerowych, miał czerwone policzki i błyszczące oczy. Wysokim łukiem rzucał patyki psu, który z radością po nie biegał.

– To nie takie proste – westchnęła Louise, pozwalając Kimowi wyjąć swoją rękę z kieszeni.

283

– Owszem, jeśli się chce, to jest proste. Możesz po-prosić o przeniesienie i pracować tutaj.

– Nie mogę opuścić Frederiksberg. A poza tym Jonas chodzi do szkoły w mieście.

– Niewykluczone, że zmiana szkoły dobrze by mu zrobiła. Wciąż sprawia wrażenie bardzo przygnębionego tym wypadkiem przyjaciółki. I zdążył mi już powiedzieć, że kilka dni temu spłonął barak na łodzie, w którym spotykały się te wyrostki.

Louise przytaknęła. Jonas dowiedział się o tym od kolegów w szkole. Nie ona mu o tym powiedziała.

– Te wydarzenia chyba nie schodzą mu z głowy – ciągnął Kim.

Na pewno tak jest, pomyślała, mimo to zirytowała się, że Kim jej o tym przypominał.

– Czy to możliwe, żeby któryś z uczniów podłożył ogień, żeby zemścić się za to, co spotkało tę dziewczynkę?

Louise spojrzała na niego zaskoczona, ale w końcu pokręciła głową.

– Tych chłopaków wyrzucono z baraku bezpośrednio po ich najściu na imprezę. Nikt już teoretycznie tam nie przychodził.

Do głowy nagle wpadła jej pewna myśl, która na dalszy plan odsunęła Kima i całe jego gadanie.

Czy to możliwe, aby któryś z tych chłopaków sam podłożył ogień w reakcji na to, że zostali wyrzuceni? Zapewne nie planował uśmiercenia kolegów, ale przecież wyraźnie było widać, że żaden z trzech pozostałych nie wiedział, że Peter Nymann i Sebastian Styhne tam

284

nocowali. Wszyscy twierdzili, że nikt tam już więcej nie przychodził. Może warto to zbadać po powrocie, zanim Willumsen rzuci się na Britt i nie będzie już brał pod uwagę żadnego innego podejrzanego poza nią.

Szła, kiwając do siebie głową, bo kolejne elementy układanki wpadały na swoje miejsce. Chociaż Kim być może uznał, że dał jej do myślenia, przedstawiając swoje plany związane z nią i z Jonasem. W każdym razie więcej do tego nie wracał, a w domu podał kawę i ciasto cynamonowe i zajął się obkładaniem rozmarynem dużej porcji jagnięciny, która miała trafić do piekarnika.

– Zaczęłaś się częściej widywać z Flemmingiem Larsenem? – spytał Kim, kiedy już zjedli i siedzieli przy reszcie wina.

Louise spodziewała się, że to pytanie prędzej czy później padnie, i pokręciła głową.

– Pracujemy razem, więc od czasu do czasu się widujemy. Zawsze tak było.

Zauważyła, że Kim miał ochotę pociągnąć ten temat, ale się powstrzymał i zaproponował, że zaparzy jeszcze jedną kawę. Louise podziękowała, zerkając na zegarek. Jonas siedział na podłodze w sieni i bawił się ze szczeniakiem, który leżał mu na piersi z łapami rozłożonymi na wszystkie strony, jakby spadł z sufitu, i gryzł szalik na jego szyi. Louise wstała i zaczęła sprzątać ze stołu. Zaniosła talerze do zlewu. Wkrótce musieli wracać do Hvalsø.

Kim stanął za nią, objął ją i przytulił się policzkiem do jej policzka.

– Szaleję za tobą – szepnął, a Louise zamknęła oczy. Obróciła się w jego objęciach i przycisnęła do jego piersi. Stali tak przez chwilę, w końcu cofnęła się i z ciepłem w oczach spojrzała na jego szczupłą twarz.

– Nie mogę się tu przeprowadzić – oświadczyła, wpatrując się w niego z powagą, by się zorientować, czy zrozumiał, że naprawdę tak myśli. Na tym etapie miłość nie wystarczała, żeby skłonić ją do opuszczenia miejsca i życia, które sama dla siebie wybrała. – Mnie tam jest dobrze.

Pokiwał głową i mocniej ją przytulił. W końcu jednak Louise odwróciła twarz i zawołała do Jonasa, że muszą się pakować, bo trzeba wracać.

Kim pocałował ją we włosy i ruszył za nią do sieni. Jonas ostrożnie przełożył szczeniaka do tymczasowego kojca. Przez chwilę jeszcze patrzył na pieska, ale zaraz poszedł po torbę ze swoim Playstation 2 i książkami, które z sobą przywiózł, a które okazały się zupełnie niepotrzebne. Potem uściskał Kima na pożegnanie i pospieszył za Louise, która otworzyła drzwi na podwórze.

Na widok kolejnej oznaki przesadnej grzeczności ścisnęło ją w sercu. Większość rodziców czekałaby trudna przeprawa i dyskusja, czy naprawdę muszą już jechać, skoro jest tak fajnie. Ale z Jonasem było inaczej. Gdy Louise mówiła, że coś trzeba zrobić, nigdy nie protestował. Mocno uścisnęła go za ramię, kiedy wsiadł do samochodu.

W poniedziałek przed południem wiał ostry wiatr i siekł policzki, gdy Louise z Jonasem jechali rowerami przez las w stronę jeziora Avnsø. Jesień wyzłociła leśne podszycie, jakby nakryła ziemię dywanem.

Musieli hamować, zjeżdżając ze wzgórza ku Helvigstruphuset, pełnego wdzięku i pokrytego strzechą leśnego domu ze staroświecką studnią na podwórzu. Wcześniej panowały tu zupełnie prymitywne warunki, nie było prądu ani wody, ale teraz domek funkcjonował jako letnisko. Jonas wyprzedził ją i dopiero na dole ostro zahamował, aż spod tylnego koła uniosła się gęsta chmura piasku i trysnęły kamyki.

Nieco dalej przejeżdżali przez świerkowy zagajnik, na którym pasły się sarny. Louise już z daleka dostrzegła dużego koziołka. Zatrzymała Jonasa, żeby mogli mu się przyjrzeć, zanim ich zauważy.

Louise w lesie Bistrup kochała właśnie to, że człowiek w zasadzie miał go tylko dla siebie. Znała tu każdą ścieżkę, każdą polanę, a kiedy zbyt długo przebywała w Kopenhadze, właśnie za Avnsø tęskniła.

Koziołek podniósł łeb, zaczął wietrzyć, nakierował uszy w ich stronę i zaraz puścił się biegiem. Poruszał się elegancko, pod szarobrązową krótką sierścią prężyły się mięśnie.

Kiedy skręcili w stronę czarnego i głębokiego jeziora ukrytego między drzewami, rozdzwoniła się komórka Louise. Na wyświetlaczu pojawiło się nazwisko naczelnika.

– Przepraszam, że przeszkadzam ci w wolny dzień – powiedział szybko. – Pomyślałem jednak, że pewnie chciałabyś być na bieżąco. Właśnie wpłynął raport techników dotyczący tego kanistra na benzynę, który znalazłaś w bagażniku golfa Britt Fasting-Thomsen.

Louise zeskoczyła z roweru. Jonas już stał nad jeziorem i rzucał kamienie do wody.

– Kanister ma ten sam kolor i tego samego producenta co podobny kanister znaleziony zaledwie kilka metrów od miejsca pożaru. Niemiecka marka, do kupienia w tym tygodniu na promocji w sklepach Aldi. Willumsen już się szykuje do przesłuchania Britt Fasting-Thomsen i przeszukania willi przy Svanemøllen.

Louise zaskoczona przegarnęła dłonią rozwiane i splątane włosy. Rower oparła o prawe udo, ciężko oddychała. Niech to szlag trafi, zaklęła w myślach, słysząc wołanie Jonasa dobiegające od strony jeziora.

– Przyjeżdżam – zdecydowała. – Może być wiele

wyjaśnień, dlaczego taki zwyczajny kanister, który każdy mógł kupić okazyjnie w tym tygodniu, leży w jej bagażniku. Nie namówiłbyś Willumsena, żeby wstrzymał się z dalszym działaniem do mojego powrotu?

Suhr zaśmiał się do słuchawki.

– Przecież go znasz. Wydaje mi się, że ma ochotę osobiście przeprowadzić to przesłuchanie.

Z całą pewnością, pomyślała Louise.

Naczelnik dodał, że Sejr przegląda jakieś stare rachunki w papierach Nicka Hartmanna, a Toft i Michael Stig usiłują wytropić producenta mebli w Hongkongu.

– Więc tylko Willumsen jest wolny. Mam wrażenie, że aż pęka z radości, że będzie mógł przycisnąć Britt Fasting-Thomsen.

Tak, to Louise mogła sobie wyobrazić. Westchnęła, próbując uporządkować myśli. Jonas znów ją zawołał, rozległ się plusk dużego kamienia.

– Zaproponuj, żeby Willumsen porozmawiał raczej z jej mężem. Niech spróbuje się dowiedzieć, skąd Ulrik zna Nicka Hartmanna. Wyjechał, kiedy chciałam z nim pogadać. A ja zajmę się Britt.

Odwróciła rower i zaczęła podchodzić pod górkę.

– Słyszę, że nie powinienem był dzwonić. Nie chciałem ci psuć urlopu… – Szef zaśmiał się cierpko.

Aha, na pewno, pomyślała Louise.

– Bardzo dobrze, że zadzwoniłeś – przerwała mu.

Najwyraźniej Suhr też nie uważał narażania Britt na wyżymarkę Willumsena za znakomity pomysł, bo inaczej, do diabła, nie dzwoniłby, żeby ją ostrzec. Naczelnik w przeciwieństwie do Willumsena miał w sobie empatii i wyrozumiałości na tyle, by oszczędzić matce Signe spotkania z napastliwym komisarzem. Przynajmniej dopóki nie jest całkowicie pewne, że coś ją łączyło z wydarzeniami w porcie.

Louise przywołała Jonasa. Kiedy szli pod górę, bardzo go przepraszała, tłumacząc, że niestety musi wracać do Kopenhagi.

– Pojedziesz ze mną czy wolisz zostać tutaj? – spytała, patrząc na chłopca, który popychał rower.

– A nie mógłbym po prostu sam pojechać do Kima? – zaproponował. Najwyraźniej miał ochotę pobawić się jeszcze ze szczeniakami, zanim zostaną oddane do nowych domów.

Wolałabym nie, pomyślała, bo byłoby jej bardzo nie na rękę, gdyby Jonas z Kimem się sprzymierzyli, co jeszcze bardziej utrudniłoby jej zerwanie tego związku.

– Ale przecież Kim jest w pracy – przypomniała Jonasowi.

– No tak, ale mówił, że wcześnie wraca do domu.

Racja, przyznała w duchu Louise. Policjantom z Holbæk rzadko zdarzały się nadgodziny.

– Mogę sam pojechać pociągiem, jeśli jemu nie pasuje mnie stąd odebrać – podsunął Jonas, kiedy już jechali na rowerach w stronę domu.

– A nie mógłbyś się wstrzymać z tymi odwiedzinami, aż będziemy mogli pojechać we dwoje? – spróbowała jeszcze Louise i wpadła kołem w dużą dziurę w drodze, o mało nie tracąc przy tym równowagi.

– Ale wtedy nie będzie tam już szczeniaków – zauważył Jonas z żalem, który starał się jednak ukryć.

– Ona może cię omamić – warknął zirytowany Willumsen, kiedy Louise dotarła do komendy, zostawiając saaba na ulicy i nie tracąc czasu nawet na wzięcie biletu z parkomatu. Nie odpowiedziała. Willumsen zamknął drzwi do swojego pokoju i wskazał jej krzesło przy oknie.

– Przecież ty miałaś mieć wolne. Upierałaś się, że to takie ważne – mruknął, okrążając biurko, żeby usiąść. Sięgnął po jakieś papiery i spojrzał na nią świdrującym wzrokiem. – Chcę usłyszeć jakieś wyjaśnienie powodu, dla którego w samochodzie Britt Fasting-Thomsen nagle pojawia się kanister identyczny jak ten, który przypuszczalnie zawierał benzynę użytą do podpalenia, skoro ona twierdzi, że nie ma takiego kanistra.

Louise kiwnęła głową. Zgadzała się z Willumsenem, że uzyskanie odpowiedzi na takie pytanie byłoby bardzo przydatne.

– Nie odniosłam wrażenia, by usiłowała coś ukryć, kiedy byłam u niej w piątek – zauważyła. – Zresztą matka Signe w ogóle niewiele wtedy mówiła. Mogę pojechać do niej od razu.

Szef grupy śledczej ciężko westchnął, a potem się pochylił.

– Dobrze wiem, przez co przeszła Britt Fasting-Thomsen – stwierdził. – Ale jeśli to chęć odwetu skłoniła ją do podpalenia baraku, w którym zginęło dwóch młodych ludzi, to musi za to odpowiedzieć.

– Oczywiście. Ale przecież tych chłopców wyrzucono z tego baraku. Skąd mogła wiedzieć, że ktoś tam nocuje?

– Nie mam pojęcia. Chcę tylko odpowiedzi na pytanie, skąd nagle wziął się ten kanister, skoro ona nigdy nie wozi takich rzeczy – odparł Willumsen. – Wszystkie odstępstwa od normy są dla nas teraz równie interesujące i tyle. Jeśli uda nam się znaleźć jakieś rozsądne wyjaśnienie tego faktu, to będzie dobrze.

Louise wstała i skierowała się do wyjścia.

– Jej mąż zresztą już do nas jedzie – dodał Willumsen, kiedy chciała otworzyć drzwi. – Jestem z nim umówiony za kwadrans. Mam nadzieję, że dowiemy się czegoś więcej o Nicku Hartmannie i tych jego interesach.

Louise już była prawie na korytarzu, kiedy szef jakby od niechcenia rzucił, że Lars Jørgensen właśnie przedłużył zwolnienie.

– Nie jest więc gotowy do tego, byśmy mogli wezwać go na pomoc – powiedział, odnosząc się do jej piątkowego komentarza.

– Na jak długo? – spytała z ciekawością Louise i cofnęła się o dwa kroki.

– Na razie na kolejne dwa tygodnie.

O cholera, pomyślała. Żal jej było partnera. Nie dzwoniła do niego, chociaż myślała o tym wiele razy, ale cały czas coś stawało na przeszkodzie, a przy tym tempie, w jakim mijały ostatnie dni, niewiele zostawało jej energii na to, by troszczyć się o kolegę. Musiała w końcu do niego się odezwać, bo inaczej Lars uzna, że cały Wydział Zabójstw odwrócił się do niego plecami.

Twarz Willumsena znów stężała.

– Zaleciłem mu, żeby starał się o przeniesienie do innego wydziału. Prosił o zatrudnienie w mniejszym wymiarze godzin, tak by mógł jednocześnie zajmować się domem. Ale ja tego nie zaakceptowałem. U nas to nie przejdzie.

– Moglibyśmy spróbować... – podsunęła Louise, mimowolnie znów robiąc krok do tyłu.

– Oczywiście, moglibyśmy. Moglibyśmy również podjąć próbę urządzenia sali zabaw w piwnicy, tak żeby wszyscy pracownicy mieli gdzie przyprowadzić dzieci, kiedy nie znajdą dla nich opieki – zauważył sarkastycznie. – Albo może każdy wydział powinien zatrudnić opiekunkę?

Louise słuchała go zirytowana, ale nie pozwoliła się sprowokować.

– Przydałaby się pewna elastyczność. Na pewno by nie zaszkodziła – stwierdziła obojętnym tonem.

– Należy się dobrze zastanowić, zanim wybierze się taką pracę. Zwłaszcza gdy ma się dzieci.

Louise pokręciła głową ze złością. Willumsen pod tym względem zawsze był czysty. Miał już prawie dorosłą córkę Helle, a kiedy dziewczynka była mała, zajmowała się nią żona komisarza, Annelise. Nie miał więc pojęcia, co to znaczy być odpowiedzialnym za dziecko i dom. Annelise pracowała na pół etatu w misji kościelnej i sprzedawała używane ubrania trzy dni w tygodniu. Powinien więc się zamknąć, pomyślała. No ale były też okresy, kiedy jego żona chorowała.

Miała kilka nawrotów raka. W tych miesiącach Willumsen sam wcześniej wychodził do domu, żeby pojechać z Annelise do szpitala na chemoterapię. Ale to najwyraźniej zupełnie coś innego, pomyślała Louise i znów się cofnęła, żeby zamknąć drzwi.

– Kiedy już skończysz na Strandvænget, może warto sprawdzić, czy któryś z pozostałych chłopaków nie doznał żadnych szykan ze strony Britt Fasting-Thomsen od czasu tamtej imprezy w klubie żeglarskim.

– Szykan! O co ci, do diabła, chodzi?

– To przecież bardzo możliwe, że nawiązała z nimi kontakt, chcąc ich pociągnąć do odpowiedzialności. Po prostu chciałbym to wiedzieć.

Louise nie wierzyła własnym uszom.

– Może jednak sam powinieneś z nią porozmawiać – stwierdziła w końcu. – Może wtedy zrozumiesz, jakie piekło przechodzi. Nie potrafi nawet zadbać o siebie. Dom zarasta kurzem, a ona właściwie tylko leży w swoim pokoju. – Zrobiła krótką przerwę, próbując trochę się opanować i spokojnie powiedzieć mu, że przydałaby mu się odrobina wyrozumiałości.

– Nawet jej mąż przyznaje, że bardzo się zmieniła od śmierci córki. Sam tego nie wymyśliłem – odparł. – Przecież ja, do diabła, nigdy jej nie poznałem.

No właśnie, pomyślała Louise i wyszła.

– Jeśli nie będzie umiała się wytłumaczyć, to przyślę całą grupę na przeszukanie! – krzyknął za nią. – Będą szukać pokwitowań z Aldiego, szmat podobnych do tych, którymi owinięto kawałki drewna i podpalono ten barak i magazyn. Czegokolwiek, co będzie stanowiło dowód przeciwko niej!

Louise nawet nie zajrzała do własnego pokoju, tylko od razu wyszła z komendy, żeby pojechać na Svanemøllen.

Naprawdę nie wiem, skąd się wziął ten kanister
– powtórzyła Britt, kiedy znów siedziały w kuchni, tym razem bez kawy. W zlewie leżały stosy brudnych naczyń.

– A co mówi Ulrik? Może on coś o tym wie?

Louise patrzyła na nią wyczekująco. Nie dostrzegła u niej żadnej niechęci, ale też Britt w niczym nie pomagała.

– Ulrik też nigdy wcześniej go nie widział, ale mówi, że musimy poszukać adwokata, jeżeli dalej będziecie uważać, że mogłam mieć coś wspólnego z tym pożarem.

– Chwileczkę! – uspokoiła ją Louise. – Po prostu bardzo by nam pomogło, gdyby przypomniało ci się coś, co by potwierdziło, że cały ten wieczór spędziłaś w domu. Dopóki nic takiego nie mamy, nie możemy cię skreślić z listy i muszę spróbować prześledzić wszystkie twoje kroki w tamtym czasie.

Britt jakby do końca nie zdawała sobie sprawy z powagi sytuacji. Przez cały czas mówiła takim tonem, jakby kwestie poruszane przez Louise nie miały z nią związku. Louise już pytała, czy Britt rozmawiała z kimś przez telefon. Niestety nie, a przecież to wystarczyłoby na potwierdzenie, że przebywała w domu. Nic by im nie przyszło ze sprawdzenia stacji bazowych, bo Britt mogła wyjść, zostawiając swoją komórkę w domu.

– A może wysłałaś esemesa albo jakiegoś dostałaś? – próbowała dalej Louise.

– Chyba nie, ale możesz sprawdzić sama.

Wstała po komórkę, która leżała na kredensie w salonie.

Louise ją obserwowała. Britt ogarnęła całkowita apatia. Żadne z pytań zadawanych przez Louise zdawało się jej nie poruszać.

W komórce nie było żadnych nowych wiadomości, ani przychodzących, ani wychodzących.

– Nie robiłam nic oprócz leżenia w łóżku – uparcie twierdziła Britt, siadając na krześle z rękami założonymi na piersi. – Nie miałam ochoty na kontakt z nikim. Myślami byłam przy córce, przed oczami przewijało mi się tyle obrazów. Szybko zasnęłam.

Oczywiście taka drobiazgowa relacja Flemminga musiała wywołać wzburzenie Britt. Louise wciąż uważała, że patolog niepotrzebnie wdał się w takie szczegóły. To mogło okazać się zbyt trudne dla matki, która tak niedawno straciła dziecko.

– Oglądałaś coś w telewizji? Pamiętasz jakieś programy z czwartkowego wieczoru?

Britt nachyliła się nad stołem i popatrzyła na Louise z powagą.

297

– Przestałam oglądać telewizję – oświadczyła. – Zrozum, dla mnie świat trzy tygodnie temu się zatrzymał. Nic mnie już nie obchodzi.

Louise zapanowała nad rosnącą irytacją i spróbowała jeszcze raz:

– A może zajrzymy do twojego komputera? Może korespondowałaś z Camillą albo wchodziłaś na Facebooka koło północy? To by znaczyło, że to nie ty byłaś w porcie i dzięki temu moglibyśmy cię wykluczyć.

Britt podniosła się ociężale.

– Możesz sprawdzić, ale ja naprawdę spałam.

Teraz w jej głosie zabrzmiała irytacja, jakby do Louise nie docierało, co się do niej mówi.

Louise zostawiła swoje rzeczy w kuchni i poszła za Britt przez salon i po schodach na piętro. Na stopniach leżał chodnik przytrzymywany cienkimi mosiężnymi drążkami. Dotarły do dużego podestu, na którym stały szafy i ogromne lustro w rzeźbionej mosiężnej ramie, eleganckie, w starym stylu, mimo to nowoczesne. W oświetlonym kącie stał duży skórzany fotel o barwie starego koniaku, a na stoliku obok leżały wkładki dotyczące gospodarki z różnych gazet. Britt skierowała się w stronę pokoju na końcu korytarza. Okazał się dużą sypialnią z pomalowanym na biało balkonem, na który prowadziły drzwi z małymi szybkami. Zanim tam jednak doszły, minęły pokój Signe. Imię dziewczynki widniało na drzwiach, które jednak były zamknięte. Britt minęła je, nie patrząc w ich stronę. W sypialni wskazała na szklane biurko, które stało pod oknem z widokiem na wodę.

– Gabinet Ulrika jest naprzeciwko. To mój komputer. – Skierowała wzrok na białego maca. – Nie ma żadnego hasła, więc możesz po prostu go włączyć.

W pokoju było bardzo jasno. Światło wpadało też przez okna w suficie nad łóżkiem. Louise zadarła głowę.

– Reagują na deszcz – wyjaśniła Britt. – Można spać pod gołym niebem, a jeśli zaczyna padać, okna same się zamykają. Często leżę na łóżku i patrzę w niebo.

Louise otworzyła program pocztowy w komputerze.

– Wymyśl coś, wszystko jedno co, byle tylko potwierdziło to, że spędziłaś w domu cały ten wieczór – poprosiła jeszcze zrezygnowanym tonem, kiedy stwierdziła, że w ciągu tamtego wieczoru do skrzynki przyszedł wyłącznie spam, a żaden e-mail nie został wysłany.

Britt przysiadła na brzegu łóżka z głową opuszczoną na pierś, jakby zasypiała.

– To bardzo miłe z twojej strony – odezwała się w końcu. Uniosła głowę i lekko odchyliła się w tył, opierając się na rękach. – Dobrze wiem, że próbujesz mi pomóc, ale naprawdę spędziłam tu cały wieczór i noc. Nie mam na to żadnych dowodów i nic więcej nie potrafię sobie przypomnieć. Nie wykopię niczego spod ziemi, więc chyba rzeczywiście muszę skontaktować się z adwokatem, tak jak mówi Ulrik.

Louise pokiwała głową i wyłączyła komputer.

– To dobry pomysł – przyznała, kiedy schodziły już po stopniach.

Przygnębiona żegnała się z Britt. Na delikatnej twarzy matki Signe malowała się nieprzyjemna obojętność. Tak jakby rzuciła ręcznik na ring, pomyślała Louise trochę zła, że z nich dwóch to najwyraźniej jej bardziej zależało na zdobyciu alibi dla Britt Fasting-Thomsen i znalezieniu rozsądnego wyjaśnienia pojawienia się kanistra w jej bagażniku.

Willumsen przysłał jej wiadomość, że mają już nakaz przeszukania i Toft już tam jedzie wraz z trzema funkcjonariuszami. Louise nie mogła nic więcej zrobić, by pomóc matce Signe.

Louise jechała wzdłuż portu obok elektrociepłowni Svanemøllen. Jej myśli cały czas krążyły wokół Britt. Zdawała sobie sprawę z tego, że nadeszła pora, by zapomnieć o łączących je prywatnych relacjach, bo inaczej cała sprawa mogła się jeszcze bardziej skomplikować, ale nie potrafiła przestać się martwić o tę nieszczęsną kobietę.

Willumsen zatelefonował na komórkę, lecz Louise pozwoliła jej się wydzwonić na przednim siedzeniu. Nie miała siły z nim rozmawiać.

Skręciła w prawo i przecięła tory kolejowe, kierując się ku Strandboulevarden. Na skrzyżowaniu zaczekała, aż będzie mogła skręcić w lewo, potem zwolniła, szukając numeru domu po przeciwnej stronie. Postanowiła, że zanim wszyscy w komendzie zaczną szaleć z powodu Britt, spróbuje w powrotnej drodze porozmawiać z którymś tych chłopaków i spytać, czy nie wiedzą czegoś o zielonym kanistrze w porcie.

Zadzwoniła do drzwi Vigdís Ólafsdóttir i Jóna Vigdísarsona. Jasny kobiecy głos przywitał ją przez domofon i zaraz rozległ się brzęczyk.

Matka Jóna czekała już na nią w drzwiach na czwartym piętrze. Vigdís Ólafsdóttir okazała się drobną kobietą z ładną twarzą o nieco ostrych rysach. Wargi pomalowane na czerwono kontrastowały z jasnymi włosami i intensywnie niebieskimi oczami. Miała w sobie coś, co Louise kojarzyło się z podziemnym ludkiem, który odgrywał tak wielkie znaczenie w islandzkich przesądach, iż wierzono, że mógł powstrzymać duże budowy, jeśli człowiek za bardzo zakłócił naturę. Ale Vigdís Ólafsdóttir nie miała w sobie nic nadprzyrodzonego. Zaprosiła Louise do dużej kuchni i oznajmiła, że syn jest z kolegami u siebie w pokoju.

– Są bardzo przygnębieni – stwierdziła ze smutkiem.
– Wybierają się do ojca Sebastiana Styhnego. Urządza dziś po południu spotkanie wszystkich przyjaciół syna.

Z pokoju Jóna dobiegało rytmiczne dudnienie i czyjś głos usiłujący przedrzeć się przez mur dźwięków i brzęk butelek.

Matka chłopaka poszła przodem i zapukała do drzwi. Louise stanęła za nią.

W środku było gęsto od dymu. Thomas Jørgensen, ten, który skopał Britt, łamiąc jej kości policzkowe, siedział na podłodze. Oczy miał czerwone, musiało minąć ładnych kilka godzin, odkąd był trzeźwy. Powoli przeniósł wzrok na Louise, ale patrzył na nią bez żadnego wyrazu. Rękawy miał podwinięte, na skórze widać było czarne tatuaże, które zdawały się poruszać, gdy na zmianę napinał i rozluźniał mięśnie, jakby w nawyku, z którego nie zdawał już sobie sprawy. Na łóżku siedzieli Jón i Kenneth Thim, którego Louise wcześniej nie poznała. Wszyscy trzej trzymali w rękach butelki z piwem i papierosy. Byli nieźle wstawieni, a dodatkowo w powietrzu wisiał słodkawy zapach jointów.

Louise właściwie ich rozumiała. Oczywiście byli poruszeni tym, co się stało. Przecież w tym przeklętym baraku nie powinno być żadnego z nich. Może wreszcie uświadomili sobie, że równie dobrze to oni mogli tam spać pijani.

Matka Jóna wyglądała na nieco zakłopotaną i przepraszająco wzruszyła ramionami, ale Louise bez słowa weszła do środka i zamknęła za sobą drzwi.

Zielony kanister na benzynę. Żaden z nich o niczym takim nie wiedział. Przyglądała im się przez chwilę. Czego się spodziewała? Że od razu się przyznają, że sami podpalili barak, nie zdając sobie sprawy, że ich kumple tam śpią?

– Słyszeliście coś o Nicku Hartmannie? – spytała, wyjaśniając, że chodzi jej o człowieka, który wynajął część powierzchni magazynowej w budynku obok baraku.

Thomas Jørgensen otworzył kolejne piwo. Oparł głowę o ścianę i skupił wzrok na Louise, jakby odkrył jej obecność dopiero wtedy, gdy zaczęła mówić. Żaden się nie odezwał.

– Widzieliście, jak ktoś wchodził do tego magazynu?

Próbowała ocenić, do którego ma największe szanse dotrzeć. W pierwszej chwili Jón wydawał się z nich najtrzeźwiejszy, ale z kolei był chyba pod największym wpływem narkotyku, bo źrenice miał maleńkie i nie mógł utrzymać głowy. Właściwie wszyscy trzej byli w zasadzie bez kontaktu. Kręcili głowami, o niczym nie wiedzieli, nikogo nie widzieli i nic nie słyszeli.

– Ktoś podpalił wasz klub – zaczęła, podejmując jeszcze jedną próbę porozumienia się z nimi. – Ten pożar nie wybuchł sam z siebie. Ktoś podłożył ogień. Ta osoba, która to zrobiła, zostanie prawdopodobnie oskarżona o podwójne zabójstwo, chociaż nieumyślne. Zakładam, że jesteście przynajmniej w równym stopniu jak ja zainteresowani odkryciem, kto to zrobił, żeby osoba ta mogła ponieść karę.

– Rozwalę tego psychopatę, jak tylko go znajdziesz – odezwał się Thomas Jørgensen z podłogi i dla zilustrowania swoich zamiarów sięgnął po żelazną rurę stojącą w rogu od strony kuchni i zaczął nią wymachiwać w powietrzu. Ale rura okazała się za ciężka i wypadła mu z ręki, kiedy chciał ją przełożyć do drugiej. Przenikliwie jęknęła, upadając na podłogę.

Louise nie miała wątpliwości, że chłopak mówi serio.

– Ale przecież my nie odkryjemy, kto to zrobił, jeśli nie powiecie nam, kogo widzieliście w porcie.

Zapadła cisza. Chłopcy popatrzyli na siebie, jakby chcieli uzgodnić, ile mogą wyjawić. W końcu znów odezwał się Thomas Jørgensen.

– Kto tam, u diabła, przychodził? – spytał, zwracając się jakby do siebie i próbując zapanować nad myślami.

– No, ten Arab z krzywymi oczami – zaczął w końcu.

– I od czasu do czasu ci, których Nymann znał z twierdzy. Ale oni stawali przed magazynem, do nas nie przychodzili.

Pozostali dwaj pokiwali głowami. Kenneth Thim nachylił się, żeby coś dodać:

– I jeszcze ci, co wyładowywali towar, kiedy przyjeżdżał – wybełkotał zbyt pijany, by mówić wyraźnie. Zaciął się, jakby nagle zapomniał, o co pytała Louise, ale po chwili odnalazł wątek: – Ale przecież od nas nie było widać, co się tam działo. Oni wchodzili z drugiej strony, więc nie wiadomo, kto tam się kręcił, więc się nas nie czepiaj. – Zamglonym wzrokiem spojrzał na kolegów, jakby spodziewając się pochwały za przywołanie policjantki do porządku.

Louise go zignorowała.

– Arab? – spytała. – Co to za jeden?

– Ten, co trzyma tam całe to swoje gówno – wyjaśnił Jón zniecierpliwiony. Spojrzał na zegarek i podniósł się chwiejnie.

Określenie „Arab" najwyraźniej dotyczyło wszystkich osób o ciemnych egzotycznych rysach, nawet jeśli ich przodkowie pochodzili z Grenlandii.

– Wiecie pewnie, że to człowiek, który wynajmował magazyn, został zastrzelony.

Przytaknęli obojętnie, a Jón podszedł do swojego biurka. Na stojącym przy nim krześle leżały kurtki.

– No, idziemy – zdecydował, patrząc na kolegów. Spojrzał na Louise i lekko przepraszającym tonem wyjaśnił, że mają się spotkać w kawiarni w Nyhavn.

– Zakładam, że mówiąc „twierdza", macie na myśli twierdzę rockersów, a nie Christiansborg* – rzuciła Louise.

Kenneth Thim zaśmiał się krótko.

– Jasne. Myślisz, że te głupki z parlamentu przychodzą do takich fajnych miejsc?

Jeszcze chwilę śmiał się ze swojego dowcipu, w końcu Jón rzucił w niego krótką skórzaną kurtką, której rękaw uderzył Kennetha w twarz, a z papierosa wypadł żar.

– Uważaj, do cholery! – wrzasnął i gorączkowymi ruchami strącił żar z pościeli na podłogę, na której roztarł go butem, zostawiając czarny wypalony ślad w parkiecie. – Co ci strzeliło do głowy, ty idioto! – Skrzywił się ze złością.

– No, chodźmy już! – Jón podciągnął Thomasa Jørgensena z podłogi.

Louise, patrząc na Thima, domyśliła się, że ten chłopak większość życia spędza oszołomiony alkoholem, dymem i tabletkami. Wszystkim tym, co pomagało mu się zamknąć w jego małej pseudorzeczywistości, w której mógł stosować się do własnych reguł. Na wskroś niesympatyczny i nieobliczalny, oceniła Louise, odsuwając się na bok, żeby chłopcy mogli wyjść. Została sama w progu pokoju. Kiedy drzwi wejściowe się za nimi zatrzasnęły, jeszcze przez chwilę słychać było ich głosy na klatce.

Z salonu przyszła Vigdís Ólafsdóttir i spojrzała na Louise takim wzrokiem, jakby chciała przeprosić za ich zachowanie.

* Siedziba duńskiego parlamentu. Wszystkie przypisy zamieszczone w książce są autorstwa tłumaczki.

– Oni nie mogą pojąć, że ich kumpli już nie ma. To takie tragiczne. Nie do uwierzenia – powiedziała, przysuwając sobie krzesło. – Możliwe, że nie widać tego po nich, ale w środku to jeszcze duże dzieci.

Louise tego nie skomentowała, tylko usiadła na drugim krześle.

– Myśli pani, że oni mogli sami podpalić barak w zemście za to, że zabroniono im już dłużej z niego korzystać? Oczywiście nie wiedząc, że w środku są ich koledzy.

Islandka energicznie pokręciła głową, aż zafalowały jej włosy.

– Coś takiego nigdy nie przyszło im do głowy. Poza tym pozwolono im urządzić się w pomieszczeniu na poddaszu w tej kamienicy, w której ojciec Sebastiana prowadzi kawiarnię. Jest właścicielem całego budynku i dostali tam dwa czy trzy pokoiki, więc już mają jakieś swoje nowe miejsce. Kiedy ich wyrzucono z portu, przewieźli na to poddasze wszystkie rzeczy. Muszą teraz jeszcze je pomalować i trochę uporządkować. Na pewno nie chcieli niczyjej krzywdy. – Z islandzkiego akcentu prawie nic nie zostało, jedynie lekki ton.

Louise głęboko odetchnęła.

– Wie pani, czy syn i jego koledzy mają kontakt z członkami klubu rockersów? – spytała, obserwując kobietę.

Vigdís spuściła wzrok, wyraźnie się namyślając. Chwilę później znów spojrzała na Louise i kiwnęła głową.

– Chyba tak, przynajmniej niektórzy. W każdym razie

Nymann, ten, który zginął w weekend. Znał kilku rockersów i chyba próbował wciągnąć w to środowisko pozostałych, żeby mogli działać jako coś w rodzaju grupy wspierającej. Ale Jón na szczęście się nie zgodził. Jest na tyle mądry, żeby się zastanowić, z kim warto się kolegować.

Louise myślała swoje. Ciekawa była, ile Islandka wie o kryminalnej przeszłości kolegów syna. Niektórzy rodzice mają wprost baśniową zdolność wypierania prawdy o swoich dzieciach i ich możliwościach. To zresztą najłatwiejsze dla wszystkich stron, aż do momentu, gdy na troskę i uwagę jest już za późno. Sama prowadziła sprawę zabójstwa na Strøget w centrum miasta. Młodego chłopaka zakłuto nożem na środku ulicy, a później okazało się, że sprawcy tej bezsensownej napaści pochodzili z „szanowanych porządnych rodzin". Louise wiedziała, że brak uwagi i troski mógł wyrządzić nastoletnim dzieciom tyle samo szkody co trudne dzieciństwo.

Pożegnała się i podniosła z podłogi torebkę. Wręczyła Islandce swoją wizytówkę i powiedziała, że ma nadzieję na szybki postęp w śledztwie w sprawie tego pożaru.

Już z ulicy zadzwoniła do Willumsena. Zostawił jej trzy wiadomości w czasie, gdy rozmawiała z chłopakami. Odebrał po jednym dzwonku, ale Louise nie dopuściła go do słowa.

– Właśnie próbowałam coś wycisnąć z trzech kolegów ofiar pożaru. Powiedzieli, że kilka razy widzieli Nicka Hartmanna koło magazynu razem z członkami klubu rockersów. Mimo że ten ich rzecznik twierdzi, że nic im o nim nie wiadomo – mówiła szybko, żeby szef jej nie przerwał. – Przychodzili do magazynu razem z Hartmannem – podkreśliła. – Trzeba będzie znów ich wypytać.

Gdy tylko wypowiedziała te słowa, w uchu zaświdrował jej grzmiący głos Willumsena:

– Zbieraj tę swoją zgrabną dupkę w troki i przyjeżdżaj tutaj! Zapomnij o rockersach. To w tej chwili obojętne. Przed chwilą dzwonił Frandsen i przekazał, że jego koledzy już skończyli oględziny czarnego golfa ze Strandvænget. Ślady opon co do joty pasują do odcisków zabezpieczonych na Svanemøllen przy baraku. Zatrzymaliśmy już Britt Fasting-Thomsen i w ciągu kilku godzin przedstawimy jej zarzut podwójnego zabójstwa.

Louise, do diabła! Przecież Britt nikogo nie zabiła! Camilla zjechała na bok i zatrzymała się na pasie awaryjnym. Automatyczną skrzynię biegów zostawiła w pozycji „stop" i odpięła pas bezpieczeństwa.

W Danii dochodziła już północ i słyszała, że Louise jest śpiąca. Tutaj było ledwie popołudnie. Na siedzeniu pasażera siedział Markus wyglądający przez boczną szybę na kalifornijskie winnice, w których winorośl rosła wyżej, niż pozwalali na to francuscy winiarze. Ziemia była czerwonawa, starannie uprawiona, poprzecinana wąskimi bruzdami zapobiegającymi wyrastaniu chwastów. Ale Camilla nie patrzyła w tę stronę. Przez ostatnią godzinę jechali Napa Valley, kierując się ku San Francisco, i chociaż wpatrywała się w drogę, myślami była w Danii. To przez Ulrika, który przysłał jej krótkiego esemesa jedynie z informacją, że wcześniej tego dnia zatrzymano jego żonę, ale dopiero wieczorem policja przedstawiła jej zarzut wywołania pożaru, w którym straciło życie dwóch młodych ludzi.

Camilla nie mogła tego pojąć. Próbowała dodzwonić się do Louise na komórkę, ale przyjaciółka dopiero teraz odebrała. Camilla czuła, jak rozpala się w niej gniew. Z całych sił starała się nie podnosić głosu.

– Posłuchaj mnie uważnie – powiedziała z udawanym spokojem, zbyt dużym jak na siebie, przez co jej głos brzmiał sztucznie. – Britt nie potrafi nikogo zabić. Ona tego nie ma w sobie.

– Samochód Britt był w porcie – przerwała jej od razu Louise.

Camilla słyszała, że przyjaciółka ziewa, ale to było jej akurat w tej chwili, łagodnie mówiąc, obojętne. Ogarnęła ją taka złość, że wolną rękę musiała zacisnąć na kierownicy, żeby opanować drżenie.

– Britt nie ma żadnego alibi, nie pamięta, co robiła, oprócz tego, że spała, czy jak sama mówi, „leżała i patrzyła w niebo" po tym, jak wyszliśmy od niej z Flemmingiem o wpół do szóstej – ciągnęła Louise. – To nie wystarczy. Zwłaszcza że znaleźliśmy u niej kanister tego samego rodzaju jak ten, na który natrafili technicy koło miejsca wybuchu pożaru. Britt uparcie twierdzi, że nic o nim nie wie, chociaż kanister leżał w bagażniku jej samochodu.

Camilla pozwoliła jej mówić, ale już nie słuchała. Przed oczami stała jej matka Signe, twarz o delikatnych rysach i starannie ostrzyżone włosy.

– To możliwe – stwierdziła Camilla, kiedy Louise

w końcu umilkła. – Ale ona nie poszła do portu, żeby zemścić się za śmierć Signe.

Zorientowała się, że Louise chce kończyć. W tylnym lusterku widziała gigantyczną ciężarówkę zbliżającą się bardzo szybko, oświetloną lampkami i reflektorami, tak że przypominała wieżowiec na kółkach. Ich samochód cały się zatrząsł, gdy minęła ich, podrywając z Highway 80 chmurę kurzu. Za chwilę jednak kurz opadł i widać było długą prostą drogę.

– Britt tak nie myśli – oświadczyła w końcu. – Ja mogłabym to zrobić. Prawdę mówiąc, nie mam wątpliwości, że myślałabym o zemście, gdyby chodziło o Markusa. Gdyby ktoś, ścigając go, doprowadził do wypadku, w którym Markus zginąłby tak jak Signe, to jestem pewna, że wymyśliłabym coś takiego. I przepraszam, że tak powiem, ale byłoby mi obojętne w takiej sytuacji, że mogę spędzić szesnaście lat za kratkami. I tak nic by mi już nie zostało. Ale może mój żal byłby mniejszy, gdybym wiedziała, że ci, którzy to zrobili, również ponieśli zasłużoną karę.

– Oczywiście, że byś tego nie zrobiła! – przerwała jej zirytowana Louise.

Jej głos dotarł do Camilli nagle wyraźniej.

– Owszem, jestem o tym przekonana. Ale Britt nie. Ona nie ma w sobie takiej złości i na tym polega różnica.

– Daj spokój! – Louise zmieniła ton na bardziej profesjonalny, czym podkreśliła jeszcze dzielący je dystans. Teraz musiała zapomnieć o ich przyjaźni. – Słyszę, co mówisz, i rozumiem.

Camilla wyprostowała się na szerokim skórzanym siedzeniu auta, czując, jak złość przenika ją całą.

– Ale musisz też zrozumieć, że jesteśmy w samym środku śledztwa w sprawie zabójstwa – ciągnęła Louise, zanim Camilla zdążyła coś powiedzieć. – W dodatku podwójnego zabójstwa. Więc nic nikomu nie przyjdzie z tego, że zadzwonisz z urlopu i powiesz, że twoja przyjaciółka nie mogła tego zrobić. Trzeba wyłożyć dowody na stół. A na początek miło by było, gdyby sama Britt zaczęła nam pomagać, kiedy próbujemy wyjaśnić, co robiła w tamten feralny wieczór.

Camilla chciała zaprotestować, ale zamiast tego wyłączyła komórkę. Zrezygnowana trzymała ją w dłoni, czując dojmującą pustkę. Była za daleko, aby mogła zrobić coś dla Britt. Nagle przypomniał jej się John Bro. Adwokat, gwiazda palestry, z którym nieraz zetknęła się podczas pracy w „Morgenavisen". Był bezwstydnie drogi, ale wygrywał swoje sprawy. Odszukała ostatni esemes od Ulrika i przesłała mu w odpowiedzi nazwisko i adres kancelarii na Bredgade.

– Mama Signe kogoś zabiła? – spytał Markus, który nie odezwał się ani słowem podczas jej rozmowy z Louise. Nie poprosił nawet, żeby ją pozdrowiła, wyraźnie wyczuwszy, że stało się coś niedobrego.

– Oczywiście, że nie, ale policja podejrzewa ją o podłożenie ognia w miejscu, gdzie spało dwóch z tych chłopaków, którzy wdarli się na imprezę Signe.

Popatrzyła na synka. Miał w oczach jakiś dystans, jakby chciał się odgrodzić od tego wszystkiego.

– Być może będziemy musieli wracać do domu
– stwierdziła, biorąc go za rękę.

Przez chwilę nie reagował, ale w końcu odwrócił się
do niej i kiwnął głową. Skróciliby w ten sposób pierwot-
ne plany o miesiąc, ale Camilla wiedziała, że nie wytrzyma dłużej tej wycieczki, jeśli Britt pozostanie w areszcie,
a ona nie zrobi nic, żeby jej pomóc. Gdyby zrezygnowali
z dalszego zwiedzania, mogłaby przynajmniej ją odwiedzić.

Przełączyła skrzynię biegów na „drive" i zjechała
na szosę. Do San Francisco wciąż mieli dwie i pół godziny jazdy. Po drodze musieli znaleźć jakieś miejsce
na lunch, a potem zadzwoni do biura podróży i poprosi
o zmianę terminu lotu powrotnego.

Znów pisnęła komórka, oznajmiając nadejście esemesa. Od Ulrika.

„Mamy już adwokata, ale bardzo ci dziękuję. Właśnie
rozmawiałem z Frederikiem. Chętnie się z tobą spotka,
niestety, dopiero w weekend. Prześlę ci adres. Pozdrowienia. Ulrik".

Camilla, jadąc, rozglądała się za jakąś tanią restauracją albo stacją benzynową, żeby przynajmniej mogli
kupić coś do picia i jakąś kanapkę. W głowie krążyły
jej nieuporządkowane myśli. Zaskoczyło ją, że Frederik
Sachs-Smith zgodził się na spotkanie, ale wciąż była
wstrząśnięta zatrzymaniem Britt i w porównaniu z tym
wydarzeniem zbladła nawet jej ochota na przeprowadzenie wywiadu. Ale gdyby udało jej się uzyskać od

314

Frederika Sachs-Smitha jego wersję skandalu rodzinnego, mogłaby ją sprzedać „Morgenavisen" i w ten sposób pokryć przynajmniej przelot do Danii.

Pokręciła głową. Równie dobrze mogła zrezygnować z tego wywiadu. Gdyby teraz wrócili, nie wydaliby pieniędzy na hotele i jedzenie. No ale przecież wynajęła swoje mieszkanie i musieliby poszukać jakiegoś lokum na ten czas, na jaki planowali wyjazd.

– Nie mam ochoty wracać do domu – oznajmił nagle Markus po pół godzinie jazdy, kiedy bez skutku wypatrywali kawiarni czy restauracji. – Nie chce mi się wracać do szkoły, skoro nie ma tam Signe. No i przecież zapowiadaliśmy, że nie będzie nas przez dwa miesiące, więc głupio być w domu wcześniej.

– Będziemy musieli wrócić, żeby pomóc jakoś mamie Signe, jeśli nas potrzebuje – powiedziała Camilla cicho, chociaż dobrze go rozumiała.

Britt siedziała w celi, a o jej aresztowaniu miał nazajutrz zadecydować sąd. Jeśli policja była w posiadaniu aż tylu dowodów, jak twierdziła Louise, to najprawdopodobniej Britt zostanie aresztowana na dwa albo na cztery tygodnie, domyślała się Camilla. Miała tylko nadzieję, że Ulrik zatrudnił dobrego adwokata.

Nareszcie dostrzegła tablicę informującą, że za trzydzieści kilometrów dotrą do restauracji U Ruby. Wyjechali z hotelu trochę po ósmej i czuła teraz, że jest głodna. Jednocześnie ściskały ją w brzuchu wątpliwości, ale było jeszcze za wcześnie, by pozwolić im się rozrosnąć. Zdecydowanie za wcześnie.

Na parkingu przed restauracją stały trzy samochody. Camilla podjechała aż do samego wejścia z czerwono- -białą tablicą.

– Dostanę waniliowego shake'a i cheesburgera? – spytał Markus, kiedy Camilla otworzyła mu drzwi.

Uśmiechnęła się, dobrze wiedząc, że synek wykorzystuje okazję, iż myślami była zupełnie gdzie indziej i mogła zapomnieć o umowie, jaką zawarli. Że nie będą jeść hamburgerów częściej niż dwa razy w tygodniu.

Właśnie że przeprowadzi ten wywiad z Frederikiem Sachs-Smithem, zdecydowała, gdy kelnerka z włosami uczesanymi w koński ogon i małym fartuszkiem postawiła przed nimi na stoliku wysokie szklanki z waniliowym napojem. Frederik Sachs-Smith wciąż jeszcze nie dopuścił do siebie żadnego dziennikarza, ale zgodził się na rozmowę z nią. Poza tym bardzo jej odpowiadały trzy czy cztery dni spędzone w San Francisco, zanim pojadą wzdłuż wybrzeża autostradą numer 1 w stronę Santa Barbara, gdzie Frederik Sachs-Smith mieszka w dużej willi nad wodą.

Kawa z termosu była niesmaczna i wcale nie tak gorąca jak wtedy, gdy Louise nalewała ją w kuchni wkrótce po zabraniu Britt Fasting-Thomsen z sądu na kolejne przesłuchanie. Sędzia, tak jak się spodziewano, zdecydował o tymczasowym aresztowaniu na cztery tygodnie. Britt miała na sobie to samo ubranie co dzień wcześniej, twarz nieumalowaną, ale tak było od kilku tygodni. Już po pogrzebie Louise zauważyła tę zmianę. Nie chodziło o zaniedbanie, po prostu przestała wykazywać jakąkolwiek inicjatywę.

Mechanicznie kiwnęła głową, kiedy Louise zaproponowała, że napełni jej filiżankę letnią kawą. Obok siedział adwokat Nikolaj Lassen. Ulrik przedstawił go jako rodzinnego prawnika, a Louise zrozumiała, że znają go dobrze i widują się z nim również prywatnie. Miał około czterdziestu lat, jasne włosy starannie uczesane. Był ubrany w elegancki garnitur, który wyglądał na drogi. Odkąd przyszli do pokoju na piętrze po decyzji sądu, mówił głównie on. Britt poprzestawała na kiwaniu lub kręceniu głową.

– Nie byłam w porcie ani wieczorem, ani w nocy – powtórzyła zrezygnowanym tonem. Nie patrzyła już na nich. Wzrok przez cały czas miała wbity w blat, a ręce nerwowo zaciśnięte. – I nie potrafię wyjaśnić, jakim sposobem mój samochód miałby tam się znaleźć.

Po chwili ciszy Louise przeszła do innego wątku:

– Jesteś pewna, że Ulrik też nie widział nigdy tego kanistra?

Adwokat nerwowo poruszył się na krześle.

– To on mógł go kupić i włożyć do twojego samochodu, bo uznał, że nierozsądnie jest jeździć bez zapasu benzyny – podsunęła Louise.

Ulrik już potwierdził, że nie wiedział nic o zielonym kanistrze, ale Louise chciała usłyszeć tę odpowiedź od Britt.

Louise i Toft otrzymali do pomocy dwóch funkcjonariuszy z innej grupy śledczej Wydziału Zabójstw, którzy obeszli wszystkie sklepy Aldi na Østerbro, Nørrebro i Frederiksberg. Sieć dyskontów nie miała żadnych sklepów w Hellerup, gdzie zakupy robiła rodzina Fastingów-Thomsenów. Nigdzie jednak nie rozpoznano Britt na zdjęciu i nikt nie przypominał sobie, żeby ktoś kupował więcej niż jeden kanister, gdy były na promocji. Ten towar dobrze się sprzedawał, ale prawdę mówiąc – jak powiedzieli dwaj koledzy, którzy sprawdzali sklepy – większość kasjerów była kompletnie niezainteresowana tym, co przesuwa się na taśmie i kto podaje kartę do płacenia.

Sprawdzono również wszystkie płatności kartą, ale nigdzie nie pojawiło się nazwisko ani numer karty Britt.

– Ja naprawdę nic o tym nie wiem – powtórzyła Britt słabym głosem i cicho chrząknęła.

Z opanowaniem przyjęła decyzję sędziego o aresztowaniu. Spuściła tylko głowę i posłusznie wstała, gdy podszedł do niej policjant, żeby ją wyprowadzić. Teraz patrzyła na Louise i nie próbowała ukrywać łez napływających jej do oczu.

– Naprawdę nie podpaliłam tego budynku. Nie wiem, skąd się wziął kanister w bagażniku mojego samochodu. Ja go tam nie włożyłam.

Louise znów ogarnęło wrażenie, że Britt nie do końca pojmuje, że cała ta sprawa ma jakiś związek z nią, i gdyby tak uparcie nie trwała przy swojej niewinności, Louise obawiałaby się, że kobieta się załamie. Ale Britt daleko było do załamania. Mimo poważnych zarzutów nie sprawiała wrażenia zalęknionej ani przerażonej, bardziej zdawała się oczekiwać, że to wszystko minie, jeśli tylko dostatecznie długo będzie utrzymywać, że jest niewinna.

Toft wstał i poszedł po wydruk protokołu z przesłuchania. Adwokat wziął od niego trzy kartki formatu A4. Zamierzał wszystko starannie przeczytać, zanim pozwoli klientce podpisać.

Louise oparła się na krześle i lekko przygarbiła. Nikolaj Lassen się nie spieszył, Britt siedziała wpatrzona w okno, ale chyba nie interesowały jej promienie jesiennego słońca tańczące na parapecie. Znów jakby zapadła się w siebie. Drobne zmarszczki wyraźnie wystąpiły jej na twarzy.

Ktoś mocno zapukał do drzwi. Wszystkie głowy natychmiast się uniosły. Do pokoju wmaszerował Willumsen, podszedł do biurka i nachylił się do Britt i jej adwokata. Przez cały dzień krążył między pokojami śledczych jak mucha zamknięta w butelce, podniecony aresztowaniem i zirytowany tym, że podejrzana nie ustępuje nawet o milimetr.

– Bardzo by mnie interesowało, gdyby pani powiedziała nam, jaki rodzaj drewna przechowują państwo w drewutni w waszym ogrodzie za domem – zaczął, wyczekująco patrząc na Britt.

Pod jego spojrzeniem kobieta cofnęła się lekko na krześle i mocniej splotła palce. Po jej twarzy przemknęła niepewność, w oczach pojawił się lekki niepokój.

– Drewna? – powtórzyła. – Naprawdę nie wiem. Nie zajmujemy się tym sami. Zamawiamy je, ktoś je przywozi i wystawia palety. Potem mój mąż oczywiście sam układa je w szopie, ale niczego nie rąbie. Drewno jest gotowe do użytku, kiedy je przywożą.

– A wie pani, jakim rodzajem drewna palicie? – spytał szef grupy śledczej wciąż nad nią nachylony.

Obrońca poruszył się niespokojnie, a Louise czekała, kiedy zainterweniuje. Gdyby należał do tych bardziej agresywnych, już by to zrobił. Przypuszczała jednak, że Nikolaj Lassen sam chce się dowiedzieć, do czego zmierza Willumsen, zanim postanowi zaprotestować.

– Ja się na tym nie znam – odparła Britt. – To zawsze Ulrik zamawia drewno, kiedy nam się kończy.

320

– Dąb, buk czy sosna? – próbował Willumsen, ale ona tylko pokręciła głową i teraz wreszcie jej obrońca się wychylił.

– Do czego pan zmierza? – spytał, cofając się, by choć odrobinę zwiększyć dystans do wielkiego cienia Willumsena, który padał na biurko.

Adwokat nie zdradzał niepewności. W eleganckim garniturze nie wyglądał też na specjalnie zdenerwowanego, ale nie sprawiał również wrażenia agresywnego typa, który usiłuje zbierać punkty, jeszcze zanim odgwiżdżą początek meczu.

Willumsen spojrzał na niego, wyprostował się i włożył ręce do kieszeni granatowych gabardynowych spodni z przeszytym kantem. Okulary podsunął na czoło. Były ciężkie i ciemne, zlewały się z jego czarnymi włosami.

– Zmierzam do miejsca, gdzie mógłbym usłyszeć wyjaśnienie tego kompletnie nieprawdopodobnego zbiegu okoliczności, o którym przed chwilą powiedzieli mi nasi technicy. Znów skierował wzrok na Britt i oznajmił, że technicy właśnie zakończyli badania willi na Strandvænget. Louise wiedziała, że towarzyszył im Michael Stig i przeszukano całą posiadłość.

– Drewno, które leży w drewutni, to buk suszony w suszarni, pocięty i porąbany na kawałki o długości dwudziestu pięciu, trzydziestu centymetrów. I rzeczywiście przypuszczalnie dostarczany jest na paletach o objętości około dwóch metrów sześciennych. Te polana, które wrzucono przez okno do baraku i od których zapaliła się benzyna wcześniej rozlana w tym pomieszczeniu, były, co bardzo interesujące, tego samego rodzaju. Ten sam typ drewna – podkreślił. – Nie jesion, brzoza ani mieszane drewno liściaste czy innych gatunków, które kupuje się już gotowe do użytku. W Wydziale Techniki Kryminalistycznej stwierdzono, że do podpalenia użyto buku suszonego w suszarni, który w przeciwieństwie do drewna suszonego na powietrzu nabiera lekko czerwonawego odcienia.

Adwokat nie przerywał. Słuchał w milczeniu.

– To absolutnie nieprawdopodobny zbieg okoliczności, mam rację? Szczególnie zważywszy na to, że żaden z waszych sąsiadów nie pali u siebie tym gatunkiem drewna.

Obrócił się na pięcie i wyszedł.

Louise głęboko odetchnęła i odsunęła na bok filiżankę z zimną kawą. Przenosiła wzrok z Nikolaja Lassena na Britt, czekając, aż któreś z nich się odezwie. Obrońca sprawiał wrażenie zrezygnowanego. Nie patrzył na swoją klientkę. Toft sięgnął po papiery leżące przed Britt i czekające na jej podpis.

– Może na chwilę wyjdziemy, żebyście mogli porozmawiać – zaproponowała Louise, spoglądając na adwokata.

Nagle odniosła wrażenie, że prawnik zamierza porzucić Britt. Lassen jednak kiwnął głową, więc zostawili ich samych.

Na korytarzu czekał na nich triumfujący Willumsen. Miał taką minę jak szachista, który już dawno przewidział następny ruch przeciwnika. Dobrze wiedział, że przyniesiona przez niego nowina będzie wymagała omówienia przez adwokata z klientką, i tylko czekał na Tofta i Louise.

– I co? Możemy liczyć na przyznanie się do winy? – spytał, zwracając się głównie do Tofta. Z Louise wciąż miał na pieńku od chwili, kiedy kazał jej ruszyć zgrabną dupkę.

– Możliwe.

Toft podciągnął blezer i z kieszonki koszuli wyjął gumę do żucia zawierającą nikotynę. Od czasu, gdy zakaz palenia objął również komendę, miał ze sobą e-papierosy wydzielające odmierzoną dawkę nikotyny, ale w końcu dotarło do niego, jak głupio wygląda ze śmieszną rurką w kąciku ust. Kilka miesięcy temu skapitulował wreszcie i zamienił e-papierosa na bardziej dyskretną gumę. Ale te erzace i tak wchodziły w grę jedynie w komendzie. Poza tym zawsze miał przy sobie nieodłączne prince'e. Po prostu nie chciał schodzić na podwórze za każdym razem, gdy tylko czuł głód nikotyny.

Louise pokręciła głową, ale Willumsen ją zignorował.

– Gdyby chciała się przyznać, to zrobiłaby to już wtedy, kiedy z nią rozmawiałam. Nie musiałaby wtedy tam siedzieć. – Wskazała na drzwi do pokoju, a po minie Tofta widziała, że był skłonny się z nią zgodzić.

– Na pewno się nie przyzna, jeśli ciągle będziesz dawać jej nadzieję, że jest jakieś wyjście – rzucił kąśliwie Willumsen, patrząc na zegarek.

Drzwi się otworzyły i Nikolaj Lassen wystawił głowę, oznajmiając, że są gotowi. Za nim siedziała Britt, blada, lecz równie opanowana jak wtedy, gdy sędzia zdecydował, że spędzi w areszcie następne cztery tygodnie. Kiedy usiedli, adwokat pokręcił głową.

– Mojej klientce nic nie wiadomo o tym zbiegu okoliczności, który najwyraźniej zaszedł. Ale to drewno, które znajduje się na terenie posiadłości rodziny, jest dostępne dla wszystkich. Drewutnia nie jest zamykana.

– Ale nie jest też widoczna z zewnątrz, dopóki nie wejdzie się do części ogrodu położonej za domem – przypomniała Louise, patrząc na Britt.

– To prawda – przyznała matka Signe.

– Chciałbym prosić, abyśmy na dzisiaj już zakończyli – odezwał się obrońca. – Muszę zapoznać się z tymi nowymi informacjami i dowiedzieć się, co jeszcze znaleźli technicy. Dlatego proponuję, aby odwieziono moją klientkę z powrotem do Więzienia Zachodniego.

– Będzie pan jej towarzyszył czy któreś z nas ma z nią pojechać? – spytała Louise i stanęła w drzwiach, czekając, aż obrońca spakuje swoje rzeczy.

– Chyba dacie sobie radę beze mnie – mruknął, nie podnosząc głowy.

– Zgadzasz się, żebym sama ją odwiozła? – Louise zwróciła się do Tofta, kiedy stanęli już na korytarzu.

Kiwnął głową, śledząc wzrokiem adwokata znikającego w korytarzu.

Louise wzięła kluczyki do radiowozu, który Michael Stig zostawił na Otto Mønsteds gade po powrocie z przeszukania willi Fastingów-Thomsenów.

Na schodach nie odzywały się do siebie. Aresztowana szła ze spuszczoną głową i nie powiedziała też nic, kiedy Louise otworzyła tylne drzwi auta zablokowane od środka i poprosiła ją, żeby wsiadła.

Matka Signe miała tylko to, co na sobie. Żadnego płaszcza, żadnej torebki, jedynie jasnoniebieski kaszmirowy kardigan, którym mocniej się owinęła, kiedy jakiś dziennikarz i fotograf nagle puścili się biegiem w stronę radiowozu. Tragiczny pożar przez cały weekend zajmował pierwsze strony gazet. Zarówno właściciel kawiarni w Nyhavn, jak i rodzice Nymanna z Næstved chętnie opowiadali o swoich nastoletnich synach, którzy zginęli w płomieniach. Dziennikarze skontaktowali się również z kolegami z dzieciństwa ofiar, a także z trójką pozostałych chłopaków. Louise domyślała się, że to ojciec Sebastiana podał im nazwiska. Na razie jednak nie ujawniono, że czterdziestotrzyletnia kobieta została zatrzymana w sprawie, choć jedynie kwestią czasu pozostawało oczywiście odkrycie przez dziennikarzy związku śmierci Signe z aresztowaniem jej matki. Wtedy w mediach rozpęta się prawdziwe piekło.

Suhr poruszył ten problem już podczas porannej odprawy, ale niewiele mogli z tym zrobić oprócz próby ochronienia Britt przed dziennikarzami podczas transportu na przesłuchania do komendy.

Kiedy jechały przez most Tietgena wzdłuż ośrodka sportowego DGI i terenów kolejowych, Louise postanowiła przestrzec Ulrika przed tym, czego mogą się z żoną spodziewać ze strony mediów. Chyba że sam już wcześniej o tym pomyślał. Najlepiej by było, gdyby wyniósł się gdzieś na jakiś czas, uznała, zatrzymując się przy stacji Enghave, skąd widać już było Więzienie Zachodnie.

Spojrzała na Britt we wstecznym lusterku, próbując odczytać wyraz jej niebieskich oczu obserwujących ulice przez szybę. Jechały Vigerslevs Allé, a potem krótki odcinek do bram więzienia. Louise pomyślała o filmach o gangu Olsena i wszystkich tych razach, kiedy na Egona pod więzieniem Vridsløselille wyczekiwali Benny i Kjeld. Film skojarzył jej się z Jonasem. Rano przyszedł esemes od Kima, który pisał, że wziął dzień wolny, aby spędzić go razem z chłopcem, skoro miał ferie jesienne. Wyrażał nadzieję, że Louise to zaakceptuje. Informował też, że odwiezie Jonasa do Kopenhagi mniej więcej na kolację. Zaofiarował się nawet, że sam ją przygotuje.

W ogóle tego nie akceptowała. Louise oddzwoniła i powiedziała mu to wprost. Nie mogła dopuścić, by w taki sposób wdzierał się w jej codzienność i usiłował stać się jej częścią. W Hvalsø mimo wszystko w końcu się zgodziła, żeby przyjechał po Jonasa i zabrał go do siebie, nie mogła bowiem znaleźć żadnego argumentu przemawiającego za tym, że dla Jonasa lepiej by było, żeby siedział i gapił w ścianę u jej rodziców, dopóki po południu nie wsiądzie do pociągu, którym wróci do Kopenhagi. W podjęciu tej decyzji pomogło jej również uświadomienie sobie, że jest skłonna do wielu ustępstw, byle tylko utrzymać dobry humor Jonasa przynajmniej do tej chwili, kiedy będzie już musiała mu powiedzieć, że policja zatrzymała matkę Signe pod zarzutem zabójstwa dwóch chuliganów, którzy wtargnęli wtedy na imprezę. Podjechała pod samą bramę i zaczekała, aż się rozsunie. Przed nimi wyrosła kolejna brama, ale tę otwarto dopiero wtedy, gdy porozmawiała ze strażnikiem w budce, a ta z tyłu zamknęła się z ciężkim jękiem. Do więzienia mogła wjechać tylko po pełnej kontroli.

Zatrzymała się na parkingu przy sektorze przyjęć, a kiedy wyłączyła silnik, odwróciła się do siedzącej z tyłu Britt.

– Nie mów mi, czy to zrobiłaś, czy nie. Powiedz tylko, czy mam szukać dalej sprawcy. Nie mogę cię wyciągnąć z aresztu, policja postawiła ci bardzo poważne zarzuty, jedne z najpoważniejszych, jakie w ogóle można postawić, i grozi ci za to nie tylko szesnaście lat więzienia, ale nawet dożywocie w zakładzie o zaostrzonym rygorze. Zabójstwo z premedytacją przez podłożenie ognia motywowane zemstą to jedno z najcięższych przestępstw, jakie można popełnić, dlatego nie mów mi, czy jesteś winna. Powiedz tylko, czy będę tracić czas, próbując się dowiedzieć, kto to zrobił, jeśli to nie ty.

Spojrzenie Britt stało się bardziej przytomne. Nabrało intensywności. Popatrzyła Louise prosto w oczy, nachyliła się między przednimi siedzeniami i położyła jej rękę na ramieniu.

– Dla mnie nic nie musisz robić – oświadczyła głosem głębszym, niż mówiła w komendzie. Cofnęła rękę i wyjrzała przez okno. Myśli znów ją dopadły. Wyprostowała się i na powrót stała jakby nieobecna.

Louise przez chwilę ją obserwowała, w końcu uruchomiła samochód i podjechała ostatni kawałek pod drzwi z wideofonem. Umundurowany strażnik ujął Britt za łokieć i wprowadził ją do środka. Louise czekała w samochodzie, aż drzwi się za nią zamkną.

S frustrowana Louise uderzyła obiema rękami w kierownicę, gdy znów musiała się zatrzymać, czekając na wyjazd na Vigerslev Allé.

Myślała o Camilli, która bombardowała ją esemesami, powtarzając, że aresztowanie Britt to jakaś pomyłka. Nakazywała przyjaciółce szukać dowodów wskazujących na kogoś innego. W końcu Louise zirytowała się tak, że nie chciała już czytać stale nadchodzących wiadomości.

Louise dobrze wiedziała, co żądza zemsty potrafi zrobić z rozsądnymi zwyczajnymi ludźmi. Wywoływały ją najsilniejsze uczucia: miłość, nienawiść i zazdrość. Potrafiła doprowadzić normalnie funkcjonującą osobę na skraj przepaści. Dlatego Camilla nie miała racji, upierając się, że Britt czegoś takiego w sobie nie ma. I Britt oczywiście musiała ponieść karę, jeżeli była winna tego podpalenia.

Ze złością zatrąbiła na jakiś biały samochód, który tarasował wjazd, i w końcu wcisnęła się na boczny pas i skręciła przy stacji Enghave. Akurat w tej chwili miała serdecznie dość całej tej sprawy. Przewidywała, że Britt się nie przyzna bez względu na to, jakie dowody wyłoży przed nią na stół policja. Dołączyła do sznura samochodów, próbując zapomnieć o kobiecie. Westchnęła i zaczęła myśleć o Sejrze. W tym czasie gdy ona przesłuchiwała Britt, kolega poszedł sprawdzić, czy nie dokonywano jakichś przelewów za granicą dokumentujących związki między Hartmannem a rockersami. Obiecał ją zawiadomić, jeśli coś znajdzie, ale na razie jeszcze się nie odezwał.

Nie posunęli się ani o krok dalej, chociaż Sejr bardzo się starał. Poza zatrzymaniu Britt Louise przestała się skupiać na dokumentach finansowych, ale teraz, kiedy pierwsze emocje zaczęły opadać, wiedziała, że muszą przekopać wszystkie informacje dotyczące firmy Hartmann Import-Eksport, aby wyłowić to, co świadczyłoby o jej związkach ze światem przestępczym.

Przez przejście dla pieszych maszerowała w stronę parku Enghave cała grupa dzieci z przedszkola z podskakującymi plecaczkami na ramionach. Chęć zemsty mogły wywołać również oszustwo, pieniądze i gniew, pomyślała, patrząc, jak dzieci gromadzą się wokół dwóch ławek i zrzucają plecaki na stos. Miała nadzieję, że zastanie Tønnesa w klubie, a w dodatku w odpowiednim nastroju na rozmowę.

Chociaż akurat to nie znajdowało się na liście priorytetów Willumsena, wciąż ciekawiło ją, w jaki sposób Tønnes będzie tłumaczył fakt, że wielu z członków klubu znało Nicka Hartmanna i przychodziło do magazynu w porcie. Przecież kiedy widzieli się ostatnio, kategorycznie temu zaprzeczył.

Popołudniowe korki ciągnęły się przez Nørrebro, ale kiedy Louise zjechała w mniejsze uliczki, trochę się poluźniło. Zaparkowała w pewnej odległości od bramy i dwóch kamer. Nie sądziła bowiem, by pojawienie się oznakowanego radiowozu przed wejściem do klubu spodobało się jego członkom. Patrząc prosto w obiektyw, przedstawiła się i poprosiła o rozmowę z Tønnesem. Po chwili wreszcie ją wpuszczono na puste wyasfaltowane podwórze. Na prawo od budynku rósł wielki dąb. Stały tam cztery motocykle z lśniącymi chromowanymi częściami równo jeden obok drugiego. Parkowały też dwa duże samochody, porsche cayenne na zwykłych tablicach i audi Q7.

Po wyrazie ciemnych oczu Tønnesa zorientowała się, że ją poznał. Wyciągnął do niej rękę, kiedy stanął w drzwiach.

– Zawrócę panu głowę jeszcze paroma pytaniami – zaczęła uprzejmie.

Tønnes nosił szeroką srebrną obrączkę na prawym środkowym palcu, a spod paska od zegarka wypełzał tatuaż. Włosy miał jasne i krótkie. Był w czarnej koszulce z długimi rękawami rozpiętej pod szyją i w kamizelce. Nie skomentował tego, że przyszła sama, ale miała wrażenie, że to zauważył. Nie wiedziała jednak, jak to przyjął.

– Ostatnio rozmawialiśmy o Nicku Hartmannie, który został zastrzelony we własnym domu miesiąc temu – podjęła. – Jak może pan pamięta, pytaliśmy o to, których członków klubu znał.

Rzecznik rockersów kiwnął głową.

– A ty być może pamiętasz, że nikt go tu nie zna.

– Co nie jest chyba zgodne z prawdą – zaprotestowała Louise. – Właśnie udało nam się potwierdzić, że denat utrzymywał związki z wieloma członkami waszego klubu. Przychodzili do magazynu, który Hartmann wynajmował w porcie Svanemøllen.

Tønnes patrzył na nią za spokojem. Za nim w drzwiach pojawił się jakiś barczysty facet.

– No i co? – spytał, kładąc dłoń na ramieniu Tønnesa na znak, że jest gotów wyrzucić Louise, jeśli mu na tym zależy.

Tønnes zbył go machnięciem ręki i nawet się nie odwrócił, ale nie była to oznaka gościnności. Wciąż nie zamierzał zaprosić Louise do środka.

– Pytałem ludzi. Nikt nic o nim nie wie – oświadczył.

– Dajże wreszcie spokój! – zawołała Louise zirytowana. – Przecież my, u diabła wiemy, że znał tu mnóstwo osób. – Na chwilę umilkła, zastanowiła się i w końcu postanowiła przemówić do jego dobrego serca, jeśli w ogóle coś takiego kryło się za tymi mięśniami i tatuażami. – Nick Hartmann pozostawił żonę i nowo narodzoną córeczkę. W czwartek spłonął jego magazyn. Dwóch młodych ludzi zginęło w płomieniach.

Jedyną reakcją, która nastąpiła, było ściągnięcie ust i przestąpienie z nogi na nogę.

– Słyszałem o tym pożarze i o tych dwóch, którzy spłonęli – odparł bez większego przejęcia. – A co się stało z magazynem?

Był wyższy od Louise i to znacznie, sięgała mu ledwie do ramion i musiała zadzierać głowę.

– Część budynku spłonęła. Hartmann przechowywał tam importowane meble. Naprawdę sporo. Dwa kontenery mebli zamówionych w Chinach, naszykowanych do sprzedaży. Policja je zatrzymała.

Wyraźnie chciał coś wtrącić, ale Louise go uprzedziła:

– Ale jeżeli uważacie, że go nie znacie, to nie ma o czym mówić. Po prostu pomyślałam, że możecie mieć coś wspólnego z tym magazynem, skoro ludzie od was się tam kręcili.

Zaczęła szykować się do odejścia.

– Nie wiem, skąd wzięliście ten pomysł, że on mógł mieć jakieś związki z nami. Chętnie powtórzę jeszcze raz, że nikt tutaj go nie znał, więc nie interesuje nas jego magazyn.

Sposób, w jaki mówił, dziwnie kontrastował z wyglądem, ale najwyraźniej nic nie kosztowało go kłamanie jej prosto w oczy.

– Człowiek z Wydziału do spraw Oszustw Gospodarczych sprawdza teraz wszystkie transakcje Hartmanna i rozmowy telefoniczne, które prowadził zarówno z telefonu stacjonarnego, jak i z komórki. – Louise zrobiła krok do tyłu i znalazła się na chodniku. – Bada też całą korespondencję e-mailową i wszystkie inne kontakty internetowe. Zatrzymaliśmy jego komputery, zostaną dokładnie sprawdzone.

Wydawało się, że nie robi to na nim żadnego wrażenia.

– Jeżeli w jakimś momencie zaistniał związek między członkami waszego klubu a Nickiem Hartmannem, to z całą pewnością do niego dotrzemy. Po prostu szybciej by nam poszło z waszą pomocą.

Widziała mięśnie poruszające się pod koszulką, kiedy Tønnes zakładał ręce na piersi i lekko się odchylał, by spojrzeć na nią jeszcze bardziej z góry. Nic jednak nie powiedział.

– Ale na to, jak widzę, nie masz ochoty.

Odwróciła się i ruszyła w stronę bramy, czując jego wzrok na plecach.

Nic im nie mów. Najwyżej „żadnych komentarzy".
Camilla z powrotem położyła się na hotelowym
łóżku. Ulrik ją dopadł, gdy wrócili z Markusem ze śniadania w Starbucksie. Muffinki i kawa. Syn siedział teraz
przy biurku przy jej komputerze. W hotelu był bezpłatny
Internet, pozwoliła mu więc trochę pograć i sprawdzić
profil na Facebooku zalany pozdrowieniami z kraju.

– Czekali przed domem, kiedy wróciłem – powiedział
Ulrik. – Musiałem po prostu pojechać dalej.

– I gdzie teraz jesteś? – spytała Camilla.

Nagle uświadomiła sobie, iż już od pewnego czasu
nie czuje, że stoi nad przepaścią. To doznanie ustąpiło
miejsca emocjom związanym z tym, co się przydarzyło
Britt i Ulrikowi.

– Zatrzymałem się w hotelu w mieście.

– Mądrze zrobiłeś – odparła. – Upłynie co najmniej
kilka dni, zanim zakończą to oblężenie, więc jeśli tylko

możesz, zostań tam. Niech uwierzą, że nie wrócisz do domu.

Aż pokręciła głową, słysząc własne słowa. Jakież ona miała prawo do udzielania takich rad?! Gdyby była w Kopenhadze i nie znała tej rodziny, zapewne sama oblegałaby willę na Strandvænget.

– Nie mogłeś skontaktować się z Johnem Bro? – spytała, zmieniając temat.

– Zdecydowałem, że to mój adwokat poprowadzi sprawę. Zna rodzinę, myślę, że to duża zaleta w naszej sytuacji.

– John Bro jest lepszy!

– Britt jest oskarżana o jedno z najcięższych przestępstw. Nikolaj Lassen będzie bardziej lojalny niż osoba, która nas nie zna.

– Możliwe – przyznała Camilla i westchnęła. – A jak ona się czuje?

W słuchawce przez chwilę panowała cisza, ale w końcu Ulrik chrząknął.

– Trudno powiedzieć. Mam wrażenie, że nie jestem w stanie do niej dotrzeć.

– No to co zrobimy? Co ona sama na to mówi? Wytrzyma w areszcie?

– A czy ma jakiś wybór? – spytał Ulrik cierpko i głośno odetchnął. – Problem polega raczej na tym, że ona nic nie mówi. W ogóle nie próbuje się bronić. I chyba właśnie to najdobitniej świadczy przeciwko niej.

Do Camilli dopiero po chwili dotarło znaczenie jego słów.

– Ulriku, do diabła, przecież twoja żona nikogo nie zabiła! Ty znasz Britt! Co się z tobą dzieje?

Ale w tej samej chwili przed oczami stanęli jej dziennikarze czyhający w samochodach, nagłówki w gazetach. Poczuła presję, jakby ten krąg zaciskał się wokół niej. Opanowała się i zniżyła głos.

– Nie mógłbyś wyjechać na kilka dni? Zostawić to wszystko i trochę odpocząć?

– Przecież to w ten sposób nie zniknie, prawda?

– Ty uważasz, że to ona – stwierdziła Camilla i zorientowała się, że Markus na nią patrzy.

– Nie mówię, że ona to zrobiła, po prostu nie wykluczam takiej ewentualności. A skoro tak jest, to trudno o współczucie.

Samochód Kima stał przed klatką Louise, kiedy wróciła do domu. Szukała właśnie przed drzwiami w torebce kluczy, gdy usłyszała nagle wołanie Jonasa dobiegające z ulicy. Odwróciła się i zaskoczona zobaczyła, że chłopiec biegnie do niej po chodniku, ciągnąc za sobą głuche szczenię labradora retrievera.

– Cześć! – zawołała.

Chwilę później zza rogu wyłonił się Kim.

– Kim wypożyczył mi Dinę – oznajmił Jonas z radością. – Mówi, że mogę ją mieć tak długo, jak chcę, bo nikt inny jej nie chce, ponieważ nie słyszy.

Louise poczuła, że uśmiech zastyga jej na ustach, i odsunęła się od drzwi, bo szczeniak zaczął na nią skakać.

– Nie możemy trzymać psa. Nie wolno trzymać psów w mieszkaniu.

– Wolno. Dzwoniłem do Melvina i go spytałem.

Dołączył do nich Kim.

– Wygląda na to, że naprawdę się zaprzyjaźnili.

– Uśmiechnął się i kazał żółtemu szczeniakowi się położyć, z czego ten najwyraźniej nic sobie nie robił, tylko dalej kręcił się i skakał wokół niego.

– Ona już prawie nie siusia w domu – powiedział Jonas, kucając i przytulając do policzka jasny łepek z brązowymi oczami.

Louise miała ochotę przewrócić Kima na asfalt. Była tak zła, że nie mogła wydusić ani słowa.

– Co ty sobie, do diabła, wyobrażasz! – syknęła do niego.

Jonas zesztywniał i wstał. Louise rzuciła mu klucze i kazała wracać do mieszkania. Chciała na osobności rozmówić się z Kimem. Ale chłopiec nie ruszał się z miejsca. Stał nieruchomo z coraz większym smutkiem w oczach. Louise wiedziała, że nie umie sobie z tym poradzić.

– To ja powiedziałem, że zawsze chciałem mieć psa – oświadczył Jonas, chcąc bronić Kima. Podszedł do Louise i spojrzał na nią. – W domu nie mogłem, bo tata miał alergię.

– My też nie możemy mieć psa, Jonasie.

Chłopiec stał bez ruchu ze smyczą w dłoni.

– Ale przecież ja też nie mogę u ciebie mieszkać – odezwał się po chwili. – Więc kiedy będę musiał się stąd wyprowadzić, to przynajmniej wziąłbym ze sobą Dinę i nie byłbym już tak zupełnie sam.

Louise otworzyła drzwi i posłała chłopca z psem na klatkę. Poczekała, aż zniknie na schodach, i odwróciła się do Kima.

– Czy ty kompletnie zwariowałeś? Przecież wiesz, że nie mogę mieć psa, którym trzeba się opiekować, wyprowadzać go i czort wie co robić. Przecież naślą na mnie Towarzystwo Opieki nad Zwierzętami.

– Wcale nie tobie wypożyczyłem Dinę. Oddałem ją pod opiekę Jonasowi. Przyjadę i ją zabiorę, jeśli chłopiec będzie chciał sobie zrobić przerwę.

– Na to też ci nie pozwalam. Jonas mieszka u mnie.

Kim przez chwilę się jej przyglądał. Tym razem w jego oczach nie było zwykłego ciepła i radości. Nabrał powietrza.

– Ciągle powtarzasz wszem wobec, że Jonas mieszka u ciebie tylko do czasu znalezienia jakiegoś stałego rozwiązania. I jak, do cholery, według ciebie taka informacja na niego działa po tym, przez co przeszedł? Myślisz, że czuje się bezpieczny i chciany?

– To on chciał zamieszkać ze mną i tyle mogę mu zaoferować.

Kim przysunął się jeszcze bliżej.

– Jesteś taka cholernie egocentryczna. Zachowujesz się jak jakiś pieprzony facet. Bierzesz to, na co masz ochotę, a całą resztę po prostu zostawiasz. Żadnych zobowiązań, żadnego zaangażowania emocjonalnego. Nic. Cholera, liczysz się tylko ty.

Jeszcze nigdy nie słyszała, żeby tyle klął naraz, i głównie to przedarło się do niej przez mgłę, która zaczynała spowijać jej mózg.

– Jeśli nie pozwolisz Jonasowi spędzać tyle czasu z psem, ile on ma ochotę, chociaż widzisz, jak bardzo go lubi, to, do cholery, pójdę do niego i powiem, że może na stałe zamieszkać u mnie, dopóki sam nie będzie miał ochoty się stamtąd wyprowadzić.

Chciała coś powiedzieć, ale nie dał jej dojść do słowa.

– A jeśli chodzi o ciebie, to nie chcę się więcej z tobą widywać. To już koniec. Sprawiasz, że czuję się jak maszyna do seksu. Ktoś, po kogo możesz sięgnąć, kiedy masz taką potrzebę, ale komu nie poświęcasz zbyt wielu myśli. Nie mogę się na to zgodzić. I sądzę, że nie znajdziesz nikogo, kto by to zaakceptował na dłuższy czas, zwłaszcza jeśli ten ktoś tak jak ja ma ochotę spędzać z tobą cały czas. Wiesz, co to, do cholery, oznacza? Umrzesz samotna. I wcale mi ciebie nie żal!

Mgła w głowie Louise zupełnie już zgęstniała. Obserwowała, jak Kim idzie do samochodu. Na chwilę jeszcze się zatrzymał i spojrzał na nią.

– Zadzwoń, kiedy zdecydujesz, że Jonas z Diną mają zamieszkać w Holbæk.

Wsiadł do auta i odjechał, już więcej na nią nie patrząc.

Na czwarte piętro było daleko. Z góry słyszała Jonasa z psem, zorientowała się również, że także Melvin wyszedł na schody.

– Jakiż to śliczny szczeniak – powiedział staruszek, gdy Louise dotarła na jego piętro.

Kucnął, a Dina stała oparta przednimi łapami o jego udo, obwąchując mu twarz. Melvin z uśmiechem drapał ją za uszami.

Mgła w głowie Louise nie ustępowała. Jonas usiadł na schodach. Był blady, a włosy opadły mu na oczy jak ciężka zasłona, za którą się ukrywał. Unikał jej spojrzenia, ale uśmiechnął się leciutko, kiedy wyciągnął rękę i pogłaskał szczeniaka. Do diabła, pomyślała Louise. Miała ochotę wrócić na komendę, pomóc Sejrowi, który siedział nad dokumentami wyciągniętymi z twardego dysku Hartmanna. Wiedziała jednak dobrze, że nie może uciec.

– Po prostu ze szczeniakami jest tak, że nie mogą być same w domu. Trzeba je wyprowadzać, muszą mieć towarzystwo – zaczęła tłumaczyć niezręcznie.

Jonas spuścił wzrok. Najwyraźniej uświadomił sobie, że pies będzie musiał zostawać sam przez sześć albo siedem godzin w ciągu dnia. A przecież to jeszcze szczeniak.

– Ale ja pomogę – oświadczył wesoło Melvin, jakby nie zauważając napięcia między Louise i chłopcem. – Mogę go zabierać na spacery do parku Frederiksberg. Będziemy razem, dopóki wy nie wrócicie do domu.

Louise aż zabolały policzki, kiedy spróbowała się uśmiechnąć. Minęła Jonasa siedzącego na stopniu i ruszyła wyżej.

Z gniewu ciśnienie jej podskoczyło, szumiało w skroniach. Usiadła na chwilę w kuchni, żeby uporządkować myśli, kiedy zadzwoniła komórka, którą zostawiła w kurtce. Nie chciało jej się wstać, sądziła bowiem, że to Kim dzwoni z przeprosinami. Jego słowa bardziej ją rozzłościły, niż zraniły, ale wciąż dobrze je pamiętała.

Kiedy komórka odezwała się ponownie, doszła do wniosku, że równie dobrze może już mieć tę rozmowę za sobą, bo Kim miał zwyczaj dzwonić, dopóki się nie poddała. Gdy jednak wyjęła aparat z kieszeni, nie rozpoznała numeru, który pojawił się na wyświetlaczu. Nie rozpoznała też zapłakanego głosu.

– Proszę mówić spokojnie, bo jak inaczej mam zrozumieć, o co chodzi – odezwała się nieprzyjemnym tonem. Akurat w tej chwili kompletnie nie potrzebowała dziewczyny wyprowadzonej z równowagi.

– Oni znów tu byli. Mówią, że Nick ich oszukał, rzekomo jest im winien tyle pieniędzy, że będę musiała sprzedać mieszkanie. Jeżeli tego nie zrobię, następnym razem zabiorą mi Cecilie.

Młoda wdowa po Nicku Hartmannie szlochała tak rozpaczliwie i głośno, że Louise musiała odsunąć komórkę od ucha.

– Kiedy byli? – spytała, szybko starając się przybrać normalny ton.

– Przed chwilą, właśnie sobie poszli. Przyjechali dużą furgonetką i zabrali mnóstwo naszych rzeczy. Telewizor, sprzęt wideo... – Słowa niknęły wśród szlochu. – Boję się tu zostać – wydusiła w końcu z siebie. W tle słychać było płacz dziecka.

– Nigdzie nie wychodź. Zaraz do ciebie przyjadę.

Nie musiała pytać, kto złożył młodej wdowie kolejną wizytę. Potrafiła to sobie wyobrazić. Ludzie Tønnesa zareagowali szybko. Była pewna, że to informacja o zatrzymanych przez policję meblach wywołała tę reakcję.

Zachowała się niemądrze i lekkomyślnie, nie przewidując takiego rozwoju sytuacji. To było wręcz nieodpowiedzialne z jej strony.

Włożyła kurtkę i wyszła z mieszkania. Melvin i Jonas wciąż siedzieli na schodach z Diną. Dołączył do nich jeszcze inny sąsiad, a głuchy szczeniak, merdając ogonem, z radością chłonął całą tę skierowaną na niego uwagę. Louise odciągnęła Jonasa na bok.

– Muszę na godzinę wyjść. Zostawiłam ci sto koron na stole w kuchni. Możesz zamówić pizzę, jeśli zgłodniejesz, zanim wrócę. Ale będę najpóźniej o ósmej.

Jonas kiwnął głową, lecz dalej stał niepewny. Louise położyła mu rękę na ramieniu.

– Musimy porozmawiać, ale, niestety, dopiero kiedy wrócę.

Przytaknął, a ona zbiegła ze schodów świadoma, że zostawia go w niepewności. Dobrze wiedziała, że postępuje paskudnie, ale sama musiała uporządkować myśli, zanim usiądą do tej rozmowy, która będzie miała wielkie znaczenie dla przyszłości Jonasa.

Wwilli na Dyvekes Allé wstawiono nowe okna. Zwinięto też policyjną taśmę. Przez szybę dostrzegła Mie w kuchni z córką na rękach. Dziewczyna wypatrywała policjantki i otworzyła drzwi, zanim ta zdążyła do nich dojść. Twarz miała szarą od rozmazanego tuszu, oczy czerwone od płaczu.

– Co się stało? – spytała Louise, wchodząc do środka.

– Było ich dwóch. Po prostu weszli i wdarli się do salonu.

– Ci sami co poprzednio?

Stały w kuchni. Upłynęła chwila, zanim odpowiedziała:

– Na pewno nie ci, którzy przyszli wtedy po południu, a tych, którzy byli tu wieczorem, nie widziałam.

Louise wysunęła jej stołek i poprosiła, żeby Mie usiadła. Sama zajęła miejsce naprzeciwko i powiedziała, że policja ma powody, by przypuszczać, że Nick wdał się w jakieś ciemne interesy z rockersami i że to mogło być powodem strzelaniny.

– Czy ty coś wiesz o jego związku z nimi?

Mie zastanowiła się, ale wzrok miała pusty.

– Mnie w każdym razie o niczym takim nie mówił – odpowiedziała, kręcąc głową. – Ale ci, którzy tu dzisiaj przyszli, mogli być rockersami.

Louise pokiwała głową.

– Co wiesz o tych meblach, które Nick magazynował w porcie Svanemøllen.

– Nic, przecież już mówiłam. – Znów zaczęła płakać.

Louise spojrzała na dziecko, które zasypiało na rękach matki.

– Nie możemy położyć jej do łóżeczka? – spytała, wskazując głową salon i sypialnię.

Mie wstała i poszła położyć córkę.

– Mówili, że wystąpią o zwrot od sześciu do ośmiu milionów. A jeśli się zgodzę zapłacić im dobrowolnie, to zawrą ugodę i nie będą mnie ciągać po sądach. Wtedy wystarczą im cztery miliony za to, co winien był im Nick.

Louise pokręciła głową, z podziwem myśląc o tym, jak szybko Tønnes porozumiał się z adwokatem, który zaproponował taką umowę. Policja wiedziała, że rockersi mają adwokatów, rewidentów i innych specjalistów na swojej liście płac, zajmujących się takimi właśnie sprawami. Opryszki wysyłane do rekwirowania cennych rzeczy nie były w stanie same sformułować propozycji w taki sposób.

To interesujące, pomyślała. Cztery miliony odpowiadały temu, co Nick Hartmann zapłacił za jeden z dwóch kontenerów z podrabianymi meblami, a żądanie wysunięte wobec Mie potwierdzało, że nie on sam wyłożył na to pieniądze. W takiej sytuacji ci, którzy zainwestowali tyle środków, pozostali z niczym, a Louise była pewna, że organizatorzy tego procederu są gotowi na wszystko, byle tylko wyrównać stratę.

– Wydaje mi się, że najmądrzej zrobisz, przenosząc się gdzieś na jakiś czas. Znasz jakieś miejsce, gdzie mogłybyście zamieszkać?

Mie pokiwała głową.

– Możemy być u mojej mamy. Byłyśmy u niej bezpośrednio po śmierci Nicka.

Louise zaprotestowała.

– To nie wystarczy. Za łatwo cię tam znajdą.

– Uważasz, że oni mówią serio? Że przyjdą i zabiorą Cecilie, jeśli nie zapłacę?

W kuchni panowała duchota, jakby nie otwierano tu okna, odkąd Mie wróciła. W świecznikach na stole stały wypalone świece. Tutaj po śmierci Nicka życie też się zatrzymało, tak jak u rodziców Signe, pomyślała Louise, rozglądając się dokoła. Ale dla Mie to się jeszcze nie skończyło, zagrożenie wciąż wisiało nad jej głową.

– Nie mogę im zapłacić! – zawołała nieszczęśliwa, rozkładając ręce. – To szaleństwo żądać tylu pieniędzy! Nie wiem nawet, czy mogłabym sprzedać to mieszkanie. Nie sądzisz, że oni po prostu tylko mnie straszą?

– Nie. – Louise pokręciła głową. – Niestety, wydaje mi się, że są powody do obaw. Mogą mówić poważnie. Musisz się stąd zbierać już dzisiaj.

– A co z tymi meblami, które Nick miał w magazynie?

Nie mogliby sobie ich zabrać? – spytała, niczego nie rozumiejąc.

W zasadzie tak, pomyślała Louise, ale to nie takie proste.

– Po pierwsze, nie wiemy, czy oni są właścicielami. Z całą pewnością sami nam tego nie powiedzą, nawet jeśli meble zostały kupione za ich pieniądze. A jeżeli tak było, to ponieśli dużą stratę i właśnie z tym nie mogą się pogodzić. Po drugie, nie odzyskają też mebli, które zatrzymała policja, bo najprawdopodobniej ulegną przepadkowi, ponieważ import podrabianych towarów z Chin jest nielegalny. Jesteś jedyną osobą, od której mogą domagać się pokrycia strat.

– Ale... – Mie kiwnęła głową, chociaż chyba nie docierało do niej, że nie ma szans, żeby zostawili ją w spokoju. Chwilę siedziała nieruchomo, w końcu spojrzała na Louise. – Ja po prostu nie rozumiem, jaki to może mieć związek z Nickiem? Jak oni mogą żądać pieniędzy, skoro on nie żyje?

Louise z trudem powstrzymała uśmiech.

– Mogę tylko zgadywać – odparła i poprosiła o szklankę wody.

Mie wskazała jej lodówkę.

– Na razie nie mamy żadnych dowodów, ale pracujemy nad tym. Wydaje mi się, że Nick robił interesy z kimś, kto był gotów zainwestować sporo gotówki w to przedsięwzięcie. Twój mąż nieźle na tym zarabiał, ale naprawdę duże pieniądze zgarniali inwestorzy.

– To znaczy kto?

– To mogli być kryminaliści, którzy przez lata dorobili się na handlu narkotykami. Może uznali, że nie opłaca się już angażowanie w przestępstwa o takim ryzyku. Za narkotyki wyroki bywają surowe, dlatego zmienili branżę na taką, w której grożą niższe kary, a zysk jest prawie równie dobry. To bardzo bezpieczny wybór, że tak powiem.

– Ale skoro są starzy, to wobec tego nie są rockersami?

Louise wzruszyła ramionami.

– Mogą nimi być. Starsi rockersi dobiegają już pięćdziesiątki i to właśnie im przestaje się uśmiechać ryzyko długiej kary więzienia.

– Ale ci, którzy tu się wdarli, nie byli starzy.

Mie jakby przestała już próbować cokolwiek zrozumieć, a Louise, prawdę mówiąc, było to obojętne.

– Spakujesz torbę?

Kiwnęła głową i wstała.

– Zastanowiłaś się już, dokąd pójdziecie?

– Do przyjaciółki. Ale co będzie z tym wszystkim, co zabrali?

– Najpierw musisz złożyć zawiadomienie na policji, a ja przyślę tu techników. Sprawdzą, czy ci mężczyźni nie zostawili jakichś odcisków palców. Co zabrali?

– Sama możesz zobaczyć.

Louise skierowała się do salonu. Rzeczywiście łatwo było się zorientować, co zniknęło. Najdroższe rzeczy, a jednocześnie takie, które łatwo sprzedać. Nie obeszła jednak całego mieszkania. Zadzwoniła tylko do Frandsena, który akurat jadł kolację, ale obiecał, że jeszcze tego wieczoru kogoś przyśle.

Mie się spakowała, a Cecilie leżała w nosidełku przykryta mięciutkim kocykiem w kwiatki. Louise przytrzymała drzwi i wzięła torby.

– Zadzwoń, jeśli poczujesz, że coś ci grozi – powiedziała, gdy stanęły przed domem i Mie zamykała drzwi.

Louise z torbami w rękach poszła za nią do garażu, w którym parkowały dwa samochody Nicka. Kabriolet z beżowym dachem i granatowy mercedes, którym zwykle jeździł. Właśnie do niego Mie ostrożnie wstawiła nosidełko z Cecilie, a Louise pomyślała, że być może już niedługo ten samochód też zostanie zatrzymany, kiedy wyjdą na jaw zyski, jakie mąż tej kobiety osiągał z nielegalnego handlu meblami.

Patrzyła jeszcze przez chwilę, jak młoda wdowa odjeżdża w stronę Englandsvej, kierując się na północną Zelandię. Na wieś, gdzie mieszkała jej przyjaciółka.

Nie byłam w porcie w czwartek wieczorem. Nigdy nie byłam w tym baraku na łodzie. Nie wiedziałam nawet, że mój mąż jest właścicielem takiego budynku.

Britt została przewieziona na kolejne przesłuchanie. Nie chciała kawy, siedziała blada, ale opanowana. W końcu kiwnęła głową, gdy Louise zaproponowała jej herbatę.

– Problem polega na tym, że wiele wskazuje na to, że tam byłaś – stwierdziła, patrząc na matkę Signe.

– Z poszlak nic wam nie przyjdzie – przerwał jej Nikolaj Lassen.

– W tym wypadku mowa jest nie tylko o poszlakach – zauważyła Louise. – Mamy sporo jasnych i konkretnych dowodów. – Spojrzała na Britt. – To, czym dysponujemy, wystarczy do uznania cię winną przestępstwa, które ci zarzucamy.

Britt kiwnęła głową.

Zanim usiedli w pokoju Louise, adwokat odciągnął policjantkę na bok i szepnął: „Moja klientka pytała, czy może pani odwiedzić ją w areszcie poza protokołem. Jeśli o mnie chodzi, to nie mam nic przeciwko temu, pod warunkiem oczywiście że umówimy się, że nie będziecie rozmawiać o śledztwie. A gdyby wypłynęło coś ważnego, to należy to ująć w raporcie. Co pani na to?".

Louise się zgodziła. Już wcześniej zawierała podobne umowy z obrońcami. Powiedziała, że chętnie zajrzy do Więzienia Zachodniego i porozmawia z Britt nieformalnie o innych sprawach niż pożar. Zawsze przecież mogła mieć nadzieję, że wyniknie z tego coś istotnego dla sprawy.

– A więc podtrzymujesz, że nie byłaś tamtego wieczoru w porcie?

Louise starała się mówić spokojnie. Już na samym początku przesłuchania obrońca przyznał, że nie jest w stanie przedstawić nic, co by potwierdzało niewinność jego klientki. Innymi słowy, nie było żadnego dowodu na to, że Britt mówi prawdę.

– Nigdy nie byłam w tej części portu – powtórzyła Britt kolejny raz. – Jedynie przy klubach żeglarskich.

– Czy zauważyłaś, by twój samochód zniknął w tamten czwartek, kiedy wybuchł pożar?

– Nie. – Britt cierpliwie pokręciła głową. – Głównie spałam na górze, tak jak już mówiłam wcześniej.

Cały czas to samo.

– Jeśli to nie ty pojechałaś wtedy do portu, to w jaki sposób ktoś mógł wziąć kluczyki do samochodu?

Britt Fasting-Thomsen wzruszyła ramionami. Nie wiedziała. Może zostawiła je w stacyjce?

– Nie zauważyłabyś, gdyby ktoś wszedł do waszego ogrodu i zabrał drewno?

Teraz poruszył się adwokat.

– Do ogrodu może wejść każdy bez zauważenia tego przez moją klientkę – oświadczył z przekonaniem w głosie. – Do diabła, przecież ona zażywa środki nasenne, żeby odciąć się od świata zewnętrznego! Każdy też mógł zabrać samochód. Każdy mógł wejść do domu, jeśli miał taką ochotę. Nie ma nawet pewności, czy moja klientka pamiętała o zamknięciu drzwi wejściowych. – Zrobił krótką przerwę, opróżnił filiżankę i dopiero potem podjął: – Musicie zrozumieć, że moja klientka straciła kontakt z rzeczywistością – mówiąc, patrzył to na Louise, to na Tofta. – Zażywa środki uspokajające i nasenne. Nie zwraca już uwagi na to, co się dzieje wokół niej. Nie zauważa szczegółów i zachodzących zmian. Cały czas stara się stawić czoło żałobie! – Aktorska pauza była zupełnie zbędna, ale adwokat teatralnie opuścił ręce i westchnął z rezygnacją: – Innymi słowy, można by się położyć w łóżku obok niej, a ona by tego nie zauważyła. Ale to nie oznacza, że jest winna tych zarzutów, które jej przedstawiono.

– O tym musi pan nas przekonać – oświadczyła Louise zirytowana jego wybuchem.

– O, nie! – krzyknął nagle z nową siłą w głosie, uderzając w stół. – To wy macie udowodnić, że była w porcie tamtego wieczoru. Nie do mnie należy udowadnianie jej niewinności.

Louise uniosła brew, patrząc na Tofta, który niemal przez cały czas milczał.

– Przecież my właśnie to zrobiliśmy – odezwał się teraz, patrząc na Britt. – Będziemy jeszcze się spotykać w tym samym składzie wielokrotnie. – W zamyśleniu pokiwał głową. – Jeżeli pani dodałaby cokolwiek, co mogłoby pchnąć nas w jedną albo w drugą stronę, to nie musielibyśmy przepuszczać pani stale przez ten sam młyn.

– Nie mam nic do dodania – oświadczyła Britt cicho i wstała, kiedy adwokat ruchem głowy wskazał drzwi.

W hotelu w Santa Barbara był basen, a słońce świeciło ciepło, chociaż nastał już październik. Po drugiej stronie ulicy rozciągała się szeroka piaszczysta plaża, a woda zachwycała błękitem, chociaż fale były za duże, by pokusić się o kąpiel. Markus więc natychmiast skierował się ku leżakom przy basenie. Na niedużym stoliku przy wejściu na teren basenu leżały czyste ręczniki. Nie było tu innych spragnionych słońca gości.

Do odjazdu zostały im dwie godziny. Camilla już zdążyła zlokalizować willę Frederika Sachs-Smitha na mapie i wpisać jego adres w samochodowy GPS. Dwadzieścia minut przy normalnym ruchu. W hotelowej recepcji pozwolono jej wydrukować wszystkie artykuły o skandalu rodzinnym, które znalazła w duńskich gazetach internetowych. Zabrała teraz nad basen plik kartek razem z filiżanką kawy i gazowanym napojem dla Markusa.

Z tego, co wyczytała, najstarszy syn rodziny zawsze trzymał się z dala od kręgów celebryckich. Studiował filmoznawstwo na Uniwersytecie Kopenhaskim, ale więcej informacji na ten temat nie znalazła. Wspominano o nim jedynie na stronach dotyczących gospodarki, a konkretnie o jego inwestycjach w nieruchomości.

Każde z trojga rodzeństwa w dniu ukończenia osiemnastego roku życia otrzymało dziesięć milionów koron, a kolejną wysoką sumę w upominku na dwudzieste piąte urodziny. Wysokości tej kwoty nie mogła znaleźć, ale między wierszami dawało się wyczytać, że musiało chodzić o znacznie większą. W przeciwieństwie do swojego rodzeństwa, które wiodło życie na pokaz, rozpychając się łokciami, pielęgnując drogie nawyki i rozbijając się luksusowymi samochodami, Frederik, przynajmniej z tego, co mogła wyczytać, rozsądnie zarządzał swoimi milionami, inwestując je w nieruchomości, i to w czasie, gdy ich ceny były niskie.

W jednym z ogólnie dostępnych sprawozdań finansowych jego duńskiej firmy wartość nieruchomości oszacowano na blisko dwieście milionów, a oprócz tego miał też duże dochody z inwestycji za granicą. Frederik Sachs-Smith wciąż był właścicielem części Termo-Lux, ale wyraźnie nie potrzebował już rodzinnej fortuny, dawno stworzył własną.

Godzinę później kawa była już wypita, a papiery lekko zwilgotniałe od jej spoconych rąk. Dwa razy zanurzała się w wodzie, ale na krótko, Markus natomiast właściwie z niej nie wychodził i wcale nie uważał, że kąpiel powinna się już skończyć, kiedy Camilla oświadczyła, że muszą już jechać.

Ruszyli na południe wzdłuż wybrzeża, przyglądając się ludziom grającym w siatkówkę plażową i jeżdżącym na rolkach po ścieżce rowerowej. Szyby w samochodzie były opuszczone, wiatr porywał jasne włosy Camilli i rzucał je jej na twarz. Podsunęła ciemne okulary na czoło, żeby trochę je przytrzymać, by nie wpadały jej do oczu. Droga stała się bardziej kręta i węższa. Wiatr szeleścił w liściach palm. Wyczuła luźną wakacyjną atmosferę już wtedy, gdy dzień wcześniej przyjechali do miasta. Mimo że było to jedyne miejsce na ich długiej trasie, w którym postanowiła zapomnieć o wakacjach.

Po zakończeniu wywiadu pierwotnie zamierzała ruszyć dalej do Los Angeles. Teraz jednak doszła do wniosku, że zasłużyli na przedłużenie pobytu w Santa Barbara jeszcze o kilka dni, na wylegiwanie się przy basenie, wałęsanie się po mieście i słynnym molo. Pociągała ich fantastyczna atmosfera restauracji i małych sklepików.

– *Turn right* – nakazał mechaniczny damski głos.
– *Turn right*.

Brama była z kutego żelaza. Camilla musiała wysiąść z samochodu, żeby dosięgnąć guzika domofonu, ale wrota rozsunęły się, kiedy tylko się przedstawiła.

Stał na schodach w koszuli wypuszczonej na bermudy. Ciemne okulary podciągnięte na czoło przytrzymywały półdługie jasne włosy, dzięki czemu nie opadały mu na twarz. Obok niego kręciły się dwa małe pieski, szczekając na całe gardło. Camilla nie podjechała więc pod samo wejście, tylko zaparkowała przy wysokim ukwieconym żywopłocie, odgraniczającym teren willi od posiadłości sąsiada.

– One nic nie zrobią! – zawołał z daleka i boso ruszył po kamykach, by ich przywitać.

Jazgotliwe psiaki nie odstępowały go na krok.

Markus schował się za matką i wyszedł zza niej dopiero, gdy psy ułożyły się na grzbietach i zaczęły domagać się pieszczot. Gospodarz zaprowadził ich do dużego holu z wysoką pomalowaną na biało boazerią. Podwójne drzwi prowadziły stąd do salonu z panoramicznymi oknami z widokiem na morze, ale gospodarz zaprosił ich dalej, na taras. Basen był tu nawet nieco większy niż hotelowy, w którym Markus tak niedawno się kąpał. Stały przy nim leżaki i rozłożone parasole.

Przypominało to wakacyjny raj z kołyszącymi się palmami, ale Frederik Sachs-Smith nie wyglądał na człowieka, który spędza przy basenie dużo czasu. Sprawiał raczej wrażenie osoby obdarzonej wielką energią i przyzwyczajonej do sensownego jej spożytkowania. Na jednym ze stolików w cieniu stał laptop, a przy nim leżał gruby rękopis, przyciśnięty dużym kamieniem, żeby wiatr nie przerzucał kartek.

To inscenizacja, pomyślała Camilla. Przypuszczała, że Frederik pracuje głównie w gabinecie. Wyglądał raczej na świadomego celu profesjonalistę niż pisarza, który sobie siedzi i tworzy przy basenie. Uznała jednak za dość sympatyczną tę jego próbę ukazania się w łagodniejszym świetle i zaprezentowania jako przedstawiciel cyganerii, skoro i tak nie dało się ukryć jego wprost porażającego bogactwa.

– Pracuję nad poprawkami do scenariusza. Universal zaczyna zdjęcia w przyszłym miesiącu, więc muszę się trochę pospieszyć.

Camilla już miała z uśmiechem zapewnić, że nie zabawi długo, ale zrezygnowała, bo przecież sam zgodził się na rozmowę z nią, niech więc sam sobie radzi z presją czasu.

– Przede wszystkich chciałam oczywiście wyrazić swoje współczucie – zaczęła. Czuła się dość niezręcznie, wygłaszając coś w rodzaju kondolencji, ale też zachowałaby się nieuprzejmie, pomijając tę formułę.

Machnął ręką i skinął głową w stronę salonu, w którym ukazała się starsza meksykańska pomoc domowa niosąca tacę z owocami, wodą i kawą. A więc nie ma aż tak wielkiego pośpiechu, uznała Camilla. Kobieta rozstawiła wszystko na stole i wyszła, a chwilę później wróciła ze szlafrokiem kąpielowym w rozmiarze dziecięcym i białymi kąpielówkami, które podała Markusowi, z uśmiechem wskazując na basen. Chłopiec spojrzał na Camillę, która kiwnęła głową i powiedziała, że jeśli ma ochotę, a gospodarz pozwoli, to ona nie ma nic przeciwko temu.

– Oczywiście, niech się kąpie. Przecież po to jest basen. Korzystam z niego tylko rano.

A więc miała rację, to nie był człowiek, który spędza dni na słodkim lenistwie.

Zapalił papierosa i wolno wypuścił dym. Obserwował Camillę z ciekawością. Oczy miał szare, a brwi ciemne, wyraźne, kontrastujące z półdługimi jasnymi włosami.

– A więc to ty chcesz wzbogacić głodnych plotek Duńczyków o mój komentarz do dramatu. Dlaczego to miałoby być dla nich interesujące?

Rozległ się głośny plusk, kiedy Markus skoczył z trampoliny do wody. Camilla stłumiła westchnienie. Popołudnie mogło się okazać bardzo długie, jeżeli takie było nastawienie gospodarza do tego wywiadu.

– Uważam, że jak najbardziej – odarła szczerze. – Jestem z synem w Ameryce już od miesiąca i przez ten czas jedynie z daleka obserwuję, co się dzieje w tej sprawie.

– A co tu robicie? – spytał, jakby to uznał za ciekawsze.

– Jeździmy po kraju.

– Dlaczego?

Teraz już westchnęła i to tak głośno, że nie mógł tego nie usłyszeć.

– Ponieważ... miałam już dość duńskiej prasy i różnych innych rzeczy. Potrzebowałam jakiejś odskoczni.

Spojrzenie szarych oczu odrobinę się zmieniło. Frederik zgasił papierosa w szklanej popielniczce, która stała na stole.

– No proszę.

Podobało jej się w nim jeszcze jedno. Nie mówił z amerykańskim akcentem i nie szukał słów, by móc prowadzić rozmowę w ojczystym języku. To takie żałosne, kiedy Duńczycy wyjeżdżają w świat i natychmiast zapominają proste duńskie słowa albo mówią po duńsku z silnie zniekształconym akcentem. Frederik mówił z akcentem z Zelandii. Camilli wydawało się nawet, że wciąż słychać w nim, iż pochodzi z okolic Roskilde, chociaż tam zelandzki zaśpiew nie był tak wyraźny jak u ludzi, którzy urodzili się i wychowali w Holbæk, Ringsted albo Næstved.

– Jestem ciekawa, jak się czujesz po tym, co się stało – powiedziała w końcu. – Twoja matka nie żyje, a ojciec zniknął. A twoje rodzeństwo? Nie jest przedstawiane w najlepszym świetle.

Nachylił się do niej. Pieski wyszły na taras, jeden ułożył się z głową na jego bosych stopach.

– Moja matka to jedno, ale mylisz się, jeśli odnosisz wrażenie, że moje rodzeństwo jest niesprawiedliwie traktowane przez prasę. To, co na ich temat przeciekło do mediów, to jedynie czubek góry lodowej. Nie żal mi ich ani trochę i nie uważam, że ty powinnaś ich żałować.

Camilla zaskoczona uniosła brew, ale nie przerywała.

– Żadne z nich nie jest jagnięciem ofiarnym, oboje doskonale wiedzieli, do czego dążą. A teraz, kiedy już urządzili wszystko tak, jak chcieli, zaczynają się nawzajem zwalczać. Niczego innego nie można się było spodziewać. Przekonasz się – kiwnął głową. – Do tej pory zgodnie walczyli o władzę w firmie. Teraz już ją zdobyli i jestem gotów się założyć o dziesięć milionów, że od tej pory nie będą się już zgadzać w niczym.

– Nie mam pojęcia, do czego doprowadzili – przyznała Camilla, patrząc na niego pytająco.

Odchylił się, złożył dłonie na karku. Słońce padło mu wprost na twarz, więc zmrużył oczy.

– Kilka lat temu mój ojciec przeprowadził to, co się nazywa zmianą pokoleniową. W tym czasie ja już od piętnastu lat mieszkałem w Ameryce, więc nie byłem przy tym obecny, jedynie na papierze. – Urwał na chwilę, gdy zobaczył, że Camilla zaczęła notować. – W skład zarządu wchodził mój ojciec, ja i moje rodzeństwo. Oprócz nas było jeszcze dwóch członków i adwokat rodziny. Camilla podniosła głowę znad brulionu, kiedy nachylił się w jej stronę.

– Ale to przecież jest straszliwie nudne, to przecież sprawy gospodarcze, z którymi jest dokładnie tak jak z seksem: najzabawniej jest, kiedy człowiek sam bierze w tym udział.

Camilla nie oderwała oczu od kartki w linie i poprzestała na kiwnięciu głową.

– Skrócona wersja wygląda następująco: Dawny adwokat rodziny trzy lata temu przeszedł na emeryturę. Wybrano jego następcę i szybko się okazało, że jest on nielojalny wobec mojego ojca i tych wartości, wokół których stworzona została firma Termo-Lux. Ten człowiek był chciwy i zapewne sądził, że od młodych zdoła wyrwać jeszcze więcej pieniędzy. Nie wiem, ile Rebekka i Carl Emil zapłacili mu pod stołem za przeciągnięcie go na swoją stronę, bo w tym czasie oświadczyłem, że na następnym zgromadzeniu wspólników zamierzam ustąpić z zarządu. Nie chciałem się w to mieszać. Siedziałem tutaj, zajmowałem się własną pracą.

Jakby w ogóle musiał pracować, pomyślała Camilla.

– Nie chciało mi się nawet ich słuchać i właściwie obojętne mi było, co się stanie z firmą. Nie zamierzałem jej przejmować. Pod względem finansowym nie jestem od niej zależny. – Rozłożył ręce, jakby przepraszał, że tak źle mówi o rodzinie. – Zrezygnowałem z zasiadania w zarządzie, a na ostatnim zgromadzeniu wspólników mój ojciec podjął taką samą decyzję. Nie mógł już tego dłużej znieść. To naprawdę przerażające, co się dzieje z ludźmi, kiedy dostają pieniądze i władzę. Naprawdę mało kto umie sobie z tym poradzić. Moje rodzeństwo w każdym razie tego nie potrafi – stwierdził, na chwilę smutniejąc. – A teraz mój brat i siostra są jedynymi członkami rodziny w zarządzie. I wiesz co? – spytał, znów się nachylając.

Camilla pokręciła głową, tak jak od niej oczekiwał.

– Człowiek najmądrzej robi, trzymając się od nich z daleka...

Najwyraźniej przewidział, że tak się to skończy, jeśli jego rodzeństwo dojdzie do władzy, ale nie zrobił niczego, żeby do tego nie dopuścić, pomyślała.

– Czy to był powód, dla którego twoja matka postanowiła odebrać sobie życie?

Frederik Sachs-Smith wstał i wsunął ręce do kieszeni. Psy się poderwały, patrząc na niego z nadzieją i merdając ogonami. Wzruszył ramionami i zapatrzył się w morze, ucinając tym samym wszelkie dalsze pytania na ten temat.

Camilla obserwowała go, gdy stał obrócony do niej bokiem, i zastanawiała się, ile złości i urazy jest w relacjach trójki rodzeństwa.

– A co z twoim ojcem? – spytała, wstając, by pójść za nim, kiedy ruszył w stronę salonu.

Zatrzymał się, ale się nie odwrócił.

– Z moim ojcem... – powtórzył.

– Uważasz, że postanowił dołączyć do żony, tak jak piszą gazety.

Wciąż stał do niej tyłem.

– Skąd właściwie znasz Ulrika? – spytał, zamiast odpowiedzieć, i w końcu się odwrócił. Temat rodziców był najwyraźniej zamknięty.

Camilla przywołała Markusa z basenu. Wyczuwała, że wizyta zmierza ku końcowi. Dostała mniej czasu, niż miała na to nadzieję, ale nie zamierzała opuszczać willi, dopóki nie zdobędzie jakichś dwóch mocnych wypowiedzi, dobrych do zacytowania. Artykuł już i tak miała. Wystarczyło jej to, co powiedział o swoim rodzeństwie i przyczynach, dla których tak szanowana rodzinna firma nagle trafiła na pierwsze strony gazet. Ale przydałoby jej się coś mocnego o żałobie, pomyślała, jeszcze raz wołając syna.

– Markus od przedszkola chodził do jednej klasy z Signe – powiedziała, idąc w stronę salonu.

– To naprawdę tragiczna historia. Trudno pojąć, że tak się stało. – W jego głosie dźwięczało współczucie.

– Ulrik odwiedził mnie z żoną latem ubiegłego roku. Zatrzymali się u mnie na kilka dni przed dalszą podróżą na Hawaje, gdzie zamierzał latać na paralotni czy coś w tym stylu. Przecież on jest opętany myślą o prawdziwym ryzyku. – Uśmiechnął się, kręcąc głową, jakby w ogóle tego nie rozumiał.

Camilla stanęła, w zamyśleniu obserwując wycierającego się Markusa.

– To dziwne – zauważyła. – W ogóle o tym nie słyszałam.

– Nie spotkałem wcześniej jego żony, ale Ulrika znam od czasów, gdy obaj mieliśmy po dwadzieścia lat. Prowadzimy wspólnie pewne interesy. Jest jednym z najlepszych w tej branży, no ale ma to swoje hobby, którego nigdy nie zrozumiem.

– Ulrik nie mógł być tutaj razem z Britt. Ona boi się latać samolotem i nigdy mu nie towarzyszy w długich podróżach. Nie wybrałaby się też nigdzie bez Signe.

Frederik Sachs-Smith puścił do niej oko.

– Uwierz mi, to niewiarygodne, jakie lęki człowiek jest w stanie przezwyciężyć dla wyjazdu na Hawaje. Mam dom na Kauai i nie znam nikogo, kto by nie potrafił opanować fobii i wsiąść do samolotu, jeśli tylko miałby możliwość spędzenia tam urlopu.

Dołączył do nich Markus. Woda z mokrych włosów skapywała mu na T-shirt.

– Możliwe, ale to nie dotyczy ludzi, którzy odczuwają naprawdę paniczny lęk przed lataniem – oświadczyła Camilla, nie przejmując się arogancją, która nagle zadźwięczała jej w głosie. – Jeśli ktoś już na to cierpi, to nie ma takiej atrakcji, która kazałaby mu wsiąść do samolotu i lecieć na drugą stronę kuli ziemskiej. Nie jest nią nawet twój dom na Hawajach.

Frederik wciąż się uśmiechał, jakby wiedział trochę więcej o tym, do czego można namówić kobiety, jeżeli tylko propozycja jest dostatecznie atrakcyjna.

– A już na pewno nie wtedy, kiedy ma się możliwość

spędzenia urlopu w Skagen, tak jak zrobiłyśmy z żoną Ulrika latem zeszłego roku – dodała. Kazała Markusowi iść do łazienki i starannie wytrzeć głowę. – Są jakieś zdjęcia z tej ich wizyty?

Frederik z irytacją pokręcił głową.

– Przecież ja nie prowadzę dokumentacji fotograficznej z każdego pobytu gości!

– Oczywiście – przyznała szybko Camilla. – Ale może pamiętasz, jak ona wyglądała?

– Trudno mi sobie przypomnieć szczegóły, ale wydaje mi się, że miała niezły biust. I jasne włosy, w takim odcieniu, na jaki większość dziewczyn je sobie farbuje.

– Więc zdecydowanie nie była to żona Ulrika – stwierdziła Camilla natychmiast. – Po pierwsze Britt nie ma godnego zapamiętania biustu, a ciemne włosy obcina na pazia.

Frederik miał taką minę, jakby rozmowa zaczynała go bawić.

– Nie napiłabyś się wina? Może coś byśmy przekąsili?

Znów wyszedł na taras, a Camilla pospieszyła za nim. Wezwał swoją meksykańską pomoc domową i poprosił o przyniesienie przekąsek.

– Naprawdę chciałabym, żebyś sobie przypomniał, kogo, do cholery, przywiózł tu Ulrik!

– Czy to nie wszystko jedno? I tak już się dowiedziałaś, że ma kogoś na boku. To ci powinno wystarczyć.

Camilla pokręciła głową.

– To absolutnie nie jest wszystko jedno – oświadczyła.

– Znam tę rodzinę od siedmiu lat i bardzo chciałabym

wiedzieć, kim jest ta kobieta. A jego żona, mam na myśli prawdziwą żonę, matkę Signe, została aresztowana i oskarżona o podwójne zabójstwo w wyniku pożaru. Może przez to spędzić życie w więzieniu.

Frederik spoważniał.

– To naprawdę straszne – przyznał. – Więc jeśli to nie była jego żona, to nie wiem, kto to mógł być. Nieźle się prezentowała. Może ktoś, kogo sobie kupił. – Zastanowił się przez chwilę. – Kiedy przyjaciel przedstawia jakąś kobietę jako swoją żonę, to człowiek przecież nie pyta o nic więcej – dodał po namyśle.

– Słychać, że chodziłeś do szkoły w Roskilde – stwierdziła Camilla. – Mówisz dokładnie tak jak chłopcy, z którymi byłam w Szkole Katedralnej.

– Ja też się tam uczyłem. Jesteś z Roskilde? – spytał zainteresowany, wskazując na stół, na którym Meksykanka postawiła dużą tacę i zaczęła rozkładać białe płócienne serwetki.

Camilla nie mogła sobie przypomnieć, by kiedykolwiek go spotkała, ale przecież wszyscy wiedzieli, że rodzina tych bogaczy mieszka w pobliżu.

– Napijesz się coli?! – zawołał Frederik do Markusa, kiedy chłopiec wrócił z łazienki.

Markus kiwnął głową i pytająco zerknął na matkę. Przecież mieli już wychodzić, ale najwyraźniej jeszcze zostawali.

– Możliwe, że mamy wspólnych znajomych. Wolisz siedzieć w słońcu czy w cieniu?

Frederikowi nagle przestało się już tak spieszyć do Universalu i scenariusza czekającego na poprawki.

367

– W słońcu.

– A kiedy chodziłaś do tej szkoły? – spytał, ustawiając parasol tak, by produkty przyniesione na tacy się nie roztopiły.

– Chyba zaczęłam właśnie wtedy, kiedy ty skończyłeś. – Camilla już miała usiąść. Spojrzała jednak na zegarek i wyliczyła, która godzina musi być w Danii. – Muszę tylko najpierw zadzwonić – stwierdziła.

O wpół do piątej Louise była gotowa na powrót do domu. Chciała mieć pewność, że będzie miała dość czasu na rozmowę z Jonasem. Poprzedniego wieczoru, gdy wróciła od Mie, chłopiec zamknął się w swoim pokoju ze szczeniakiem. Na stole zostawił „Morgenavisen". Na pierwszej stronie było duże zdjęcie Britt Fasting-Thomsen, a wielkie czarne litery układały się w tytuł:

ŻĄDNA ZEMSTY MATKA ARESZTOWANA
ZA PODPALENIE I ZABÓJSTWO

Louise delikatnie zapukała wtedy do drzwi z pytaniem, czy chciałby o tym porozmawiać. Zamierzała mu opowiedzieć o śledztwie, ale Jonas tylko pokręcił głową, koncentrując się na szczeniaku, a tego tematu Louise nie miała ochoty poruszać.

Następnego dnia kiedy Louise wstała, rano poszedł wyprowadzić Dinę i wrócili tuż przed wyjściem do szkoły.

Z filiżanką herbaty w ręku patrzyła tylko, jak chłopiec pakuje szkolną torbę i schodzi zostawić psa u Melvina. Nie było to zbyt dorosłe z jej strony, że jeszcze tego z nim nie omówiła. Tchórzliwie odkładała tę rozmowę. Powinna również opowiedzieć mu o aresztowaniu. Jonas znał matkę Signe znacznie dłużej niż Louise. Źle postąpiła i w końcu sam wyczytał o tym w gazecie, a przecież mogła go na to przygotować. Przeszkodzili jej jednak w tym Kim i pies, a potem musiała jechać do Mie i jej córeczki.

Odpięła rower i włożyła kask. Muszą porozmawiać o psie, pomyślała. To będzie najtrudniejsza część tej poważnej rozmowy. Ale najpierw sama musi mieć pewność, że dobrze się zastanowiła, kiedy w końcu podejmie decyzję.

Po odwiezieniu Britt z powrotem do więzienia z dzisiejszego przesłuchania wzięła kurtkę i wybrała się na spacer do portu. Szła nad wodą obok budynku Biblioteki Królewskiej nazywanego Czarnym Diamentem, próbując uporządkować myśli i ustalić ze sobą, czego chce. Starała się wszystko poskładać. Słowa takie jak „konsekwencje" i „na zawsze" pojawiały się od czasu do czasu, lecz jednocześnie przesłaniało je dręczące poczucie żalu. Śledziła wzrokiem mężczyzn wypływających motorówką. Kim ciągle nie dzwonił. Jej gniew trochę ustąpił, ale wciąż nie na tyle, by sama chciała do niego zatelefonować.

Godzinę później czuła się już gotowa do powrotu. Nie wszystko sobie wyjaśniła, ale w pewnych punktach nabrała przekonania. W komendzie spakowała się i zajrzała do gabinetu Suhra poinformować go, że wychodzi już do domu.

– Coś się stało? – spytał zaniepokojony.

Pokręciła głową.

– Odwiedziłam wdowę po Nicku Hartmannie wczoraj wieczorem.

Na razie nie otrzymali jeszcze raportu z badań techników. Louise wątpiła zresztą, by udało im się coś odkryć.

– A dzisiaj chciałabym trochę czasu spędzić z Jonasem.

– To zrozumiałe – przyznał szef. – Michael Stig jest w magazynie z tymi meblami razem z przewodniczącym Duńskiego Związku Projektantów Mebli. Może więc wkrótce będziemy wiedzieli, jaki zysk mogły przynieść te podróbki, gdyby zostały sprzedane jako oryginały.

W powrotnej drodze wstąpiła jeszcze do sklepu Irma na Gammel Kongevej po ziemniaki do pieczenia i kotlety cielęce.

Nikogo nie było w domu, kiedy weszła do swojego mieszkania na czwartym piętrze, ale w przedpokoju leżała otwarta rolka torebek na psie odchody. Sygnały były oczywiste: Jonas chciał zatrzymać tego psa. Najwyraźniej wybrał się nawet na zakupy po powrocie ze szkoły. U niego w pokoju stał nowiutki koszyk dla psa, a obok dwie miseczki na jedzenie i wodę. Nie było tylko psa ani chłopca. Za to na sekretarce automatycznej stacjonarnego telefonu było całe mnóstwo

371

wiadomości od Camilli. Louise zorientowała się, że również jej komórka została zbombardowana. Wyłączyła w niej dźwięk, gdy poszła do portu zebrać myśli, a potem zapomniała go włączyć.

W esemesie do Camilli zaproponowała rozmowę przez Skype'a i poszła włączyć komputer do sypialni. Pięć minut później ukazał się niewyraźny obraz przyjaciółki. Głośno krzyczała, jak zwykle bywa, kiedy połączenie telefoniczne jest marne, a słowa uciekają, zanim dotrą do odbiorcy.

– Dlaczego, do cholery, nie oddzwoniłaś? Widziałaś moje esemesy? – spytała Camilla na ekranie komputera.

Louise zorientowała się, że przyjaciółka zabrała laptopa w jakiś kąt pokoju hotelowego, gdzie najwyraźniej był lepszy zasięg bezprzewodowego Internetu.

– Dopiero weszłam do domu. Co się stało? Co to za ważna sprawa?

– Przeprowadzałam dzisiaj wywiad z Frederikiem Sachs-Smithem. Powiedział mi, że Ulrik i jego żona byli u niego z wizytą.

– Aha – odparła Louise, nie dostrzegając nic alarmującego w tej informacji.

– Ale Britt nigdy nie była w Stanach, a kobieta, którą Ulrik przedstawiał w Santa Barbara jako swoją żonę, ani trochę nie przypominała Britt. Tamta to blondynka z dużym biustem. Musisz się dowiedzieć, kto to jest, do diabła. Z kim on jeździ i przedstawia jako swoją żonę? Musi ją znać bardzo dobrze, skoro ludzie uważają ich za małżeństwo.

Zaczęła tłumaczyć, że wyciągnęła z Frederika różne informacje, kiedy wreszcie zrobił się rozmowniejszy. Okazało się, że Ulrik z tą blondynką dzielił się codziennymi sprawami, wspominali swoje podróże i przeżycia w taki sposób, że sprawiali wrażenie małżeństwa.

– To z całą pewnością nie była Britt, bo ona nie wsiada do samolotu. A poza tym w tym czasie spędzałyśmy razem wakacje w domku letniskowym, kiedy Ulrik wyjechał. To po prostu zupełnie nie pasuje do jego obrazu, który sobie wyrobiłam.

– To prawda. – Louise pokiwała głową do widocznej na ekranie twarzy Camilli.

Przyjaciółka westchnęła, odgarniając jasne włosy do tyłu. Była opalona, wyglądała zdrowo w białej koszuli rozpiętej pod szyją.

– A nie wiesz, czy to nie może być jego sekretarka albo jakaś partnerka w interesach? – spytała Louise. W tej chwili bardziej interesowała ją rozmowa, którą miała przeprowadzić z Jonasem.

– Właśnie tego musisz się dowiedzieć. Bo jeśli on ma kogoś na boku, to przecież bardzo możliwe, że dobrze się dla niego składa, że jego nudna żona trafiła za kratki.

– Uspokój się! – Louise widziała, że Camilla usiadła na podłodze, plecami oparta o prążkowaną tapetę. Jakość obrazu się poprawiła. Dostrzegała nawet łzy gromadzące się w kącikach oczu przyjaciółki, zanim się przelały.

– Wiem tylko, że Britt nie podpaliła tego baraku – oświadczyła Camilla i nagle wydała się bardzo zmęczona.

Louise postanowiła skończyć tę rozmowę. Temat Britt poruszały już wcześniej. Zaczynał ją irytować upór Camilli, zwłaszcza że przebywała na drugim końcu świata. Przecież nawet nie widziała Britt od śmierci jej córki.

– A co według ciebie mielibyśmy wykopać? Nazwisko kochanki Ulrika, żebyś miała czym zdzielić go w głowę? – spytała nieco bardziej kąśliwym tonem, niż było to konieczne.

– Nie o to chodzi – zaprotestowała Camilla. – Ale jeśli Ulrik prowadzi coś w rodzaju podwójnego życia, to mogą nim kierować inne pobudki niż te, które wam przedstawia. Tak jak Britt jesteście ślepi. Ja po prostu próbuję wam wytłumaczyć, że ktoś inny mógł mieć motyw. A co z tymi chłopakami, którzy się tam spotykali? Co o nich wiecie?

– Oni chyba nie mają związku z tym, z kim Ulrik jeździ po świecie? – przerwała jej Louise.

– Rzeczywiście, ale chcę tylko powiedzieć, że mnóstwa rzeczy po prostu nie zbadaliście. Przecież na przykład nie wiedziałaś, że Ulrik ma jakąś babę.

– Rzeczywiście nie wiedziałam.

– I nie dowiedziałabyś się tego, gdybym ja ci nie powiedziała.

– Owszem – przyznała Louise.

– No właśnie. Musicie zbadać całość, bo inaczej jeszcze ją skażą...

– Ja nie mam czasu na takie badania – weszła jej w słowo Louise.

– Przestań! Nie możesz się temu przyjrzeć jeszcze

raz? Zrób to dla mnie i dla Britt – poprosiła Camilla. – Przyjrzyj się wszystkiemu, co ma związek z tym barakiem. Sama mogłabym znaleźć się w podobnej sytuacji, i ty także. Co byśmy zrobiły, gdyby nikt nie wierzył w naszą niewinność? – Urwała na chwilę. – Musisz postarać się udowodnić, że Britt tego nie zrobiła. Jeśli w dalszym ciągu nie znajdziesz nic, co by wskazywało na to, że jest inaczej, i jeśli ona dalej nie przestanie się zachowywać tak, jakby była winna, to niech tak będzie, ale musimy przynajmniej spróbować jej pomóc. – Camilla znów oparła głowę o ścianę.

– Ty też musisz coś zrozumieć – powiedziała Louise spokojnie. – Nawet ci, których się kocha i którym się ufa, są w stanie zabić. Uważam, że każdy jest w stanie odebrać życie innemu człowiekowi, jeśli zostanie doprowadzony do ekstremalnego stanu, a w wypadku Britt policja ma naprawdę mocne dowody na to, że tak się stało.

– Wiem – pokiwała głową Camilla. – Ja też się nad tym zastanawiałam i tego nie wykluczam. Ale jeśli nikt nie będzie wierzył w jej niewinność, to na tym się skończy. Będzie siedzieć w areszcie aż do wydania wyroku ze świadomością, że pokutuje za coś, czego nie zrobiła, bez szans na przekonanie otoczenia, że jest bez winy. Właśnie to się stanie, jeśli nie będziemy kopać głębiej i przynajmniej nie wykluczymy wszystkiego, co może wskazywać na to, że to nie ona.

– A tego dnia będziesz mogła przyznać, że to jednak ona, ale oczywiście sumienie zachowasz czyste, ponieważ zrobiłaś wszystko, co mogłaś, żeby jej pomóc. Czy właśnie tak myślisz? – spytała Louise.

– Chyba tak – przyznała Camilla. – Ale musimy to zrobić właśnie ze względu na sumienie.

Louise usłyszała zgrzyt klucza w zamku i tupot psich łap.

– Cześć! – rozległo się od drzwi. Stanął w nich Jonas ze szczeniakiem w objęciach.

– Cześć – powiedziała Louise i spytała, czy nie miałby ochoty porozmawiać trochę przez Skype'a z Camillą i Markusem. – Sama pomówię z Ulrikiem, a jutro zajrzę do więzienia i porozmawiam z Britt. Odezwę się do ciebie – obiecała.

– Po prostu zadzwoń. Zostaniemy tu przez kilka dni. Frederik zaprosił nas do siebie. Mieszkamy u niego w apartamencie dla gości, a potem lecimy na Hawaje. Pozwolił nam skorzystać ze swojego domu przy samej plaży.

– Frederik Sachs-Smith was tam zaprosił? – spytała Louise zaciekawiona, bo miała wrażenie, że w głosie przyjaciółki pojawiła się jakaś miękkość, gdy mówiła o swoim nowym znajomym z wyższych sfer.

– On jest naprawdę bardzo miły. Pamiętasz go? Chodził do Szkoły Katedralnej tak jak my, ale skończył ją akurat w tym roku, kiedy my zaczęłyśmy. Jego rodzeństwo uczyło się w Herlufsholm. Zwykłe liceum najwyraźniej nie było dla nich dostatecznie dobre.

Pewne oznaki mogły wskazywać na to, że Camilla leciutko zadurzyła się w bogaczu ze słynnej rodziny.

Louise nie bardzo wiedziała, co o tym myśleć, ale zważywszy na samopoczucie i stan przyjaciółki przed wyjazdem, wszystko, co tylko mogło jej sprawić radość, było bardziej niż mile widziane.

– No to bawcie się dobrze – rzuciła tylko. Dawno już zrezygnowała z mieszania się w życie prywatne Camilli. – A zaraz przyjdzie para, która chętnie się z wami przywita – zapowiedziała, zwalniając miejsce Jonasowi, który z czułością podniósł Dinę do kamery internetowej i tylko się uśmiechał, kiedy Camilla i Markus zaczęli się rozpływać nad jej słodyczą.

Louise włączyła piekarnik, opłukała kartofle do pieczenia i natarła je oliwą, a potem ułożyła w żaroodpornym naczyniu wysypanym grubo mieloną solą. Potem otworzyła butelkę czerwonego wina, nalała sobie kieliszek i zadzwoniła na numer komórki Kenta z komendy Bellahøj.

– Ten komputer, który zatrzymaliście w baraku na łodzie, jest u was czy został przekazany NITEC*? – spytała, kiedy udało jej się z nim połączyć.

– Jest u nich, ale nie ponaglaliśmy – zaczął się tłumaczyć. – Przecież tych chłopaków wypuszczono i minie dużo czasu, zanim ta sprawa trafi do sądu.

– Jasne. Sama do nich zadzwonię i dowiem się, czy coś z tym zrobili – powiedziała.

Przerwał jej pytaniem, czy wydarzyło się coś nowego, skoro Louise interesuje się komputerem.

* Wydział ds. Przestępczości Cyfrowej Komendy Głównej Policji.

– Nie – odparła. – Po prostu musimy włączyć go w śledztwo. Akurat teraz staram się pozbierać różne wątki.

Uznała, że nie ma powodu wyjaśniać, że chciała sprawdzić, czy nie było w nim jakiejś korespondencji między chłopakami, którzy spotykali się w baraku, a ojcem Signe lub też może jakichś innych istotnych informacji wskazujących na związki między nimi.

– Zaczekaj chwilę, zaraz znajdę numer tej sprawy – powiedział Kent. – Szybciej ją dla ciebie odszukają.

WNITEC telefon odebrał mężczyzna i życzliwie burcząc pod nosem, zanotował numer sprawy. Poprosił Louise o podanie jej numeru telefonu i obiecał, że oddzwoni, gdy odszukają komputer i chociaż pobieżnie go sprawdzą.

– Sprawa jest dość pilna – dodała Louise z nadzieją, że nie wywoła jego złości.

Mężczyzna przyrzekł, że się pospieszą.

Jonas z sypialni spytał, czy Louise chce jeszcze rozmawiać z Camillą, czy może się rozłączyć.

– Nie, już skończyłam. Przyjdziesz tutaj?

Wyjęła z lodówki oranżadę i usiadła przy stole. Jonas niepewnie stanął w drzwiach z Diną na rękach.

– Możesz ją puścić, niech biega. – Louise wskazała podłogę. – A ty usiądź.

Chłopiec był wyraźnie przejęty. Oczy skrywał pod grzywką, a głos miał jeszcze bardziej zachrypnięty niż zwykle, kiedy powiedział „dobrze" i wziął szklankę.

Chwilę siedzieli w milczeniu, w końcu Louise zebrała się w sobie.

– Jonas, nie chodzi o to, że ja tylko czekam, kiedy wreszcie będę mogła się ciebie pozbyć. Powód, dla którego od samego początku nie zaproponowałam, że możesz u mnie mieszkać, dopóki będziesz miał na to ochotę, jest tylko taki, że sama nie czuję, żebym nadawała się na czyjąś matkę. Ty wszystko robisz dobrze, a ja nawet sobie nie pozwalam na zachwyt szczeniakiem jak większość normalnych ludzi wyłącznie dlatego, że boję się, iż za bardzo się do niego przywiążę. To idiotyczne z mojej strony.

Kiwnęła głową w stronę Diny, która wyciągnęła się na podłodze i zasnęła z łebkiem na łapach, jak szczeniaki potrafią wycieńczone spacerem po parku. Jonas zerknął na nią spod włosów, nie umiejąc ocenić, czy to, co powiedziała, jest dobre, czy złe.

– Możesz trzymać Dinę tutaj tyle, ile chcesz, ale ja po prostu nie mogę obiecać, że się nią zajmę, jeśli tobie któregoś dnia to się znudzi.

– Nie znudzi mi się – mruknął chłopiec, a Louise szybko pokręciła głową.

– Ja też tak nie myślę, dlatego to nie stanowi problemu. Nie jest też tak, że nie będę z nią od czasu do czasu wychodzić czy jej karmić. Nie jestem tylko w stanie przyrzec, że dostosuję nagle swoje życie do psa. Wszystkie dzieci chcą mieć psy i wszystkie dzieci, z wyjątkiem ciebie, w końcu się tym psem nudzą...

– I co będzie potem? – spytał, patrząc na nią ciemnymi oczami. – Kiedy nie będę mógł już tu mieszkać...

380

Louise właśnie sięgnęła po kieliszek z winem, ale wolnym ruchem go odstawiła.

– Nie będzie żadnego „potem". Jeśli tylko będziesz miał ochotę tu zostać.

Huk był tak wielki, że szyby w salonie zadrżały. Louise się poderwała. Kazała Jonasowi nie ruszać się z kuchni, a sama pobiegła do salonu i wyjrzała na ulicę. Dostrzegła dym i płomienie, ale nie wiedziała, skąd się wydobywają.

– Zostańcie tutaj! – krzyknęła do Jonasa.

Dina wciąż leżała na podłodze. Rzeczywiście pies był chyba tak głuchy, jak obawiał się tego Kim.

Na klatce pootwierały się drzwi. Przerażeni ludzie rozmawiali podniesionymi głosami. Mówili o jakimś samochodzie wysadzonym w powietrze i sięgających wysoko płomieniach. Louise zbiegła na dół i już przez okno na drugim piętrze zauważyła, że to jej saab płonie.

Na parterze zbiegła jeszcze pół piętra do miejsca, gdzie na ścianie wisiała gaśnica, i wyrwała ją z uchwytu. Zaraz zjawił się Melvin w kapciach. W biegu wkładał swój brązowy kardigan.

– Już zadzwoniłem pod sto dwanaście – oznajmił lekko zdyszany, widząc Louise. – Co ty, u diabła, wozisz w samochodzie, skoro może stać się coś takiego? – spytał wstrząśnięty, przytrzymując jej drzwi, gdy wynosiła ciężką gaśnicę.

Na chodniku odkręciła zabezpieczenie i wcisnęła dźwignię. Trysnęła biała piana jak z ogromnej puszki ze sprejem.

– Nie miałam nic takiego w samochodzie. Ktoś to musiał zrobić! – zawołała, ręką wskazując mu drzwi do budynku. – Wejdź raczej do środka. Kiedy ogień dotrze do zbiornika z paliwem, nastąpi kolejny wybuch.

Na ulicy parkowało wiele samochodów, dlatego zależało jej na zgaszeniu ognia, zanim się rozprzestrzeni. Bała się jednak podejść zbyt blisko, bo nie wiedziała, czy już nie zajął podwozia i nie zbliża się do baku.

Słychać już było syreny.

Wóz strażacki nadjechał od strony Allégade. Zajął całą ulicę. W otwartych oknach pojawili się ludzie. Louise wyjątkowo błogosławiła fakt, że remiza strażacka na Frederiksberg znajdowała się tak blisko. Do tej pory tylko irytował ją dźwięk syren wozów wyjeżdżających do pożaru.

Zadarła głowę i popatrzyła na swoje mieszkanie. Cztery okna na poddaszu wychodziły na ulicę. Z jednego wychylał się Jonas. Piana z gaśnicy stłumiła płomienie, ale ogień zaczął trawić siedzenia w samochodzie. Przybyli strażacy odsunęli ją, szykując wąż, który szybko poradził sobie z ogniem. Mnóstwo litrów wody rozlało się na ulicę i spłynęło do rynsztoka. Nie zauważyła, kiedy nadjechał radiowóz. Zwróciła dopiero uwagę na policjanta, który do niej podszedł. Nie znała go.

– To pani samochód?

Kiwnęła głową. Saab był całkowicie zniszczony. Został tylko czarny szkielet bez szyb i reflektorów. Wszystko albo wyleciało w powietrze, albo się spaliło. Louise zorientowała się, że cała drży, kiedy podawała swoje nazwisko i wskazywała na klatkę.

– Mieszkam na czwartym piętrze.

– Rick przez „k" czy „ch"?

– Ck – odpowiedziała i znów spojrzała w górę na swoje okna, ale Jonas już zniknął.

– Założę się, że ktoś wysadził ten samochód w powietrze – stwierdził jeden z młodych strażaków uczestniczących w gaszeniu. – Po podpaleniu inaczej by wyglądał, chociaż i tego rodzaju incydentów jest teraz sporo.

– Owszem, ale nie o szóstej, kiedy ludzie jedzą obiad – podkreśliła Louise, patrząc na niego ze złością.

Wzruszył ramionami i odwrócił się do niej tyłem.

– Jestem policjantką, pracuję w Wydziale Zabójstw komendy miejskiej – wyjaśniła i podała przybyłemu funkcjonariuszowi swój numer komórki.

– Niestety, wydaje mi się, że on miał rację. – Policjant wskazał na samochód. – Dokuczyłaś komuś albo wsadziłaś kogoś za kratki?

Słowom towarzyszył śmiech, który urwał się, gdy Louise kiwnęła głową.

– Za kratki jeszcze nie, ale przeczuwam, kim mógł być nadawca tej wiadomości. Oczywiście jeśli się okaże, że nie był to tylko przypadkowy wandalizm. Życzę powodzenia w wyjaśnianiu tej sprawy...

Policjant przerzucił kartkę w notatniku.

– Nick Hartmann – powiedziała Louise, a on już miał zapisać to nazwisko, ale wstrzymał się, bo Louise dodała:

– ...został zastrzelony.

Teraz policjant również przypomniał sobie to nazwisko.

– Miał powiązania z rockersami i podejrzewamy, że usiłował ich oszukać na nieprzyzwoicie dużą sumę. Wczoraj poważne groźby skierowano pod adresem jego żony i maleńkiej nowo narodzonej córeczki. Zintensyfikowaliśmy więc śledztwo i wkrótce powinniśmy mieć już udokumentowany związek między rockersami a ofiarą zabójstwa. Może więc się nie pomylę, zgadując, że to mógł być sygnał dla mnie, że mam odpuścić i zostawić ich w spokoju.

– No to może powinniśmy poszukać materiałów wybuchowych u rockersów...

Louise przytaknęła.

Policjant w zamyśleniu pokiwał głową. Groźby wobec policji traktowano coraz poważniej, chociaż szefowie z komendy początkowo starali się ich wszystkich uspokajać, mówiąc, że małe pieski najgłośniej szczekają. Tyle że po gwałtownych konfliktach, w jakie zaangażowana była policja, te pieski nie były już wcale takie małe.

Louise podała mu nazwę swojego towarzystwa ubezpieczeniowego i obiecała, że w ciągu kilku następnych dni zgłosi zdarzenie. W tym czasie szczątki jej samochodu ogrodzono biało-czerwoną policyjną taśmą. Miał zostać stąd zabrany i dokładnie sprawdzony przez techników.

– Chyba nie zostało w nim nic, co mogłoby ci się przydać. – Policjant roześmiał się cierpko z własnego dowcipu. – Kiedy już będziemy wiedzieć, w jaki sposób doszło do tego podpalenia, odezwiemy się. Teraz przede wszystkim musimy popytać, czy ktoś czegoś nie zauważył. Powinny być na to szanse, zważywszy na porę dnia. Wracaj na górę, będziemy cię informować, i oczywiście kontaktuj się z nami, gdyby wydarzyło się coś, co miałoby znaczenie dla tej sprawy.

Pokiwała głową.

– Przekaż Frandsenowi, że to mój samochód – poprosiła, cofnęła się o parę kroków i przyjrzała saabowi.

Pokrywa bagażnika się podniosła i samochód jeszcze bardziej straszył jakby otwartą paszczą. Ale weszła na klatkę bardziej zła i niż zalękniona.

Na drugim piętrze spotkała Vivian, która miała troje dzieci i męża pracującego w banku.

– To niezbyt miłe dla nas, mieszkańców tego domu, że takie rzeczy dzieją się tu, w samym środku naszej dzielnicy. Spokój to przecież jeden z powodów, dla którego płaci się więcej za mieszkanie w porządnym miejscu...

Louise nie chciało się nawet na nią spojrzeć, kiedy ją mijała. Na trzecim piętrze w drzwiach czekał Melvin.

– Jonas z psem są u mnie. Wejdź.

Pozwoliła się wprowadzić do dziadkowego saloniku, gdzie została usadzona przy stole. Melvin wyjął kieliszek z cienkiego szkła i nalał jej coś mocniejszego. Uśmiechnęła się z wdzięcznością, zanim wypiła. Jonas nie odezwał się ani słowem. Siedział z Diną przytuloną do jego stóp. Ona jedna zdawała się kompletnie nie przejmować szokującym zdarzeniem, od którego Jonas pobladł, a które Melvinowi kazało wyciągnąć kieliszki.

– Niezłe, co? – Louise spróbowała uśmiechnąć się do chłopca.

Poderwał się i mocno ją objął. Chciał się nachylić do jej ucha i zrobił to trochę niezdarnie, mimo to Louise gardło się ścisnęło tak, że nie mogła mówić.

– Pomyśl tylko... A gdybyś siedziała w środku? – szepnął.

Louise odsunęła się odrobinę tak, żeby móc na niego popatrzeć.

– Wtedy by do tego nie doszło – stwierdziła i chrząknęła.

Melvin usiadł na krześle naprzeciwko niej.

– To była tylko nauczka, nie ma powodu do prawdziwego strachu – tłumaczyła możliwie beztrosko, żeby nie zarazić się od nich przygnębieniem. – Ale teraz sytuacja wygląda tak, że nie mamy już samochodu.

– A nie mogłabyś jeździć samochodem mojego taty? – zaproponował Jonas pocieszającym tonem. – Przecież on ciągle stoi w Szwecji. To co prawda nie jest saab, tylko citroen.

Louise się uśmiechnęła. Postępowanie spadkowe po Henriku Holmie nie zostało jeszcze przeprowadzone, zresztą mało ją to obchodziło. Regularnie dostawała trochę pieniędzy od adwokata pastora na pokrycie dodatkowych wydatków związanych z wprowadzeniem się Jonasa.

– Czy nie powinnaś powiadomić o tym, co się stało, kogoś z twojej komendy? – spytał Melvin.

Louise wzruszyła ramionami.

– Może rzeczywiście zawiadomię o tym mojego szefa. Tak dla porządku – powiedziała i uświadomiła sobie, że Jonas ciągle ją obejmuje.

Obróciła się lekko i posadziła go sobie na kolanach. Mocno go przytuliła. Był taki ciepły i ciężko się o nią oparł. Przedramieniem wyczuwała, jak szybko bije mu serce, co uświadomiło jej, że chłopiec przeżył większy wstrząs, niż chciał to po sobie pokazać. Przytuliła go więc jeszcze mocniej, szepcząc, że już po wszystkim, a policja na pewno dowie się, kto to zrobił.

Wyświechtany frazes. Niewielkie były na to szanse, jeżeli nie znajdzie się żaden świadek. Właśnie takich słów używali w celu uspokojenia innych. Jakby w czymś mogło pomóc to, że policja dowie się, kto to zrobił. W zasadzie była pewna, że to podpalenie ma związek z Mie i jej małą córeczką, z tym, że wyprowadziły się z domu. Rockersi najwyraźniej poczuli, że policja zaczyna deptać im po piętach, i nie chcieli się z tym pogodzić. Z wdzięcznością kiwnęła głową, kiedy Melvin jej dolał, zanim przeszkodziła Suhrowi w środku wieczornej kawy.

Kiedy wrócili do mieszkania, wyprowadziwszy jeszcze Dinę na wieczorny spacer po okolicy, ziemniaki w piecyku całkiem wyschły. Zupełnie o nich zapomniała, kiedy zaofiarowała się, że wyjdzie z psem. A Jonas też chciał im towarzyszyć. Uświadomiła sobie, że bał się ją puścić samą. Może myślał, że ją obroni, gdyby ci nieznajomi znów zaatakowali.

Pocałowała go w policzek na dobranoc i nie skomentowała, że szczeniak wdrapał się na jego łóżko i ułożył w nogach.

Było piętnaście po ósmej, gdy Louise następnego dnia rano, spotkała się Ulrikiem Fastingiem-Thomsenem w willi na Strandvænget. Zatelefonowała do niego, jadąc na komendę, i poprosiła o dziesięć minut na krótkie omówienie rozwoju sprawy. Ulrik wciąż ukrywał się przed dziennikarzami i mieszkał w hotelu w mieście. Gdy więc Louise dodzwoniła się do niego na komórkę, przeprosił, tłumacząc, że ma dzień pełen spotkań, najlepiej więc umówić się od razu rano. Zamierzał zajrzeć do domu po jakieś dokumenty, które zostawił na biurku.

Ogrodową alejkę zaściełały żółte liście, mokre po nocnym deszczu. Ulrik zaparkował swoje duże audi na ulicy, zamiast wjeżdżać do wiaty, i także przez to dom wydawał się opuszczony, kiedy Louise dzwoniła do drzwi.

Otworzył jej ubrany w drogi garnitur i białą jak śnieg, świeżo uprasowaną koszulę. Wyglądał równie elegancko jak przy pierwszym ich spotkaniu, chociaż bruzdy na twarzy sprawiały wrażenie głębszych, a podbródek wydawał się ostrzejszy. Louise stwierdziła również, że schudł. Weszła za nim do przedpokoju, gdzie tuż za drzwiami leżał stos nieprzeczytanych gazet. Ulrik zaprosił ją do salonu.

– Zaparzymy kawę? – spytał, patrząc na nią.

– Ja dziękuję – odmówiła Louise, wysuwając sobie krzesło przy dużym stole i zachęcając go, by usiadł. – W jaki sposób nawiązałeś znajomość z Nickiem Hartmannem? Dałeś ogłoszenie, że masz do wynajęcia magazyn? – spytała.

Ulrik pokręcił głową.

– Kilka razy go szkoliłem. Głównie skakał na spadochronie, ale chciał też spróbować paralotni. Był na dwóch czy trzech kursach weekendowych, które organizowałem, i zgadaliśmy się kiedyś, że szuka magazynu.

Louise wyjęła notatnik.

– Byłeś świadom, do czego miał zamiar go wykorzystywać? – spytała.

Wzruszył ramionami.

– Takie rzeczy nie bardzo mnie interesują, dopóki to nie są kontenery pełne haszyszu czy innych narkotyków – uśmiechnął się. – A przecież widziałem, że nie były.

– To znaczy, że wiedziałeś, co tam trzymał?

– Owszem, meble. Ale zajrzałem tam tylko raz, kiedy wnosił te rzeczy. Płacę przecież człowiekowi, który wszystkiego pilnuje.

– A co wiedziałeś o Nicku Hartmannie i jego przedsiębiorstwie?

Ulrik nachylił się trochę bardziej w jej stronę.

– Niewiele. Podobnie jak niewiele wiem o najemcach, którzy mieszkają w innych należących do mnie nieruchomościach. Zatrudniam dozorców i administratorów. Do ich obowiązków należy kontakt z poszczególnymi najemcami. Jest wśród nich kilku moich przyjaciół, którzy szukali mieszkania, a poza tym wynajmem zajmuje się kancelaria adwokacka. O Nicku wiedziałem jedynie to, że łączy nas podobne hobby.

– Wiedziałeś o jego powiązaniach ze środowiskiem rockersów?

Po twarzy Ulrika przebiegł cień.

– Domyślałem się ich. Lub może raczej powinienem powiedzieć, że mnie to nie zdziwiło – przyznał. – Sam kiedyś wspomniał o tym. No i skądś musiał mieć pieniądze. Miał drogie samochody i wyglądał na takiego, który lubi żyć na wysokiej stopie.

Louise w milczeniu czekała na dalszy ciąg.

– Ale ja się nie mieszam w to, skąd ludzie biorą pieniądze, byle tylko płacili czynsz – podjął wreszcie Ulrik. – Wydawał mi się przyzwoitym człowiekiem, miał rozsądną pracę w jakiejś dużej firmie shippingowej, a w jakim towarzystwie się obracał, to mnie nie interesowało.

Louise kilka razy kiwnęła głową i zmieniła temat.

– Otrzymałam informację, że masz kochankę. Czy to prawda?

Ulrik lekko drgnął na krześle i spojrzał na nią zdziwiony.

– A kto ci o tym powiedział?

– Masz romans? – spytała jeszcze raz, zamiast odpowiedzieć.

Siedzieli zbyt blisko siebie na to, by mogli sobie pozwolić na napięcie, jakie rodziło się w ciszy. Louise odruchowo nieco się odsunęła.

– Dlaczego? Dlaczego w ogóle o to pytasz?

– Ponieważ chciałabym mieć pełny obraz twojej rodziny. Chcę wiedzieć wszystko. Nick Hartmann został zastrzelony, a motyw być może wiąże się z towarem, który przechowywał w twoim magazynie. W magazynie, który wkrótce potem spłonął.

– Spłonął barak na łodzie – poprawił ją Ulrik. – A zważywszy na zarzuty, które przedstawiliście mojej żonie, motyw tego czynu jest już znany. – Potarł czoło.

– Kim była kobieta, którą przedstawiłeś jako swoją żonę, kiedy pojechałeś w odwiedziny do Sachs-Smitha w lipcu ubiegłego roku?

Szczęka odrobinę mu opadła, opuścił też ramiona. Wyraźnie było widać, że się zastanawia nad odpowiedzią. W błyskawicznym tempie rozważa wszystkie za i przeciw.

– To prawda, miałem romans – przyznał, patrząc na Louise bardziej smutną niż zażenowaną. – Zerwałem z nią po wypadku Signe. Nie mogłem dłużej tego ciągnąć, więc już się z nią nie widuję. I byłbym bardzo wdzięczny, gdybyś nie wspominała o tym mojej żonie. Skończyłem z tamtą. Nie ma powodu jeszcze bardziej krzywdzić Britt po tym wszystkim, co na nią spadło.

– Masz rację – Louise natychmiast się z nim zgodziła.

– Ale muszę cię spytać, czy można sobie wyobrazić, by twoja kochanka maczała palce w tym pożarze w porcie.

Spojrzał na nią ze zdumieniem, najwyraźniej nie rozumiejąc, do czego zmierza.

– Skoro właśnie zakończyłeś romans z powodu śmierci córki, to twoja kochanka, wiedziona czystą zazdrością, mogła podpalić barak, a podejrzenia skierować na Britt.

– Co ty, u diabła, sobie wyobrażasz! Oczywiście, że nie mogła tego zrobić.

– Wiesz to z całą pewnością? – spytała Louise, nie reagując na jego wybuch.

Oburzony kiwnął głową. Przeczesał włosy palcami, nagle wyraźnie nieszczęśliwy. Gniew minął. Odchylił się na krześle ze zrezygnowaną miną.

– Ona nie miała z tym nic wspólnego, bo była ze mną tamtego wieczoru, kiedy wybuchł pożar. Na Islandii. Właśnie tam z nią zerwałem. Dlatego mogę z całą pewnością powiedzieć, że tego nie zrobiła.

– Zakładam, że ktoś może to potwierdzić. – Louise wstała.

– Możesz zadzwonić do hotelu. Zatrzymaliśmy się w hotelu 101 w Rejkiawiku. Znają nas tam. Mieszkaliśmy tam wcześniej wielokrotnie.

– Odwiedzasz Britt w areszcie? – spytała, gdy odprowadzał ją do przedpokoju. Sama powinna do niej zajrzeć, ale jeszcze tego nie zrobiła.

Lekko zawstydzony pokręcił głową.

– Byłem tam tylko raz. To bardzo trudne. W ogóle nie wiem, co jej mówić.

– Może wcale nie musisz mówić. Może wystarczy, że tam będziesz? – podsunęła Louise.

Otworzył drzwi i podał jej rękę na pożegnanie.

– Czy powszechnie wiadomo, że to ty jesteś właścicielem magazynu w porcie? – chciała jeszcze wiedzieć przed wyjściem.

– Chyba nie, ale myślę, że można to sprawdzić w wyszukiwarce KRAK-Gospodarka. Pewnie wyskoczy wtedy moja firma, jest przecież założona na moje nazwisko.

– Musisz wiedzieć, że osoby, z którymi Nick Hartmann robił interesy, zaczęły poważnie grozić wdowie po nim, domagając się zapłaty pieniędzy, które ich zdaniem należą się im po jego śmierci.

– Pożyczył od nich?

Louise pokręciła głową.

– Wygląda na to, że mają na myśli zysk, jaki przyniosłaby sprzedaż mebli z jednego kontenera. Nie wiem, skąd wziął pieniądze na ten drugi, ale wszystkie meble zostały zatrzymane przez policję, więc to i tak przepadło. Kilka dni temu do domu tej kobiety wdarło się dwóch mężczyzn i zabrało z niego wszystko, co miało jakąś wartość. Teraz usiłują zmusić ją do sprzedaży mieszkania i zapłacenia im czterech milionów. Grożą, że jeśli tego nie zrobi, zabiorą jej dziecko.

Ulrik stał z jedną ręką opartą o futrynę i słuchał jej z powagą.

– Ależ to kompletne szaleństwo! – zawołał. – Mafijne metody. A co będzie, jeśli się dowiedzą, że to ja jestem właścicielem magazynu? Mogą przyjść do mnie? – Po raz pierwszy szczerze się zaniepokoił.

Louise wzruszyła ramionami.

– To nie są ludzie, z którymi można mieć niezałatwione sprawy. Ale ponieważ ty nie miałeś nic wspólnego z Hartmannem, to chyba do ciebie nie przyjdą.

– Mam powody, żeby się bać? – spytał, kiedy już zeszła po schodkach.

Odwróciła się do niego nieco zirytowana tym, że dopiero to było w stanie wyprowadzić go z równowagi, i nie mogła się powstrzymać, żeby nie odparować:

– O tym chyba sam wiesz najlepiej!

On ma konto na wyspie Man i domyślam się, że te pieniądze są podwójnie brudne – oznajmił Sejr, gdy tylko Louise wróciła do swojego pokoju w komendzie.

– Co to, do diabła, znaczy „podwójnie brudne"? – spytała, rzucając torebkę na podłogę.

Sejr Gylling miał dzisiaj żółte okulary przeciwsłoneczne, a bluzę z kapturem beżową. Ani jedno, ani drugie nie pasowało do jego białych włosów.

– Podwójnie brudne pieniądze to takie, o których nie wie ani urząd podatkowy, ani żona – wyjaśnił z taką miną, jakby właśnie znalazł dużą paczkę żelków, o której ktoś zapomniał. – Wygenerował olbrzymi zysk, odprowadzając wynagrodzenie, jakie otrzymywał od swoich zagranicznych klientów, bezpośrednio na konto założone na wyspie Man, gdzie zarejestrował firmę.

– Spokojnie, spokojnie! – przerwała mu Louise. – Zwolnij! Nie mam pojęcia, o czym mówisz. Gadasz jak ten królik Duracella na mocnych bateriach.

Sejr odchylił się i popatrzył na nią wyczekująco. Słuchawki leżały na stole, jakby całkiem o nich zapomniał, bo tak podniecił się swoim nowym odkryciem.

– Chcesz powiedzieć, że Hartmann zapłacił za ten drugi kontener pieniędzmi, które miał na tajnym koncie za granicą? – spytała zaciekawiona.

– Ja nie mówię o Hartmannie. – Sejr pokręcił głową. – To Ulrik Fasting-Thomsen ma tajne konto.

– O cholera! Wiesz to na pewno? – zdumiała się Louise.

– Wystąpiłem z wnioskiem o międzynarodową pomoc prawną, żeby sprawdzić, czy któryś z tych dwóch ma jakieś konta za granicą. Taki wniosek wysyła się za pośrednictwem Ministerstwa Sprawiedliwości i Interpolu. Potem mija wiele tygodni, zanim oficjalnie otrzyma się informacje od zagranicznych banków. Ale ja przed chwilą dostałem nieoficjalną odpowiedź z Interpolu, która w zupełności mi wystarczy. Natomiast na Hartmanna nie mogli niczego znaleźć.

– No to pięknie ze strony szanowanego doradcy inwestycyjnego! Tajne konto na jednej z brytyjskich wysp na Morzu Irlandzkim! Czy ta wyspa to raj podatkowy jak Monako?

Sejr kiwnął głową.

– A co mówiłeś o wygenerowanym zysku? Od czego? – spytała.

– Na razie wszystko wskazuje na to, że całość wynagrodzeń, które otrzymuje od klientów z zagranicy, lokuje bezpośrednio tam. Do tego trzeba dodać znaczne zyski, jakie muszą przynosić mu zagraniczne inwestycje. Bardzo niewiele wpływów spoza kraju znalazłem na jego zwykłym duńskim koncie firmowym, dlatego właściwie nie miałem pojęcia, że ma tam aż tylu klientów. Ale z rachunków firmy mogłem się zorientować, że odbywał wiele podróży i miał mnóstwo wydatków związanych ze spotkaniami poza Danią. I oczywiście dziwiło mnie, że z tylu wyjazdów nic tak naprawdę nie wynika. Dlatego zacząłem podejrzewać, że dochody z zagranicy mogą być gdzieś ukryte.

Louise uśmiechnęła się do niego. To bardzo w jego stylu, stwierdziła. Jego metody śledcze w odróżnieniu od jej wiązały się z księgowością, ale to właśnie jemu udało się więcej osiągnąć. Przynajmniej do tej pory.

– Władze wyspy Man prześlą informacje do Ministerstwa Sprawiedliwości, a działają stosunkowo szybko w porównaniu z innymi rządami, z którymi współpracujemy.

Zadzwonił telefon Louise. Na chwilę zapomniała o Ulriku.

– Tu mówi Hansen z NITEC. Prosiłaś, żebyśmy sprawdzili pewien komputer. Masz czas, żeby do nas zajrzeć? Wydaje mi się, że mądrze będzie na własne oczy zobaczyć jego zawartość, zamiast robić wydruk!

– Cannibal Corpse – powiedział Hansen, kiedy przyjął Louise w NITEC i zaprowadził do niewielkiego pokoju, w którym agresywna metalowa muzyka dudniła z komputera Dell, zatrzymanego przez policjantów z Bellahøj podczas przeszukania baraku na łodzie tamtego dnia, gdy spotykających się tam chłopców powiązano z napaścią na Britt. – To utwór „Entrails Ripped From a Virgin's Cunt". „Murder, Hatred. Anger, Savage. Killings I have caused, more than can be counted...". Ten zespół zyskiwał coraz większą popularność za każdym razem, gdy próbowano go ocenzurować i zakazywano odtwarzania kolejnych jego krążków – wyjaśnił ekspert od komputerów, który najwyraźniej zapoznał się z historią grupy. – Nie jest to zresztą muzyka puszczana w popularnych stacjach radiowych – dodał i wyjaśnił, że te utwory zostały ściągnięte z sieci.

Kiedy dał sygnał, że wyłączy, Louise szybko pokiwała głową.

– Używali tego komputera do czegoś innego czy tylko słuchali na nim muzyki? – spytała, stając za nim w kurtce i z torebką na ramieniu, bo spodziewała się, że zaraz stąd wyjdzie.

On jednak przygotował dla niej krzesło. Rzuciła więc kurtkę na parapet i zaciekawiona usiadła przed monitorem.

– Znasz ten szczególny gatunek filmowy, który nazywa się *mondo movies*?

Louise wzruszyła ramionami.

– Słyszałam o tym, ale nigdy nie czułam wielkiej potrzeby pogłębienia swojej wiedzy w tej kwestii.

Hansen chyba to rozumiał, lecz widać było wyraźnie, że sam widział sporo takich filmów, których nikt nie cenzurował. Louise przypomniała sobie, że wśród policyjnych speców od komputerów są również tacy, którzy znajdują przyjemność w przeglądaniu zatrzymanych plików z pornografią dziecięcą, a więc rzeczy równie obrzydliwych.

– Jest tu tego mnóstwo: umierający ludzie nagrani kamerą w komórce, ofiary wypadków drogowych, samobójstw i przemocy. Chyba właśnie ta ostatnia kategoria najbardziej ich podpalała.

Louise pomyślała o tych chłopcach, z którymi rozmawiała osobiście. Jeden z nich pobił przecież mężczyznę tak, że ten zapadł w śpiączkę. Nie zdziwiło więc jej, że może szukać takiej rozrywki.

– Tu masz zresztą szeroki rozstrzał – wyjaśnił kolega. Odnalazł listę ściągniętych filmów i skierował kursor w dół. – Bezdomny zabity w piwnicy, młody chłopak napadnięty przez dwóch w kapturach na przystanku autobusowym, którzy zostawiają go dopiero, gdy już nie żyje. – Wymienił jeszcze kilka przykładów i dodał, iż domyśla się, że niektóre z tych napaści były inscenizowane, a ofiary nie umarły, chociaż tak wyglądało na filmach. Większość nagrań wydawała się jednak prawdziwa.

– A co z e-mailami? Jest tam coś, co wskazywałoby na to, z kim korespondowali ci chłopcy?

– Nie ma ani e-maili, ani żadnej innej korespondencji, nie ma też Facebooka czy innych profili na portalach społecznościowych.

– Czy nie pojawiało się gdzieś nazwisko Ulrika Fastinga-Thomsena?

Pokręcił głową. Wyglądało na to, że komputer był wykorzystywany wyłącznie do słuchania muzyki i oglądania filmów.

– Filmów jest tu naprawdę mnóstwo i w zasadzie większość kwalifikuje się jako te najokrutniejsze.

Zamknął ich listę. Louise słuchała go tylko jednym uchem, bo jej spojrzenie wyłowiło pewien plik w prawym rogu. „Niemontowane".

– Co to jest? – spytała, wskazując go.

– Plik w formacie avi. Są tam różne rzeczy, sam jeszcze tego dokładnie nie obejrzałem, ale wygląda mi to na coś, co zostało wgrane, zapewne z pamięci USB. Zdjęcia, artykuły prasowe...

– Spróbuj to otworzyć – poprosiła, przysuwając się bliżej.

Kliknął. Film otworzył się w programie Mediaplayer. Liczby świadczyły o tym, że nagranie ma niespełna pięć minut. *„Man shot down"* – napisano zielonym flamastrem na kawałku papieru w linie i kartka ta mogła stanowić coś w rodzaju introdukcji. Scenę filmowano z ręki.

W okienku formatu zdjęcia widniała data dwudziestego piątego września. Louise nachyliła się, a Hansen nieco się odsunął, by mogła patrzeć wprost na monitor.

Play.

Kamera musiała być ustawiona na statywie, bo nie poruszała się za dwiema postaciami. Ludzie ci czasami znikali z ekranu, ale zaraz znów się pojawiali. Niczego nie było widać wyraźnie, jedynie zarysy ciał. Było za ciemno. I ta ciemność pochłonęła większą część akcji, ale w końcu osoby znów pojawiły się na ekranie i jedna podawała drugiej broń. Kilka sztuk. A potem podeszły do kamery, by zademonstrować, że trzymają w rękach cztery sztuki broni. Wciąż jednak było za ciemno, żeby dostrzec szczegóły, jedynie zarys luf i rękojeści. Louise rozpoznała tylko pistolet maszynowy.

Postacie ruszyły. Jedna z nich niosła kamerę i w pewnym momencie obiektyw złapał dość światła, by Louise uznała, że ludzie ci idą w stronę domu, w którego oknach się świeci. Rozległ się hałas, coś zatrzeszczało i kamera poszybowała w powietrzu. Została przeniesiona na kolejną platformę, wyżej, blisko domu, i skierowana wprost w oświetlone okna. Rozległ się szum zoomu i obraz się wyostrzył.

Na kanapie leżał Nick Hartmann. Wyraźnie było widać, że wzrok ma skierowany na telewizor stojący lekko z prawej strony. Rozległ się krzyk, który zabrzmiał jak „gotowy", i padł pierwszy strzał.

Za szybą Hartmann zerwał się z kanapy. Posypało się szkło. Hartmann pobiegł przez salon do, jak wiedziała Louise, kuchni. Strzelano nieprzerwanie. Kiedy Hartmann wrócił, osoba z pistoletem maszynowym podbiegła do zbitego okna, położyła lufę na parapecie i puściła salwę.

Louise się pochyliła. Zauważyła wyraźny koński ogon. Rozpoznała też profil ze zdjęć, które policjant przyniósł pokazać Jonasowi.

– Da się zrobić z tego wyraźniejsze zdjęcia? – spytała

i w tym samym momencie na ekranie pojawiła się suka Mie.

Zato stała w pozycji ataku, ale zaraz zwaliła się na bok, trafiona pojedynczą kulą. To właśnie w chwili, kiedy obracał się ku psu, Nick Hartmann został postrzelony.

Widać było, że chce się schować, ale nie zdążył, bo trafiła go salwa z pistoletu maszynowego. Odrzuciło go do tyłu, a jednocześnie padł strzał z drugiego końca salonu.

Louise od skupienia rozbolały oczy. Osoba, która strzelała przez okno z prawej strony, tej bliższej kuchni, była wyższa i sprawiała wrażenie cięższej. Nie potrafiła stwierdzić z całą pewnością, czy to był Kenneth Thim czy Thomas Jørgensen, ale nie miała wątpliwości, że to jest jeden z tych dwóch.

– Jak wyraźne zdjęcia da się z tego uzyskać po opracowaniu? – powtórzyła pytanie.

– Z tego, co zostało nagrane po ciemku, nic nie wyjdzie, ale myślę, że z tego, gdzie są oświetleni światłem z salonu, coś będzie.

Nagle kamera się przesunęła, wyprostowała i zrobiła zbliżenie na krwawiące ciało Nicka Hartmanna w chwili, gdy ostatnia kula trafiła go tuż pod piersią.

Finał. Było już po wszystkim. Jeszcze tylko odgłos uciekających stóp i kamerę wyłączono.

Wszyscy poszli na lunch, kiedy Louise z kopią filmu wróciła do siebie z Komendy Głównej po drugiej stronie ulicy. Już wcześniej zadzwoniła do Suhra z wiadomością, co znaleźli na komputerze zabranym z baraku. Teraz zajrzała do sali śniadaniowej po filiżankę kawy, ale była zbyt wstrząśnięta, by czuć głód.

Na jednym ze stołów leżała gazeta. „Żądna zemsty matka wypiera się wszystkiego", głosił napis na pierwszej stronie. Zamieszczono też duże zdjęcie Britt zrobione przez boczną szybę radiowozu. Louise domyśliła się, że musiano ją uchwycić, kiedy wracała do Więzienia Zachodniego po ostatnim przesłuchaniu. Zabrała gazetę do swojego pokoju.

Tekst pod spodem opisywał, jak to Britt podłożyła ogień w baraku, polewając go najpierw łatwopalnym płynem, w czasie gdy dwóch nastolatków spało w środku. Używano różnych określeń, nazywano ją żądną zemsty, żądną odwetu albo po prostu podpalaczką. Ojciec

Sebastiana Styhnego, właściciel kawiarni w Nyhavn, nie szczędził opinii publicznej opowieści o synu i jego kolegach, a obraz malowany przez niego przedstawiał gromadkę wesołych chłopców, którzy lubili powłóczyć się po mieście i od czasu do czasu jak wszyscy młodzi ludzie wypić piwo. Louise jednak wiedziała już, jak daleko jest od opisu ojca do rzeczywistości. Z obrzydzeniem pomyślała o sposobie, w jaki dokonano egzekucji Nicka Hartmanna w odległości zaledwie kilku metrów od pokoju, w którym przebywała jego żona i maleńkie dziecko.

Michael Stig zadzwonił do niej na komórkę. Razem z Toftem i prokuratorem siedzieli teraz w ich pokoju gotowi na odtworzenie nagrania. Louise wylała resztę kawy do zlewu. Na korytarzu spotkała Suhra, który też chciał zobaczyć film. Willumsen przyniósł więc dodatkowe krzesło.

– Jeśli osoby na tym filmie widać na tyle wyraźnie, by dało się je zidentyfikować, natychmiast przystępujemy do zatrzymania – oświadczył naczelnik.

– Zabójstwo na zamówienie? – zastanawiał się Suhr, idąc z Louise do jej pokoju, w który Sejr siedział przed monitorami.

– Przypuszczalnie – przyznała Louise i dodała, że ci chłopcy jednocześnie najwyraźniej mieli na tyle chorą psychikę, by uważać swój zbiór filmów za rozrywkę.

– Takie rzeczy się sprzedaje? – spytał naczelnik, patrząc na drugą stronę biurka.

404

Sejr Gylling zdjął słuchawki, wyczuwając, że pytanie jest skierowane do niego, i poprosił, by Suhr powtórzył. Potem wzruszył ramionami.

– Albo człowiek wchodzi do grupy, której członkowie wymieniają się ze sobą filmami, albo też kupuje i sprzedaje własne materiały. Może to się odbywać na oba sposoby. Ale pewne jest, że po to, żeby coś dostać, trzeba coś dawać, jeśli się nie chce płacić bajońskich sum za ściągane filmy.

– Wobec tego trzeba prosić komputerowców o dokładne sprawdzenie całej zawartości tego sprzętu. Hartmann być może nie jest jedyną osobą, którą wciągnęli do tej ich rozrywkowej branży – zamyślił się naczelnik i dodał, że byłoby niezłym dodatkowym bonusem, gdyby jednocześnie zdołali wytropić osoby zamieszczające w sieci takie nagrania.

– Ciekawe, czy filmowali również, kiedy saab wyleciał w powietrze? – mruknęła Louise i zgodziła się z Suhrem, gdy ten stwierdził, że istnieje wyraźne powiązanie między rockersami, a przynajmniej współpracującymi z nimi osobami, i Nickiem Hartmannem, które doprowadziło do jego zabójstwa. Ci z baraku zostali w to wciągnięci, ponieważ kilku z nich wyraźnie aspirowało do rockersów i pełniło funkcję ich chłopców na posyłki. – Może spróbowalibyśmy pokazać Mie ich zdjęcia? Nie jest przecież wykluczone, że to ich wysłano, żeby ją zastraszyli i opróżnili dom z cennych przedmiotów – podsunęła Louise.

Suhr kiwnął głową i spojrzał na Sejra.

– Możesz sprawdzić konta Nymanna i pozostałych. Zobaczymy, czy nie wpłynęły na nie jakieś większe sumy, które mogły być zapłatą za zabójstwo na zamówienie.

Gylling uprzedził naczelnika, że może minąć dzień albo dwa, zanim uzyska dostęp do ich kont.

W drzwiach stanęli Michael Stig i Toft, ale musieli się odsunąć, gdy Willumsen zaczął się przez nich przepychać.

– Ściągamy wszystkich trzech na przesłuchanie i nie ruszą się stąd, dopóki wszystkiego nie powiedzą. Mają wyjawić, co wiedzą o Hartmannie, jakie są ich powiązania z rockersami i jak, do cholery, poza tym spędzali czas? – wyrzucił z siebie komisarz, wyraźnie wstrząśnięty po obejrzeniu dokonanej z zimną krwią egzekucji. – Nie możemy dopuścić, żeby się porozumieli, kiedy się zorientują, że ich ścigamy – ciągnął, patrząc na Tofta i Michaela Stiga. – Dopilnujcie, żeby nie mogli ze sobą rozmawiać ani korespondować.

Szybko ustalili, w jakiej kolejności zgarną chłopaków. Nagle zaczęło im się spieszyć, powietrze aż drżało od napięcia. Dostali kop adrenaliny. Willumsen spojrzał na Louise, która miała dla niego o wiele więcej szacunku, gdy wchodził w rolę dowodzącego, szybko budował sobie ogląd całej sytuacji i rozdzielał obowiązki, zamiast wrzeszczeć z kwaśną miną i psuć wszystkim humory.

– Britt Fasting-Thomsen powinna się cieszyć, że nic więcej jej się nie stało, kiedy napadli na nią w klubie – powiedział.

I znów szacunek Louise dla szefa grupy śledczej trochę zmalał.

– Britt nie mogło się przydarzyć nic gorszego, niż się wtedy stało – odparła Louise, patrząc na niego z irytacją.

– Właśnie że mogło! Widzieliśmy przecież, do czego zdolne są te chłopaki – upierał się Willumsen.

– Ty ciągle nic nie rozumiesz – oświadczyła, przytrzymując go wzrokiem. – Britt, tracąc córkę, straciła wszystko. Całkiem się załamała. Nie starczyłoby jej siły na to, żeby podpalić ten zasrany barak i tych jeszcze bardziej zasranych chłopaków. Nie wychodziła z domu, jej świat się zatrzymał, a teraz siedzi w areszcie jako kozioł ofiarny za kogoś, komu jest kompletnie obojętne, że ona się rozpada. Właśnie dlatego, szczerze mówiąc, uważam, że nie mogło jej spotkać nic gorszego. – Westchnęła, upominając się w duchu, że powinna złożyć Britt wizytę poza protokołem.

– A skąd to wiesz? – spytał Toft z zaciekawieniem, przyglądając jej się uważnie. Spośród wszystkich kolegów to on najpoważniej traktował intuicję Louise.

Louise kiwnęła głową.

– Jestem w zasadzie przekonana, że Britt jest niewinna, ale to do nas należy udowodnienie, że tego nie zrobiła. Ona nam w tym nie pomoże. – Przeniosła wzrok na Willumsena. – Ciągle przechodzi takie piekło, że obojętne jej, co się stanie z jej życiem. Nie dba o to, po której stronie muru się znajduje, bo i tak już wszystko straciła.

Naczelnik wstał z niskiej komody, a komisarz wsunął ręce do kieszeni gabardynowych spodni. Pasiasty sweter mu się podsunął, odsłaniając brzuch zwieszający się nad paskiem.

– Chodźmy do mnie – zwrócił się Suhr do Louise.

Pozostali zaczęli się szykować do zatrzymania Kennetha Thima, Thomasa Jørgensena i Jóna Vigdísarsona i ściągnięcia ich na przesłuchanie.

– Ja w to po prostu nie wierzę – powtórzyła Louise, kiedy naczelnik już zamknął za nimi drzwi. Musiała jednak przyznać, że nie ma pojęcia, dlaczego samochód Britt znalazł się w porcie i skąd ten zbieg okoliczności z drewnem. – Nie wiem – powtórzyła, rozkładając ręce. – Komuś zależy na tym, abyśmy uznali, że to ona. Początkowo nawet mu się to udało, ale teraz powinniśmy raczej udowodnić, że jej tam nie było.

– Ale dowody są aż nadto wyraźne – zauważył naczelnik zza biurka, patrząc na nią z wyczekiwaniem i licząc, że Louise ma coś konkretnego na wsparcie swoich przeczuć. – I kto miałby to zrobić? Te chłopaki? Oni mieliby spalić własnych kumpli i miejsce, w którym się wcześniej spotykali? Tylko po to, by zrzucić winę na nieznajomą kobietę? – W jego głosie brzmiało powątpiewanie.

– Oczywiście, że nie.

– No to kto?

Louise głęboko zaczerpnęła powietrza.

– Ulrik!

Suhr uniósł brew.

– Jej mąż?

Louise kiwnęła głową.

– Być może. Ale nie sądzę, by podpalacz sądził, że ktoś będzie w baraku. Przecież chłopaków wyrzucono, zabrali stamtąd rzeczy. Nikt nie mógł wiedzieć, że Sebastian Styhne i Peter Nymann tam nocują. Również Britt. Słuchał, ale wciąż patrzył na nią sceptycznie.

– Chcesz powiedzieć, że to Ulrik Fasting-Thomsen miałby podpalić własne budynki, a teraz jeszcze pozwalać, by jego żona siedziała za kratkami, oskarżona o podwójne zabójstwo?

– No tak, to rzeczywiście kuleje – przyznała Louise szczerze. – Ale chyba można sobie wyobrazić, że to on zainwestował w dodatkowy kontener zamówiony przez Hartmanna. Ten, który przypłynął z Hongkongu ostatnio. Sejr znalazł tajne konto Ulrika w pewnym banku na wyspie Man.

Naczelnik najwyraźniej już o tym wiedział, bo kiwnął głową i spytał, czy przeanalizowali już operacje na tym koncie.

– Mamy dostać wyciągi z Interpolu jeszcze dzisiaj, ale przecież już wyraźnie widać, że Fasting-Thomsen ukrywał dochody przed urzędem podatkowym, nie włączając ich do rachunków firmy.

– A więc oszustwo popełnione przez jednego z najbardziej szanowanych doradców podatkowych i inwestycyjnych? – zdumiał się Suhr.

– Na to wygląda. I to naprawdę on mógł zainwestować pieniądze w import. Znał Hartmanna i wiedział, co jest w magazynie. Kiedy zaczęliśmy w śledztwie się do tego zbliżać, uznał, że lepiej będzie, jak wszystko przepadnie w płomieniach.

Hans Suhr zakołysał się na krześle, przyglądając jej się z uwagą, potem chrząknął. Louise wiedziała, że w to nie wierzy.

– Miałby stracić towar, który tyle jest wart? – spytał.

– Wydaje mi się, że wolał stracić te cztery miliony, które zainwestował, niż dobre imię, a takie było ryzyko, jeśli zostałby odkryty – zauważyła, przypominając szefowi, że gdyby nie doszło do tego incydentu w klubie żeglarskim, policja nigdy nie zainteresowałaby się finansami Ulrika.

– Sprawdźmy, co znajdziemy na koncie, zanim zaczniemy podkręcać wokół niego atmosferę – zdecydował Suhr. – Możliwe, że są na nim jakieś nędzne grosze i nic nam z tego nie przyjdzie.

Louise przytaknęła i już chciała wyjść, ale szef ją zatrzymał.

– Dlaczego nagle stałaś się taką zagorzałą przeciwniczką Ulrika Fastinga-Thomsena? – spytał.

Zastanowiła się przez chwilę i nie odpowiedziała wprost.

– Jestem przeciwna temu, żebyśmy szli wyłącznie jednym tropem, który w mojej opinii donikąd nas nie zaprowadzi. Poza tym mam powody, by przypuszczać, że Ulrik wcale nie jest taki lojalny wobec żony, jak początkowo sądziłam. Kiedy rozmawiałam z nim dzisiaj rano, potwierdził, że przez dłuższy czas miał kochankę, z którą w dodatku podróżował i którą przedstawiał jako swoją żonę. W moich oczach zaczyna wyglądać na to, że prowadził podwójne życie. Nie był wyłącznie eleganckim, zasługującym na szacunek człowiekiem, za jakiego chciał uchodzić.

Suhr wyraźnie bardzo się tym zainteresował. Zdjął okulary i odłożył je na stół między papiery.

– Skąd masz tę informację? – spytał. – Britt ci o tym powiedziała?

– Nie ma nawet pewności, czy Britt cokolwiek o tym wie. Jeszcze z nią o tym nie rozmawiałam.

Opowiedziała o Camilli i jej wizycie w Santa Barbara.

– Camilla Lind – pokiwał głową naczelnik. – Myślałem, że jest na zwolnieniu...

– Bo jest. Chciała przeprowadzić tylko ten jeden wywiad. Sachs-Smith przypadkiem opowiedział jej o wizycie Ulrika i jego żony, którą, jak się okazało, z całą pewnością nie była Britt.

Suhr przez chwilę się zastanawiał, a w końcu stwierdził:

– No to rzeczywiście musimy się mu uważniej przyjrzeć.

Louise wzruszyła ramionami i popatrzyła na drzwi, do których ktoś zapukał i zaraz, nie czekając na zaproszenie, wszedł do środka. To był Willumsen, który miał całą szyję w czerwonych plamach i ciężko oddychał.

– Ktoś znów napadł na Mie Hartmann! – oznajmił, nie przepraszając, że przeszkadza.

Louise niespokojnie poruszyła się na krześle.

– Coś stało się dziecku? – spytała.

Pokręcił głową, patrząc na Suhra.

– Znaleźli ją u przyjaciółki w północnej Zelandii. Nie wiem, jak ją tam wytropili – mówił ze złością, przeczesując palcami ciemne włosy. – Poszła na spacer do lasu z córeczką w wózku. Kiedy wróciły do domu, na podwórzu stało dziecięce łóżeczko z kołderką

411

i wszystkim. W środku leżała fotografia córki, która wcześniej stała w salonie. Pewnie zabrali ją, kiedy składali jej poprzednią wizytę. Tyle że na tym zdjęciu mała ma sznur na szyi. – Podniósł ręce do szyi, żeby zademonstrować. – Musieli je przerobić w Photoshopie. Właśnie przysłano mi je e-mailem. Wygląda na całkowicie prawdziwe – dodał z niedowierzaniem. – A przy fotografii Mie Hartmann znalazła kartkę z informacją, że ma zadzwonić pod numer komórki, kiedy będzie gotowa zapłacić to, co był winien jej mąż. Inaczej jej córka skończy tak jak na zdjęciu.

Willumsen wyraźnie zaniepokojony, o czym świadczyła zmarszczka rysująca mu się na czole, zaczął krążyć po gabinecie jak lew po klatce ze wzrokiem wbitym w podłogę.

– Ten ktoś mówi serio – stwierdził. – Podobno wdowa po Hartmannie kompletnie się załamała i boi się zostać sama. To zresztą zupełnie zrozumiałe – dodał, odkrywając swoją bardziej miękką stronę. Ona bowiem istniała, tyle że była dość głęboko ukryta.

– Niech to szlag! – zdenerwował się Suhr i z powrotem włożył okulary.

– Gdzie ona teraz jest z dzieckiem? – chciała wiedzieć Louise.

– Ciągle u tej przyjaciółki, ale trzeba je przenieść. Jest tam teraz patrol policji z północnej Zelandii. To gospodarstwo leży w pewnym oddaleniu od sąsiadów. Nikt nie widział, jak wnoszono to łóżeczko na podwórze, a z tego, co zrozumiałem, do domu prowadzi długi podjazd – opisywał. – Cholera, że też im się chce tak straszyć ludzi!

– Musimy tam posłać techników – zdecydował Suhr i już sięgnął po słuchawkę, żeby zadzwonić na Slotsherrensvej. Przełączono go bezpośrednio do Frandsena.

Louise poczuła ściskanie w żołądku. Myślała o filmie znalezionym w komputerze chłopaków i nawet przez sekundę nie miała wątpliwości, że te groźby zostaną spełnione, jeśli Mie nie zapłaci. Ale przecież nie była w stanie zapłacić. Jak miała to zrobić?

– Na jakim etapie jesteście z zatrzymaniami? – spytała, patrząc na Willumsena. – Jeśli Mie ścigali ci sami, którzy z zimną krwią zabili jej męża, to może uda nam się teraz pokrzyżować im szyki.

– Dwóch już mamy. Brakuje nam Thima. Jego majster mówi, że chłopak już wraca do warsztatu z częściami, po które pojechał do Værløse. Uczy się na mechanika samochodowego.

Willumsen zmrużył oczy, na twarzy pojawił mu się wyraz zamyślenia. Zgadzał się z Louise, że sprawca, który brał z Nymannem udział w strzelaninie na Dyvekes Allé, najbardziej przypominał Kennetha Thima, i najwyraźniej już szykował się do przesłuchania tych trzech, gdy tylko zjawią się w komendzie.

– Toft czeka na niego w tym warsztacie – poinformował. – A Michael Stig i funkcjonariusze dokonujący zatrzymań wkrótce powinni już wrócić. – Za godzinę będziemy mieć zdjęcia z filmu na papierze. Będą się musieli

413

z nich tłumaczyć. – Zadowolony klasnął w ręce i wyszedł z gabinetu.

Suhr spojrzał na Louise.

– Musimy ustalić jak najszybciej, czy Fasting-Thomsen był finansowo zaangażowany w import tych mebli – oświadczył.

Kiedy Louise otworzyła drzwi do swojego pokoju, zalała ją muzyka. Zatrzymała się, słysząc tony muzyki klasycznej wznoszące się pod sufit stosunkowo niewielkiego pomieszczenia, które z powodu zasłoniętych okien wydawało się zdecydowanie za małe na tyle dźwięków. Zaskoczona popatrzyła na Sejra, który z uśmiechem wyjaśnił, że od czasu do czasu trzeba oczyścić głowę, aby mogło pomieścić się w niej więcej.

Louise pomyślała o Britt w Więzieniu Zachodnim. Miała nadzieję, że ktoś zadbał o to, by mogła tam choć czasem posłuchać swojej ukochanej muzyki.

– Wydaje mi się, że Hartmann głupio pograł – powiedział Sejr i przyciszył muzykę.

Przywołał Louise do swojego monitora. Zorientowała się, że zalogował się do archiwum Wydziału do spraw Oszustw Gospodarczych.

– Wstukałem hasło „meble designerskie" i okazało się, że dwudziestego ósmego sierpnia zwrócił się do nas specjalista do spraw zakupów dużej jutlandzkiej sieci meblowej. Skontaktował się z nim człowiek, który zaofiarował mu partię „Łabędzia" autorstwa Arnego Jacobsena. Gdy ten specjalista spytał, kiedy meble mogłyby zostać dostarczone, dowiedział się, że właśnie przyjechały z fabryki na wschodzie, i od razu zrozumiał, że coś tu jest nie tak.

– Jak to? – zdziwiła się Louise.

– Możliwa jest produkcja niektórych z designerskich mebli w Azji, ale klasyki takie jak „Jajko" czy „Łabędź" wytwarza się wyłącznie w Europie i zawsze trzeba się liczyć z dość długim terminem dostawy, ponieważ nie są one produkowane masowo.

– To znaczy, że osoba, która wystąpiła z propozycją, nie posiadała tej wiedzy – wyciągnęła wniosek Louise.

– No właśnie. Niezdarne działanie, prawda?

Kiwnęła głową.

– Przypuszczam, że Hartmann napalił się na zakup tych mebli, ale nie wiedział, w jaki sposób powinien je sprzedać. Pewnie wcześniej zajmowali się tym inni. Nie tak łatwo jest pozbyć się tak dużej partii towaru, jeśli nie ma się stałych kanałów odbioru – tłumaczył. – Jeżeli, jak przypuszczamy, sam usiłował znaleźć prywatnych odbiorców, to jest to trudna i mozolna praca, a nawiązując współpracę z sieciami meblowymi i domami aukcyjnymi, ryzykuje się odkrycie oszustwa z powodu jakości towaru, nieporównywalnej z prawdziwymi projektami. Dlatego najmądrzej jest trzymać się od nich z daleka i szukać naiwnych prywatnych odbiorców, którzy nie potrafią dopatrzyć się szczegółów.

– A czy to nie wygląda zbyt podejrzanie, jeśli nagle pojawia się tak duża partia drogich mebli? – spytała Louise, wypijając colę podsuniętą jej przez Sejra.

415

– Oczywiście istnieją granice chłonności rynku. I bardzo możliwe, że właśnie to wkurzyło jego pierwotnych partnerów. Najprawdopodobniej odkryli, co robił.

Louise zaczęło się mącić w głowie. Przed oczami stanęła je Mie i jej mała córeczka. Miała świadomość tego, że nie są bezpieczne, jeżeli w grę wchodziły tak wielkie pieniądze.

– Czy Hartmann mógł przez cały czas pracować dla Ulrika? Może mylimy się, uważając, że to sprawka rockersów? – spytała, zakręcając butelkę i wrzucając ją do skrzynki przy lodówce.

– Nie – oświadczył Sejr. – Gdyby to była sprawa tylko tych dwóch, Hartmann nie zostałby zabity. Nie zabija się kury znoszącej złote jaja. Człowiek, który ma pieniądze, potrzebuje kogoś, kto może wykonać za niego całą pracę. Gdyby nikt nie poczuł się wykiwany, ten interes mógł dalej kwitnąć i przynosić ogromne zyski. Musiała w to być zaangażowana jeszcze jakaś strona, która w pewnym momencie poczuła się oszukana.

Zadzwonił telefon na biurku Louise. Sejr natychmiast znów włożył słuchawki i skierował wzrok na monitor.

W pierwszej chwili Louise nie mogła zrozumieć słów wypowiadanych niemal szeptem. Przez moment sądziła nawet, że to Mie, i cała aż się spięła. Ale kiedy kobieta w końcu kilkakrotnie odchrząknęła i udało jej się zapanować nad głosem, Louise uświadomiła sobie, że dzwoni Vigdís Ólafsdóttir.

– Czy może pani do mnie przyjechać? Muszę z panią porozmawiać – powiedziała Islandka i wybuchnęła płaczem.

Kiedy Louise pół godziny później wchodziła do du-żej otwartej kuchni na Strandboulevarden, portfe-netr był otwarty na oścież, a jasne zasłony tak powiewały na wietrze, że uderzały w grzejniki z wyraźnym hałasem. W pokoju było zimno. Wręcz lodowato. Przy owalnym stole siedziała zapłakana Vigdís Ólafsdóttir z luźną bluzą zarzuconą na ramiona.

Przywitały się. Louise zamknęła drzwi na balkon i usia-dła przy stole. Kuchnia była sprzątnięta. Wszystko wygląda-ło ładnie i porządnie. Niebieskie kwiaty na parapecie paso-wały do obrazów ze skandynawskimi motywami na ścianie.

Na razie Vigdís Ólafsdóttir powiedziała jedynie „dzień dobry", ale wydawała się wdzięczna za to, że Louise zjawiła się tak błyskawicznie.

– Policja zabrała Jóna – oznajmiła, gdy Louise usiadła naprzeciwko niej. – Przyjechali po niego radiowozem.

Cisza. Chłód wciąż dawał się we znaki. Louise wstrząsnął dreszcz.

– To wszystko jest takie straszne, że nie mogę się już w tym połapać – zaczęła Islandka, ale głos odmówił jej posłuszeństwa. Miała niemal lalkowate rysy, ale w naturalny czysty sposób: nos delikatny i ostry, a brwi tak regularne, że wyglądały jak narysowane.

– Czy pani wie, dlaczego syna i jego kolegów dzisiaj zatrzymano? – spytała Louise.

Wolno kiwnęła głową.

– Nie zdawałam sobie sprawy z tego, że innych również zabrano.

– Oni zabili człowieka. – Louise próbowała spojrzeć jej w oczy.

– Na pewno nie Jón! – zawołała matka z przekonaniem w głosie.

– No tak, oczywiście, każdy, tylko nie pani syn! – wypaliła Louise z nieskrywanym sarkazmem.

Na poręczy balkonu usiadł ptak. Vigdís Ólafsdóttir nachyliła się, jakby chciała podkreślić, że mówi poważnie, i chociaż ma pełną świadomość, że każda matka na jej miejscu by tak powiedziała, to jej słowa mają więcej wagi.

– Dobrze wiem, jakie brudy oglądają za zamkniętymi drzwiami, i cały czas się obawiałam, że pewnego dnia koledzy Jóna w końcu zdecydują się na przekroczenie granicy.

– I nie interweniowała pani? – spytała Louise, patrząc jej w oczy. – Nie wierzyła pani, że syn może być taki jak jego koledzy?

Pokręciła głową.

– Tamtego wieczoru, kiedy koledzy pani syna zastrzelili Nicka Hartmanna, jego młoda żona została wdową, a dwumiesięczna córeczka straciła ojca.

Vigdís Ólafsdóttir zasłoniła twarz rękami i chwilę tak siedziała. W końcu uniosła głowę i spojrzała na Louise.

– Gdybym wiedziała, że to zaszło tak daleko, oczywiście bym interweniowała, ale zdałam sobie z tego sprawę dopiero, kiedy przyszła po niego policja.

Louise tylko słuchała.

– Zadzwoniłam do pani, ponieważ się boję. – Matka Jóna nagle zaczęła mówić z większą niepewnością w głosie i odwróciła wzrok. – Jeśli jego koledzy naprawdę zabili człowieka, to znam mojego syna na tyle dobrze, że zdradzi policji wszystko, co wie. Boję się o to, co stanie się z nim później... – Islandka wyraźnie walczyła z płaczem. – Będą się na nim mścić za to, że doniósł.

Louise przez chwilę się zastanawiała. Gęsia skórka na ramionach powoli zaczynała ustępować, mięśnie się odprężały.

– O to nie musi się pani martwić – zapewniła w końcu. – Wiemy, że to nie pani syn strzelał tamtego wieczoru. A dowody, które mamy, są na tyle mocne, że wystarczą do skazania sprawców. Niepotrzebne nam jest jego zeznanie.

Matka Jóna patrzyła na Louise, jakby nie chciała słyszeć policjantki opowiadającej o rzeczach, których nie dopuszczała do swojej świadomości.

– Oczywiście będzie nas interesowało, co pani syn ma do powiedzenia, i jeśli okaże się, że pojechał z nimi razem na Amager tego wieczoru, tyle że nie uczestniczył w samej strzelaninie, to oczywiście jego sytuacja się zmieni.

Vigdís Ólafsdóttir w milczeniu kiwnęła głową, jakby szukała jakiegoś wyjaśnienia. Zaczerpnęła głęboko powietrza i splotła palce obu rąk.

– Jón nigdy nie miał ojca – zaczęła. – Mam wrażenie, że dlatego pociąga go brutalność i męskość u kolegów, ale sam tego w sobie nie ma, jest miękki i wrażliwy, tyle że brakuje mu czegoś, czego ja nigdy nie potrafiłam mu dać.

– I uważa pani, że on to znajduje u kolegów? – przerwała jej Louise wzburzona słowami kobiety.

Vigdís Ólafsdóttir podniosła rękę, żeby powstrzymać jej wybuch.

– Nie, wcale tak nie uważam. To, że włóczy się z tymi chłopakami, traktuje jako wyraz buntu wobec mnie. Zapewne czuje, że zawiodłam. I być może ma rację, może byłam bardziej zajęta zaspakajaniem własnych potrzeb niż próbą stworzenia pełnej rodziny dla niego. On po prostu ciągle szuka granic. Najwyraźniej nie potrafiłam mu ich wyznaczyć, a nie było też nikogo innego, kto mógłby to zrobić. Może dlatego tak się stało. Ale on nie ma skłonności do przemocy, nikogo by nie skrzywdził. Ta walka toczy się w jego wnętrzu.

Louise pozwoliła jej mówić.

– Gdybyście go nie zabrali, sam by do was przyszedł – stwierdziła matka po namyśle. – Widziałam po nim, że coś się stało, ale nie chciał o tym mówić. Ostatnio w ogóle prawie się do mnie nie odzywał, tylko cały czas leżał u siebie w pokoju. Bardzo też przeżył śmierć kolegów w pożarze.

– Co pani wie o tym pożarze? – spytała Louise, uważnie się jej przyglądając.

– Nic. Nic oprócz tego, że nigdy nie wierzyłam, by to Britt podłożyła ogień.

– Zna ją pani? – zdumiała się Louise.

– Nie, ale człowiek tak nie reaguje po stracie. Po śmierci dziecka matka się rozpada. Do podpalenia skłaniają inne emocje. Kobiecie coś takiego nie przyjdzie do głowy.

– Owszem, takie wypadki już się zdarzały – zaprotestowała Louise.

– Coś takiego można zrobić z zazdrości, ale nie z żalu.

Vigdís Ólafsdóttir skubała nitkę, która wypruła się z rękawa białego obcisłego golfa podkreślającego jej kobiece kształty.

Zapadła cisza, obie musiały uspokoić myśli. Louise spojrzała za okno na odlatującego ptaka. W końcu się wyprostowała i przeniosła wzrok z powrotem na Vigdís Ólafsdóttir.

– Proszę mi odpowiedzieć. Czy to nie pani miała romans z Ulrikiem Fastingiem-Thomsenem? – spytała, bo nagle uświadomiła sobie, że matka Jóna wyjechała ze swoim facetem w tamtą noc, gdy doszło do pożaru. Tak mówił Jón, gdy razem z Michaelem Stigiem przyszła z nim porozmawiać.

Vigdís Ólafsdóttir siedziała z oczami mokrymi od łez. Nie było w nich ani wstydu, ani przerażenia, raczej ulga, że nie musiała sama występować z tym wyznaniem.

– Od jak dawna się znacie?

– Od ośmiu lat – odparła Islandka, czekając na reakcję Louise. – Miałam dwadzieścia siedem lat, kiedy wróciłam do Kopenhagi. Jón miał iść wtedy do trzeciej klasy.

Osiem lat to długo na bycie czyjąś kochanką, pomyślała Louise, zwłaszcza w wieku, gdy naturalne jest marzenie o założeniu własnej rodziny.

Widać łatwo było odgadnąć jej myśli, bo Vigdís Ólafsdóttir uśmiechnęła się ze smutkiem.

– Ulrik nigdy nie zostawiłby swojej rodziny. Wyraźnie to mówił od samego początku. Kochał je obie ponad wszystko i nigdy nie obiecywał mi nic więcej niż to, co już nas łączyło. A mnie to również wystarczało. Spotykaliśmy się kilka razy w tygodniu. Dużo razem podróżowaliśmy. Zawsze czułam, że ja i tak mam lepiej. Bo mam to, co ludzie uważają za śmietankę w związku.

– Ale już się nie widujecie… – wtrąciła Louise.

Łzy przelały się z niebieskich oczu. Jedna spłynęła po ostrym nosie.

– Nie, już nie jesteśmy razem. Od tego strasznego wypadku, w którym zginęła jego córka. Kiedy Ulrik się zorientował, że Jón był wtedy wśród tych chłopaków, zerwał ze mną. To zresztą zupełnie zrozumiałe. – Wytarła policzki. – Mamy się też stąd wyprowadzić. – Widząc zdziwienie na twarzy Louise, wyjaśniła: – To jego mieszkanie. On za nie płaci. Wyrzucił nas stąd, kiedy ze mną zerwał.

Zapadła chwila milczenia.

– Co pani wie o tamtym wieczorze w klubie żeglarskim? – Louise przerwała ciszę.

– Nic z wyjątkiem tego, co mi opowiedziano. Nie było mnie wtedy w domu. Ulrik zaprosił mnie do zamku Dragsholm na seminarium dla pracowników jego firmy.

– Była tam pani razem z nim? – zdumiała się Louise. Vigdís kiwnęła głową.

– Prawie zawsze jeździłam z nim poza Kopenhagę. Wśród jego kolegów i partnerów biznesowych nie było żadną tajemnicą, że się spotykamy. Towarzyszyłam mu w podróżach służbowych i wszystkich tych ekstremalnych wyprawach. Nie dlatego, bym sama uprawiała te sporty, ale lubię patrzeć na to, co on robi, a on z kolei lubi być podziwiany.

– To znaczy, że była pani przy tym, gdy policja dotarła do niego na zamku Dragsholm.

Louise poczuła, że serce zaczyna jej mocniej uderzać w piersi. Przypomniała sobie ciemność na drodze i krew wypływającą z głowy Signe. Pamiętała też tamtą ciężką ciszę w Szpitalu Centralnym, korytarze zbyt jaskrawo oświetlone. A Ulrik w tym czasie zabawiał się ze swoją kochanką! Kłamał w żywe oczy, tłumacząc, że nie może zrezygnować z udziału w zaplanowanym seminarium, chociaż tak bardzo by chciał.

Gniew ścisnął ją w gardle. Zorientowała się, że Vigdís Ólafsdóttir odczytała jej myśli.

– Od tej pory nie mogliśmy się już widywać. Z pewnością pani rozumie dlaczego.

– Owszem, rozumiem – potwierdziła Louise cierpkim tonem.

Zrozumiałaby również, gdyby Islandka wyznała, że ustawiła swoje życie na *stand by* przez cały ten czas, który spędziła z Ulrikiem Fastingiem-Thomsenem. Najwyraźniej utrzymywał ją i opłacał czynsz. Całkowicie uzależniła się od jego dobrej woli. Ona więc również wiele straciła tamtej nocy, gdy zginęła Signe. A skoro Ulrik odwrócił się od niej, dowiedziawszy się, że jej syn uczestniczył w wydarzeniach tamtego wieczoru, to miała również powody do zazdrości.

– Była pani razem z Ulrikiem na Islandii tamtej nocy, kiedy podpalono barak i magazyn w porcie?

Vigdís Ólafsdóttir nie próbowała udawać, że ma wątpliwości, o którą noc chodzi. Oparła brodę na rękach. W końcu kiwnęła głową ze smutkiem, a oczy znów jej zwilgotniały.

– Zerwał ze mną właśnie tam, od razu po przyjeździe. Chciał jak najszybciej zakończyć naszą znajomość. Okazało się, że już nawet zdążył znaleźć dla nas niewielkie mieszkanie. Mieliśmy je obejrzeć następnego dnia. Przygotował gotówkę na wpłacenie zaliczki. Mieliśmy się tam przenieść już w następnym miesiącu.

Rzeczywiście działał skutecznie, pomyślała Louise.

– Załatwił również przewiezienie naszych mebli, ale wszystko się nie zmieści, więc resztą ma się zająć sam – ciągnęła kobieta i z uśmiechem dodała, że zdążył nawet załatwić jej pracę sekretarki u jednego z islandzkich partnerów biznesowych. – Tak łatwo mu poszło usunięcie nas z drogi – podsumowała z cierpkim śmiechem.

– A co na to pani syn? – spytała Louise, czując nagle

współczucie dla Vigdís Ólafsdóttir, która tak ślepo ufała mężowi innej kobiety.

Islandka wzruszyła ramionami.

– Właściwie nie mówi nic. Myślę, że przykro mu z tego powodu, że będzie musiał zmienić szkołę i rozstać się z kolegami. Ale on nigdy nie lubił Ulrika. Uważał, że nas źle traktuje, skoro nie chce z nami założyć rodziny. A ja wcale go o to nie winię – powiedziała w zamyśleniu. – Jednocześnie chyba się cieszy, że mamy wyjechać. Mam wrażenie, że bardzo mu zależy na prawdziwej rodzinie. Nigdy jej nie posmakował, więc pewnie ma nadzieję, że kiedy wreszcie wrócimy na Islandię, znajdę sobie nowego mężczyznę i zaczniemy żyć normalniej. Może więc wcale tak bardzo się nie smuci z powodu wyjazdu. – Vigdís Ólafsdóttir się zamyśliła.

– Rozmawiała pani z Ulrikiem od tamtego pobytu na Islandii? – spytała Louise, szykując się do wyjścia.

Vigdís popatrzyła na nią spod grzywki i lekko się uśmiechnęła.

– Oczywiście. Po zatrzymaniu Britt został sam i chyba zaczął żałować naszego rozstania. Chce, żebym wróciła. Stale się tu pojawia, zaofiarował się nawet, że zapłaci za wykształcenie Jóna, jeśli zostaniemy. Obiecał też, że załatwi mu mieszkanie. – Pokręciła głową. – Ale to na nic. Ja już nie chcę. Zresztą musi teraz pomóc żonie. Przecież mógł ją zostawić już wiele lat temu. To, co nas łączyło, już minęło. Nie wchodzi się dwa razy do tej samej rzeki. Najwyższa pora, żebyśmy wrócili z Jónem na Islandię i zaczęli wszystko od nowa.

Louise kiwnęła głową i wstała po kurtkę.

– Jak pani myśli, kiedy go wypuszczą? – spytała Vigdís Ólafsdóttir, odprowadzając Louise do drzwi.

– Trudno powiedzieć. Wiele zależy od dzisiejszych przesłuchań.

Louise skierowała się do samochodu, który zostawiła na parkingu przed Towarzystwem Zwalczania Raka. Z komórką przy uchu przeszła na drugą stronę Strandboulevarden. Najpierw zadzwoniła do Sejra dowiedzieć się, czy dostał już wyciągi z zagranicznego konta Ulrika, a gdy kolega, wykazując się większą cierpliwością, odparł spokojnie, że jeszcze nie przyszły, zatelefonowała do Suhra.

– To matka Jóna Vigdísarsona była kochanką Ulrika! – zawołała do słuchawki, otwierając drzwiczki. – W czasie gdy Signe umierała w szpitalu, zabawiał się razem z nią.

Wiatr rozwiał jej włosy i zagwizdał w telefonie. Naczelnik kazał jej powtórzyć. Tym razem odpuściła sobie tę ostatnią uwagę i przekazała tylko suchą informację.

– Chcesz powiedzieć, że to matka tego Islandczyka jest jego kochanką? – spytał spokojnie.

Louise wsiadła do samochodu.

– Ich romans trwał przez osiem lat. Ulrik znał Jóna, odkąd chłopiec skończył dziewięć lat, więc wydaje się kompletnie nieprawdopodobne, żeby nie wiedział, kto spotyka się w jego baraku. Możliwe, że sam im na to pozwolił. Skąd inaczej chłopcy znaliby to miejsce?

Suhr mruknął coś, czego Louise nie usłyszała. Przypuszczalnie jednak były to jedynie dźwięki akompaniujące jego myślom.

– Właśnie wypuściliśmy tego chłopaka – dotarło do niej w końcu. – Nie było go z kumplami tamtego wieczoru, gdy zginął Nick Hartmann, i wydaje się, że wyjawił nam wszystko, co wiedział, co samo w sobie jest dla nas bardzo interesujące. To była płatna robota. Michael Stig i Toft siedzą teraz z Kennethem Thimem. To on poszedł tam z Nymannem i przyznał się, kiedy tylko puściliśmy mu film. Teraz musimy jeszcze tylko z nich wycisnąć, kto im zapłacił. I tu mamy większą trudność, bo oni o tym milczą jak zaklęci. Wiemy tylko, że to ludzie związani ze środowiskiem rockersów, ale na razie nie chcą zdradzić żadnych nazwisk.

– A Thomas Jørgensen? Co on mówi? – spytała Louise, opuszczając lekko szybę, żeby móc odetchnąć świeżym powietrzem.

– Był kierowcą. Nie poszedł z nimi. Ale postawimy mu zarzut współudziału w zabójstwie. Chłopcy wcale nie okazali się tacy twardzi jak tamtego wieczoru pod domem Nicka Hartmanna. Na pewno uda nam się z nich wyciągnąć, kto zamówił tę robotę, chociaż na razie uparcie twierdzą, że tego nie wiedzą. To najwyraźniej Nymann dogadywał się ze zleceniodaw-cami, ale Thim już dał nam do zrozumienia, że jego kumpel miał kontakty z rockersami, i wygląda na to, że powinniśmy szukać w najbardziej wewnętrznym kręgu tego gangu. Pieniądze wypłacono im gotówką. Szybko je wydali. W ciągu kilku wieczorów na mieście. Dostali dwadzieścia tysięcy.

– Dwadzieścia tysięcy? – powtórzyła Louise. – To przecież śmieszne, żeby zabić dla dwudziestu tysięcy koron.

– Oni tego nie zrobili dla pieniędzy – odparł Suhr z powagą. – Im w równym stopniu chodziło o prestiż, jaki się z tym wiąże. Zapewne uważali to za coś w ro-dzaju próby męskości. Przecież właśnie w taki sposób trzeba udowodnić swoją wartość w niektórych kręgach.

– Owszem, no i będą mogli się cieszyć, że przez tę próbę przeszli, kiedy wyjdą na wolność za szesnaście lat! – prychnęła Louise.

Przyznała niechętnie, że raczej nie ma szans, by zna-leźli się w lepszym towarzystwie w trakcie odbywania kary. Ale dla niej równie dobrze mogliby zniknąć z po-wierzchni ziemi.

Pomyślała o Britt Fasting-Thomsen w Więzieniu Za-chodnim. Groziła jej kara co najmniej równie długa, jeśli nie dłuższa niż tym chłopakom, którzy z zimną krwią zastrzelili człowieka tylko po to, by udowodnić swoją odwagę.

– Spróbujemy jeszcze raz porozmawiać z Jónem Vig-dísarsonem? – spytał Suhr, wyrywając ją z zamyślenia.

– Wyszedł stąd mniej więcej piętnaście minut temu. Możesz na niego zaczekać pod domem.

– Wolałabym teraz pojechać do Zachodniego porozmawiać z Britt, jeśli nie masz nic przeciwko temu. Z tego wszystkiego najbardziej interesujący wydaje mi się Ulrik – oświadczyła i ku jej zaskoczeniu Suhr się z nią zgodził.

– Dobrze, pojedź, a jutro przyjrzymy się wyciągom z jego konta.

Uruchomiła silnik. Svendsen znów przydzielił jej duże mondeo. Musiała mu przyznać rację, że przyjemnie się je prowadzi, ale cholernie trudno je zaparkować.

– A co z Mie i jej córeczką? Opuściły już to gospodarstwo? – Louise nie mogła zapomnieć o młodej matce i ogromnej presji psychicznej, pod jaką się znalazła.

– Jest bezpieczna – uspokoił ją Suhr. – Nic im się nie stanie.

– Jesteś tego pewien?

– Willumsen umieścił ją razem z dzieckiem u siebie w domu w pokoju gościnnym.

– No, no. I postawił Annelise na warcie?

– Nie. Tę przyjemność dał Larsowi Jørgensenowi, który ma oko na dom pod nieobecność Willumsena.

– Larsowi? Przecież on jest na zwolnieniu! – zawołała Louise.

– Już nie. Wrócił do pracy na niepełny etat. Będzie wchodził w skład grupy z wyjątkiem weekendów i dodatkowych dyżurów.

– Kiedy o tym zdecydowano? – spytała Louise z radością.

– To Willumsen uświadomił sobie, że nie ma nikogo, kto mógłby zająć się Mie Hartmann i jej córeczką. Nie chciał ryzykować, że coś im się stanie. Zastanawiał się, czy nie przydzielić do tego Sejra Gyllinga, ale sam zrezygnował z tego pomysłu, zanim zdążył go spytać.

Louise się uśmiechnęła. Cieszyła się, że znaleziono rozwiązanie, dzięki któremu Lars Jørgensen mógł wrócić do pracy w wydziale.

– Widzimy się jutro. Zadzwonię do ciebie po rozmowie z Britt. Ale potem pojadę już do domu. Mam psa, którego trzeba wyprowadzić, i chłopca, którego trzeba przypilnować, żeby odrobił lekcje.

– To rzeczywiście rozsądna decyzja – przyznał szef.

Louise przed opuszczeniem parkingu zadzwoniła do Więzienia Zachodniego, żeby zgłosić swoje przybycie. Zostawiła również informację obrońcy Britt, że właśnie wybiera się w odwiedziny do jego klientki.

Liście na drzewach już pożółkły. Wiatr zerwał akurat niektóre z nich, kiedy Louise skręcała z Vigerslev Allé i wjeżdżała w niewielką uliczkę prowadzącą do głównego wejścia więzienia.

– Z Britt Fasting-Thomsen – oświadczyła, kiedy strażnik spytał, z kim ma zamiar rozmawiać. Potem cierpliwie czekała, aż zamkną się za nią drzwi z tyłu, tak by te z przodu mogły powoli zacząć się rozsuwać.

Na oddziale odwiedzin najpierw musiała pokazać swój policyjny identyfikator i zdać broń, a następnie poproszono ją do kontuaru, gdzie rejestrowano wszystkie spotkania. Dopełnienie procedur bezpieczeństwa trwało, ale kiedy wreszcie wszystkie miała już za sobą, pokazano jej nieduży korytarzyk na końcu korytarza. Po drodze wzięła z automatu dwa napoje i torebkę cukierków i poszła do szatni zostawić kurtkę. Wiedziała, że trochę potrwa, zanim Britt zostanie przyprowadzona tutaj z budynku, w którym mieściły się cele.

Pomieszczenie przypominało niewielką poczekalnię. Na ścianach wisiały reprodukcje, przy drzwiach stał stół i dwa krzesła. Jak to pokój do rozmów, pomyślała Louise zadowolona, że nie przydzielono im którejś z salek przeznaczonych dla rodzin przychodzących w odwiedziny. W nich oprócz stołu i krzeseł stała również kozetka z plamami na materacu po pospiesznych uściskach, które należało zakończyć przed upływem wyznaczonego czasu wizyty.

Rzuciła torebkę na podłogę i odsunęła sobie krzesło. Kiedy przyprowadzono Britt, czym prędzej wyciągnęła do niej rękę, żeby strażnik nie pomyślał, że łączą ją z osadzoną prywatne stosunki. Britt przyjęła butelkę z napojem, którą postawiła przed nią Louise, ale podziękowała za słodycze. Obcięte na pazia włosy zatańczyły na jej drobnych ramionach, kiedy kręciła głową. Przy przedziałku zaczęły być widoczne odrosty, bardziej siwe niż ciemne, ale włosy miała świeżo umyte i uczesane.

– Jak sobie radzisz? – spytała Louise, gdy już siedziały naprzeciwko siebie.

Matka Signe uśmiechnęła się bez ironii.

– Chyba potrafię się do tego przyzwyczaić – odparła. – Prawdę mówiąc, jest lepiej, niż miałam na to nadzieję.

W Britt pojawił się jakiś nowy spokój. Wciąż widać było, że jest w ciężkiej żałobie, ale sprawiała wrażenie przytomniejszej.

– Mam ci przekazać pozdrowienia od Camilli – zaczęła Louise. – Uściskać i ucałować.

Britt podziękowała z uśmiechem.

– Właśnie odwiedziła Frederika Sachs-Smitha w Santa Barbara. Postanowiła przeprowadzić z nim wywiad w związku z tym skandalem w jego rodzinie.

– To rzeczywiście niewiarygodna historia – przerwała jej Britt. – Gazety ciągle się o niej rozpisują.

Louise pozwoliła jej mówić, chociaż zdziwiło ją, że Britt chce o tym rozmawiać, zwłaszcza teraz, kiedy sama od czasu zatrzymania była na pierwszych stronach gazet i na ustach wszystkich, a dziennikarze nieustannie usiłowali dogrzebać się szczegółów związanych z nią i jej rodziną. Nie przebierali przy tym w słowach przy opisie jej bezwzględnego postępowania.

– Poznałaś kiedyś Sachs-Smitha? Z tego, co wiem, miał sporo wspólnego z twoim mężem.

Britt obojętnie pokręciła głową.

– Nigdy go nie poznałam. Przecież mieszka za oceanem.

– Ale chyba regularnie bywa w Danii?

Wzruszyła ramionami.

– Prawdę mówiąc, nie interesują mnie za bardzo biznesowe kontakty męża. Kiedy Ulrik chodził na spotkania czy kolacje z Sachs-Smithem, ja zostawałam w domu z Signe. On zresztą był wielkoduszny i mnie oszczędzał, nie zapraszał takich znajomych do domu. Dzięki temu Signe i ja mogłyśmy ćwiczyć.

Louise teraz już wiedziała dlaczego.

– Z tego, co zrozumiałam, latem zeszłego roku Ulrik odwiedził Sachs-Smitha w jego domu.

Britt się zastanowiła.

434

– Tak, w lipcu – przypomniała sobie. – W wakacje.

Louise złożyła ręce i nachyliła się na stołem, z powagą patrząc w niebieskie oczy Britt.

– Camilla jest przekonana o twojej niewinności. Twierdzi, że to by było morderstwo sądowe, gdyby policji udało się doprowadzić do skazania ciebie.

Britt opuściła głowę i zaczęła nią powoli kręcić.

– I – ciągnęła Louise, nie pozwalając sobie przerwać – ja również jestem skłonna przyznać jej rację. Nie mam jednak nic na poparcie swoich domysłów oprócz tego, że nie wierzę, abyś mogła mieć związek z wydarzeniami w porcie.

Britt dalej kręciła głową, ale wciąż milczała. Louise obserwowała ją w zamyśleniu. W końcu zebrała się w sobie.

– Wygląda na to, że twój mąż od dłuższego czasu miał kochankę. Odniosłaś kiedyś wrażenie, że Ulrik ma romans?

Britt odpowiedziała dopiero po dłuższej chwili.

– Może i tak – przyznała obojętnie, jakby to nie miało większego znaczenia. – Chyba się domyślałam. Ale też zawsze wiedziałam, że on nigdy nie opuści Signe i mnie.

– Wiesz, z kim się spotykał? – Louise obserwowała ją z uwagą.

Britt pokręciła głową.

– Jego kochanka nazywa się Vigdís Ólafsdóttir. Jest matką jednego z tych chłopaków, którzy wtargnęli na wasze przyjęcie w klubie żeglarskim.

Po chwili milczenia nastąpił wybuch.

– Co ty mówisz?! – Twarz Britt jakby popękała, jakby zaczęła rozpadać się na kawałeczki. Przypominała teraz rozsypane puzzle. – To niemożliwe! – zaszlochała. – On nie mógł znać tych chłopaków, którzy doprowadzili do śmierci Signe. Powiedziałby mi o tym. Doniósłby na nich. – Cała się roztrzęsła.

Louise szybko wstała, podeszła do niej i podniosła ją z krzesła. Britt był drobna jak Jonas, ale płakała tak gwałtownie jak wiatr szarpiący gałęziami.

Długo stały objęte, wreszcie Louise pomogła Britt z powrotem usiąść na krześle. Matka Signe, oślepiona przez łzy, wytarła w końcu oczy rękawami bluzki i znieruchomiała, wpatrzona w ścianę. A raczej wpatrzona w siebie, pomyślała Louise, zostawiając ją w spokoju.

– Od jak dawna ją znał? – spytała Britt po długiej pauzie.

Louise ścisnęło się serce.

– Od ośmiu lat. Jej syn miał wtedy iść do trzeciej klasy. Właściwie nic więcej nie wiem.

Postanowiła na razie oszczędzić Britt reszty. Uznała, że matka Signe musi najpierw przetrawić to, o czym przed chwilą usłyszała.

– To dla nas nowa informacja – dodała tylko. – Oczywiście bardzo interesująca, bo oznacza, że mogło istnieć jakieś powiązanie między twoim mężem a jednym z tych chłopaków oskarżonych o napaść. Szczególnie że Ulrik twierdził, iż nic nie wie o osobach spotykających się w baraku na łodzie.

Britt się wyprostowała.

– Ja też nie przypuszczałam, że może cokolwiek o nich wiedzieć. Ale to i tak nie zmienia faktu, że to ja tu siedzę – stwierdziła.

– To prawda – przyznała Louise. – Ale zmienia perspektywę w tej sprawie. Bo będę teraz starała się udowodnić, że to nie ty podłożyłaś ogień.

Śmiech Britt zabrzmiał raczej jak kaszel. Oczy w bladej twarzy wydały się jeszcze większe.

– W ogóle nie zwracaj sobie tym głowy – powiedziała szybko, wciąż ze łzami w głosie. – Szczerze mówiąc, pobyt tutaj przynosi mi ulgę. Przecież wszystko, co miałam na wolności, już i tak nie istnieje. – Popatrzyła na swoje dłonie i w końcu je splotła.

– Oni zerwali ze sobą i już się nie widują, więc może nie będzie aż tak źle – próbowała ją uspokoić Louise.

Britt posłała jej spojrzenie, które aż ją zakłuło.

– Będzie – oświadczyła. – Będzie tak samo źle. Jeśli mój mąż miał romans z kobietą, której syn przyczynił się do śmierci mojej córki, to nie chcę go więcej widzieć. I tyle. Nic nie skłoni mnie do tego, by z nim choćby porozmawiać. – Odwróciła wzrok, bo z oczu znów popłynęły jej łzy. – Nie rozumiem tego – szlochała. – Jak on mógł znać tych chłopców i nic mi nie powiedzieć?

Louise pozwoliła jej się wypłakać. Wreszcie szloch ucichł. Wtedy ujęła ręce Britt ponad stołem i popatrzyła na nią z powagą.

– Nie wolno mi zadawać takich pytań bez obecności twojego adwokata, mimo wszystko spytam, choć to jednocześnie oznacza, że twoja odpowiedź nie zostanie nigdzie zapisana i dlatego nie będzie mogła być wykorzystana w sądzie.

Britt podniosła na nią zapłakane oczy i słuchała.

– Czy pojechałaś do portu i podłożyłaś ogień w baraku na łodzie, by pomścić śmierć córki? – spytała Louise spokojnie.

Matka Signe wbiła spojrzenie w blat stołu. Na wspomnienie córki oczy znów jej zwilgotniały.

– Nie – oświadczyła. – Nie zrobiłam tego.

Z jej oczu nic nie dawało się wyczytać. Po prostu patrzyły na Louise, nawet nie próbując jej przekonać.

– Mogłabym to zrobić – przyznała zaraz. – Może nawet żałuję, że tego nie zrobiłam, a to co najmniej równie złe, jakbym to zrobiła. Ale to nie ja. Nawet nie rozważałam zemsty za śmierć Signe. Nie miałam na to siły. Choć może istnieje jakaś bogini zemsty, może to ona stanęła po mojej stronie, skoro mimo wszystko tak się to skończyło. – Westchnęła. – Pozwalam sobie nawet poczuć wdzięczność, że to się stało. – Wyprostowała się. – I chętnie poniosę karę za to, że tak czuję.

Zacisnęła ręce na butelce z napojem i znów wbiła wzrok w stół, jakby właśnie wyrzuciła z siebie to, co w niej najgorsze, i teraz się tego wstydziła.

– Właśnie to chciałam wiedzieć – stwierdziła Louise, wstając.

Na pożegnanie uścisnęła Britt, a potem dzwonkiem dała sygnał, że wizyta dobiegła końca. Gdy po Britt przyszedł strażnik, dalej stała przy stole, śledząc wzrokiem odchodzącą kobietę.

Pieprzone osiemdziesiąt siedem milionów koron – oznajmił Sejr z wielkim uśmiechem, kiedy Louise następnego dnia rano przyszła do pracy. – Wczoraj tuż przed wyjściem do domu dostałem informację o zagranicznych kontach Ulrika Fastinga-Thomsena.

Po wizycie u Britt Louise całkiem zapomniała, jak bardzo już nie mogła się doczekać wyciągów z tajnego konta Ulrika na wyspie Man. Rano odprowadziła Jonasa do szkoły, razem pojechali na rowerach przez Gammel Kongevej, a później jeszcze zatrzymała się u piekarza. Teraz poczuła przypływ adrenaliny.

– O cholera! – zaklęła, sięgając do lampy biurkowej, żeby ją zapalić, ale w ostatniej chwili się powstrzymała. Włączyła więc tylko czajnik elektryczny i wyjęła torebkę z herbatą.

Sejr Gylling wskazał na lampę.

– Możesz włączyć, tylko obróć ją w swoją stronę.

Louise rzuciła na biurko torbę z zakupami z piekarni.

– Musimy przejrzeć całe mnóstwo wyciągów. Jeśli masz czas, to proponuję, żebyśmy przeanalizowali wyciągi z konta zagranicznego.

– To rzeczywiście cholernie dużo pieniędzy! – krzyknęła, czekając, aż woda się zagotuje. – Jak on, u diabła, mógł zarobić aż tyle na boku?! Przecież ta jego firma w Danii też świetnie działa.

Sejr kiwnął głową.

– Tak, tu wszystko wygląda w porządku. A na to tajne konto wpływały płatności od zagranicznych klientów i zyski z inwestycji dokonanych za granicą. Z kupna i sprzedaży. No i najwyraźniej uznał za atrakcyjne zaangażowanie w ten biznes meblowy, który prowadził Hartmann i w którym bardzo szybko mógł podwoić zyski. Niezła pokusa.

Louise mruknęła, że spokojnie można tak powiedzieć.

– To coś w rodzaju hazardu. Dobrze pasuje do jego zamiłowania do sportów ekstremalnych. Mówiłaś chyba, że on się zajmuje paralotniarstwem i podobnymi rzeczami.

Pokiwała głową.

– Tego rodzaju ludzie nie mogą żyć bez dreszczyku, jaki daje stawanie na samej krawędzi. A to można osiągnąć na wiele sposobów – dodał, poprawiając czapkę i osłaniając się od lampki Louise.

– Znalazłeś coś, co wiązałoby Ulrika z Hartmannem lub z tymi chłopakami z baraku na łodzie?

– Nie bezpośrednio – odparł, ale się uśmiechnął.

– Nie było innych przelewów między Hartmannem

a Fastingiem-Thomsenem niż należność za czynsz uiszczana co miesiąc. Dokonywana na zwykłe konto firmowe. – Odczekał chwilę, uśmiechając się coraz szerzej, aż w końcu dodał: – Ale na początku lipca przelano sześćset sześćdziesiąt tysięcy dolarów do Yang Inc. w Hongkongu z konta na wyspie Man.

– Jeszcze większe pieniądze! – zawołała Louise, nachylając się w podnieceniu.

Woda się zagotowała, ale nie zrobiła herbaty. Wyraźnie już widziała kontury podwójnego życia, jakie wiódł Ulrik. Okazał się o wiele sprytniejszy, niż pierwotnie go oceniła.

– Czy dzięki temu przelewowi możemy mieć pewność, że to on zapłacił za ten drugi kontener? – spytała z powątpiewaniem nagle zaniepokojona tym, że jednak może im się nie udać.

– Ja tak uważam – odparł Sejr krótko. – Mam tu dokumenty firmowe Hartmanna, ale nie ma w nich nic o dodatkowym kontenerze. Jedynie o tym, który dostarczono mu ostatnio, i o wcześniejszych dostawach. Ale na dokumentach przewozowych figurują oba. Z numerami. Napisałem więc już do tego biura w Hongkongu z prośbą o przesłanie faktur. Musimy uzyskać potwierdzenie, że pieniądze przelane przez brytyjski bank stanowiły zapłatę za kontenery o konkretnych numerach. Kiedy to będziemy mieć, pułapka się zatrzaśnie. Osiągniemy jasność w sprawie.

Obraz był już wyraźny. Ulrik i Hartmann znali się z kursów prowadzonych przez Ulrika. Hartmann przypuszczalnie stał się chciwy i postanowił sam zająć się rozwojem na boku tego interesu, który prowadził z rockersami. Nie miał jednak dostatecznego kapitału, żeby zainwestować. I może dlatego zwrócił się do Ulrika, któremu kapitału nie brakowało, a przypuszczalnie pragnął jeszcze pomnożyć pieniądze.

Po krótkim pukaniu do środka wszedł Willumsen.

– Ludzie są, do cholery, głupsi, niż policja pozwala – oświadczył z zachwytem, jeszcze zanim zamknął za sobą drzwi. – Ten idiota, który się uczy na mechanika, rzeczywiście pojechał do Værløse po części dla swojego majstra, ale przy okazji wyskoczył też na północną Zelandię z łóżeczkiem dla dziecka. – Szef przysiadł na regale przy drzwiach i klasnął w ręce. – Ten dureń zapomniał o wyrzuceniu opakowania po pościeli dziecięcej i kwitka z BabySam na Roskildevej, gdzie kupił kołderkę, poduszkę i łóżeczko. Wszystko to znaleźliśmy w bagażniku furgonetki należącej do warsztatu. Muszę wam powiedzieć, że widzę dla nas jakąś nadzieję, skoro inteligencja przestępców aż tak zmalała.

Louise ze śmiechem wstała, żeby wreszcie zalać herbatę.

– To prawdziwa ulga dla Mie – stwierdziła, proponując filiżankę napoju szefowi i jednocześnie wskazując torbę od piekarza.

Willumsen zrezygnował z herbaty, ale popatrzył na colę stojącą na biurku koło Sejra.

– Możesz się poczęstować. – Sejr machnął głową w stronę lodówki.

– A co z tymi zatrzymanymi? – spytała Louise. – Ciągle nie zdradzili, kto zamówił u nich tę robotę i kto za nią zapłacił?

Willumsen pokręcił głową i odkręcił korek z półlitrowej butelki.

– Na ten temat nie puszczają pary z ust i chyba ich do tego nie zmusimy. Przecież to zasada numer jeden rockersów. Jeśli ktoś ją złamie, nie będzie miał spokoju nawet w więzieniu. Tacy jak oni dobrze o tym wiedzą.

– No tak – Louise przyznała szefowi rację.

– Problem z tymi rockersami polega na tym, że oni nigdy nie brudzą sobie rąk. – Willumsen pociągnął łyk z butelki i sięgnął po drożdżówkę. – Cholernie dobrze wiedzą, jak uniknąć pociągnięcia do odpowiedzialności, nawet jeśli jakiś interes im nie wypali.

Louise w zamyśleniu pokiwała głową.

– Rockersi z łatwością przejrzeli Hartmanna, kiedy nagle rozpoczął grę solo – zauważyła. – Pewnie strasznie się wkurzyli, bo nie godzą się na to, by oszukiwano ich w taki sposób. Kazali swoim praktykantom go powstrzymać.

– Thim i Thomas Jørgensen w zasadzie już się do tego przyznali – oznajmił szef grupy śledczej. – Nie chcą tylko zdradzić nazwisk tych, którzy za tym stoją. A może nawet ich nie znają. – Otrzepał okruchy z puloweru. – To przecież głównie Nymann się z nimi kontaktował. I również jemu zapłacono za to zabójstwo.

– Ciekawe, czy na Mie napuszczą kolejną ekipę, teraz kiedy Thim i Jørgensen siedzą – zastanowiła się Louise i sama zanurzyła rękę w torbie z drożdżówkami. Ułamała jedną sobie na pół.

Willumsen pokręcił głową.

– Nie chce mi się w to wierzyć. Chociaż grożą ogniem i pożarem, to zwykle do niczego takiego nie dochodzi, gdy ktoś zeznaje przeciwko rockersom. Bardzo rzadko się mszczą. Przecież wiedzą, że jesteśmy zorientowani w sprawie. Kazali tamtym dwóm wyrostkom spróbować i nic im z tego nie przyszło. A teraz dalsze działania stały się zbyt ryzykowne.

Louise w duchu przyznała mu rację.

– Ale co my, u diabła, z tym zrobimy? – spytał Willumsen, patrząc na Sejra. – Masz coś? Musimy chyba zwinąć tego ojca i posadzić go w celi obok żony. Doprawdy, piękne małżeństwo!

Sejr przysunął krzesło do rogu biurka. Siedział teraz przodem do Willumsena.

– Ja i Louise przejrzymy wszystko, co mamy na Ulrika Fastinga-Thomsena. Musimy być dobrze przygotowani, kiedy go ściągniemy na przesłuchanie – zaczął i uśmiechnął się tak szeroko jak rzadko. – A ty pójdziesz do naczelnika i przekażesz mu, że mamy naprawdę niezły bonus przy okazji tego śledztwa dotyczącego pożaru i zabójstwa Hartmanna. Gdybyśmy nie poskładali jednego z drugim, Fasting-Thomsen spokojnie mógłby dalej wieść swoje podwójne życie. Pewnego dnia mogłoby mu przyjść do głowy porzucenie żony i ucieczka za granicę z kochanką dawną albo jakąś nową.

– Rzeczywiście, nie najlepiej wszystko się dla niego

ułożyło – przyznał rozbawiony Willumsen i podziękował za poczęstunek. – Jeśli możecie, to przyjdźcie na odprawę, ale ważniejsze jest wyciągnięcie z tych materiałów jakichś mocnych dowodów, żebyśmy mogli go przyskrzynić.

Wychodząc, nucił zadowolony.

Co będzie z tymi pieniędzmi na koncie Ulrika? – spytała Louise zaciekawiona, kiedy zostali sami.

– Zostaną zatrzymane. Fasting-Thomsen pójdzie na kilka lat za kratki i na pewno zapłaci dużą grzywnę, ale po wyjściu przypuszczalnie znów będzie gotów do walki i zacznie robić nowe interesy. – Sejr wyniośle się uśmiechnął, jakby trudno mu było podejść do tego z pełną powagą. – Tak jak inni geniusze finansowi on po prostu musi próbować, jak daleko uda mu się przesunąć granice. Tacy ludzie szybko się podnoszą i kontynuują swoją działalność od tego miejsca, w którym przerwali. – Zaczął sortować papiery leżące w nowych stosach. – Możesz to przejrzeć?

Podsunął jej gruby plik: wyciągi z jedenastu lat, które nieoficjalnie udało się wydrukować z kont Ulrika.

– To mi wygląda na zagraniczne konto, z którego płacił za prywatne wydatki za każdym razem, gdy wyjeżdżał z Danii. I właściwie chyba da się prześledzić

wszystkie jego ruchy. Są tu płatności za hotele i restauracje. – Uśmiechnął się. – No i są też duże wpłaty i wypła-
ty, ale jeszcze ich zbyt starannie nie przeanalizowałem.
Obejrzyj to sobie, a ja spróbuję poszukać czegoś, co dałoby się powiązać z jego duńskimi kontami firmowymi.
Jeśli i tam były zaangażowane jakieś brudne pieniądze,
to będziemy mogli przyskrzynić go i za to.

Louise wstała i poszła napełnić czajnik wodą, żeby
przygotować się na godziny spędzone nad kolumnami
liczb, które, prawdę mówiąc, nie bardzo ją interesowały.
Ale jej niechęć do Ulrika tak urosła, że całą sobą pragnęła, by przed jego zatrzymaniem zdobyć mocne dowody
przeciwko niemu.

– Płaci za mieszkanie swojej kochanki – przekazała
koledze, wracając z pełnym czajnikiem. – Wydaje mi się
też, że co miesiąc przelewał jej jakieś pieniądze. Chodziło o to, by nie musiała pracować i była na każde jego
zawołanie – dodała, myśląc o Britt, która w domu zajmowała się córką i była podporą rodziny, z której Ulrik
nie chciał zrezygnować.

Prychnęła tak, że Sejr na moment oderwał się od swoich monitorów. Louise uspokoiła go, że to nic takiego,
po prostu głośno myślała. Ulrik chciał mieć wszystko,
kontynuowała rozważania, aż po samą krawędź, tak jak
wtedy gdy skakał ze skały ze spadochronem na plecach.

– Wydaje mi się, że on jest właścicielem tej kamienicy na Strandboulevarden. – Sejr znów na nią spojrzał. – Prawdopodobnie dlatego nie musiała płacić
czynszu. Ale możliwe, że dokonywał jakichś stałych

comiesięcznych przelewów z tego konta, które ty roz-
pracowujesz. – Wskazał papiery leżące przed Louise.

Dalej w milczeniu przeglądali liczby i robili notatki.
Tylko raz wypłacono kwotę sześciuset sześćdziesięciu
tysięcy dolarów. Louise sprawdziła daty z dokumentami
przewozowymi w teczce Hartmanna, ale nie znalazła
więcej przelewów z tajnego konta Ulrika, które paso-
wałyby do dostaw. Co miesiąc natomiast przelewano
piętnaście tysięcy koron na ten sam numer konta.

– Czy to może być dla Vigdís Ólafsdóttir? – spytała
Sejra, który poprosił ją o odczytanie numeru konta odbiorcy.

Wstukał go w klawiaturę i chwilę później kiwnął głową.

– W każdym razie to konto w Danske Bank na
Østerbrogade, więc to całkiem możliwe.

Louise zaznaczyła wszystkie przelewy na konto kochanki na czerwono. Był jeszcze jeden przelew do tego
banku, ale na inny numer konta. Dwudziestego dziewiątego kwietnia, pięćdziesiąt tysięcy koron. Przelewy
na piętnaście tysięcy wychodziły co miesiąc i tak było
przez ostatnich osiem lat, natomiast ta większa kwota
powtarzała się tylko raz w roku.

Włączyła swój komputer i cierpliwie czekała, aż zaakceptuje hasło. Potem weszła na stronę biura ewidencji
ludności i wpisała kod umożliwiający policji bezpośredni dostęp do danych osobowych. W polu wyszukiwarki
wpisała „Vigdís Ólafsdóttir" i chwilę później pojawiło
się nazwisko z adresem.

Urodzona drugiego października 1975 roku. A więc pięćdziesiąt tysięcy nie mogło być dla niej prezentem na urodziny. Vigdís oficjalnie przeprowadziła się do Danii w roku dwa tysiące pierwszym i od tej pory mieszkała na Strandboulevarden. Z informacji wynikało także, że przebywała w Danii również wcześniej. Przez dwa lata. Może w związku ze studiami, pomyślała Louise. Wiekiem bardzo by to pasowało, miała wówczas osiemnaście, dziewiętnaście lat i widocznie po skończeniu studiów wróciła do ojczyzny. Ale na samym dole strony był dopisek: „Dzieci: Jón Vigdísarson, urodzony dwudziestego dziewiątego kwietnia 1992 roku. Ojciec: Nieznany".

Louise tak mocno uderzyła rękami w stół, że dłonie ją zapiekły, a Sejr drgnął przerażony. Był tak pochłonięty przez liczby, że wyjątkowo nie słuchał jednocześnie muzyki.

– Co się dzieje?

– To są pieniądze, które co roku przelewa Jónowi na jego urodziny. Na razie uzbierało się z tego czterysta tysięcy koron.

– No proszę! – zawołał Sejr i spojrzał na nią podejrzliwie. – A dlaczego on to, do diabła, robi? Przecież aż tak mały chłopiec nie mógł mieć do czynienia z żadnymi przestępcami.

– Wydaje mi się, że Ulrik jest ojcem Jóna – oświadczyła Louise i spojrzała na drzwi, przez które zajrzał z przepraszającą miną Lars Jørgensen.

Poranna odprawa dobiegła końca, a ona nawet nie wiedziała, że Lars brał w niej udział. Poderwała się z krzesła i mocno go uścisnęła.

– Masz czas pojechać ze mną na Østerbro? – spytała, kiedy wszedł.

Spojrzał na nią zaskoczony, ale najpierw podszedł do Sejra i podał mu rękę, dopiero potem zerknął na zegarek.

– Owszem – powiedział. – Możemy jechać. Obiecałem Willumsenowi, że wyjdę na spacer z wdową i jej córeczką. Będziemy udawać rodzinę. Jakby dzięki temu mogła przyciągnąć do siebie mniejszą uwagę – uśmiechnął się. – Przecież to głównie kobiety na urlopach macierzyńskich wychodzą na przedpołudniowe spacery z dziećmi. Mężczyźni na ogół siedzą w pracy. Ale jeśli ze mną będą się czuły bezpieczniej, to chętnie się przespaceruję.

– Jesteś samochodem? – spytała i ruszyła korytarzem. Za bardzo jej się spieszyło, by go w cokolwiek wtajemniczać.

To Lars Jørgensen prowadził, a Louise w tym czasie informowała go o Fastingu-Thomsenie. Pojechali wzdłuż torów przy stacji Østerport i zanim dotarli do mostu na Langelinje, Lars zjechał na lewy pas i skręcił w Strandboulevarden.

– Nie wygląda na to, by on i ten chłopak pozostawali w bliskich relacjach – stwierdził, usłyszawszy o jej wizycie u Vigdís Ólafsdóttir.

Louise obserwowała kolegę. Pracowali jako partnerzy przez ostatnich pięć lat, a teraz na poważnie zaczęła już się bać, że Lars nie wróci do wydziału. Na szczęście wrócił, pomyślała, w duchu przyznając, że mimo wszystko jest uzależniona od poczucia bez-pieczeństwa.

– W ogóle nie ma pewności, że chłopak zdaje sobie sprawę z tego, że Ulrik jest jego ojcem – zauważyła. – A jeśli o tym wie, to, cholera, nic dziwnego, że czuje się zdradzony i woli wrócić na Islandię razem z matką. Bo przecież ojciec się nim nie interesuje. – Oburzyła się na to, jak można zaofiarować dziecku takie życie, świa-domie zrzekając się odpowiedzialności rodzicielskiej. – Ulrikowi dopiero teraz zachciało się być ojcem na pełen etat, bo przecież nie ma już tej drugiej rodziny – dodała. Nagle zrobiło się miejsce dla Vigdís i jej syna. – Matka Jóna mówiła mi, że Ulrik zaproponował opłacenie jego wykształcenia i mieszkania.

– Jak też ona mogła się na to godzić – mruknął Lars i zaparkował przed klatką, trochę za blisko domu. Gdyby zjawiła się służba parkingowa, nie uszłoby mu to płazem. – Niewiele kobiet pozostaje teraz na czyimś utrzymaniu. Wszystkie chcą być takie samodzielne.

Słowa te były podszyte goryczą, ale Louise nie miała siły na roztrząsanie osobistych problemów Larsa.

– Musimy nakłonić Vigdís Ólafsdóttir, żeby opowie-działa nam wszystko o tym człowieku – stwierdziła, stając na chodniku. – Powoli zaczyna mi się wydawać równie skrzywiony i cyniczny jak ci chłopcy, którzy za-strzelili Nicka Hartmanna. Ale z uwagi na jego pozycję jest to jeszcze bardziej haniebne.

Z klatki wyszedł roznosiciel gazet. Weszli przez uchy-lone drzwi. Na schodach Louise opowiedziała jeszcze

451

o Britt, która ani przez moment nie próbowała się bronić przed bardzo poważnymi zarzutami, jakie wobec niej wysunięto, tylko dziękowała bogini zemsty, która przyszła jej z pomocą.

Kiedy dotarli na czwarte piętro, zobaczyli, że drzwi do mieszkania są uchylone. Louise dotknęła ręką ramienia swojego partnera i powstrzymała go przed przyłożeniem palca do dzwonka. Z głębi dobiegał ściszony jęk, przypominający bardziej odgłos wydawany przez cierpiące zwierzę aniżeli człowieka, i właśnie on kazał jej tak zareagować.

Odczekali chwilę, w końcu Louise delikatnie pchnęła drzwi.

Stół był przestawiony, a na krześle, odwrócona do nich plecami, siedziała Vigdís z podciągniętymi nogami i głową opartą o kolana, kołysząc się powoli w tył i w przód i jęcząc. Na podłodze przy drzwiach na balkon leżało rozbite szkło z wazonu, który wcześniej stał na parapecie. W kałuży wody leżały połamane kwiaty. W pokoju był przeciąg, zasłony w oknie falowały. Krew zaplamiła lśniący parkiet i ciągle płynęła z nosa Vigdís Ólafsdóttir.

Louise zawołała ją po imieniu i podeszła.

Islandka wciąż miała na sobie ten sam biały sweter. Wcześniej musiała leżeć na podłodze, bo z lewej strony na plecach i na rękawie był pobrudzony krwią.

Nie zareagowała na głos i dalej się kołysała, ściskając kolana. Słychać było jedynie jej jęki.

Lars Jørgensen już zdążył zajrzeć do salonu i pchnąć zamknięte drzwi do pokoju Jóna, ale pokręcił głową, dając znak, że nikogo tam nie ma. Wyglądało na to, że dramat rozegrał się w kuchni. Na podłodze walało się tam więcej rzeczy, stół stał krzywo, a krzesła były przewrócone. Widać było, że doszło tu do walki.

Louise położyła rękę na ramieniu Vigdís Ólafsdóttir i przykucnęła przy niej.

– Co tu się wydarzyło? – spytała cicho.

Islandka nie przestawała się kołysać. Louise próbowała opuścić jej ręce, chciała zobaczyć twarz kobiety. Krew nie przestawała płynąć, Lars przyniósł więc ścierkę kuchenną i podał ją Louise.

Vigdís Ólafsdóttir najwyraźniej była w szoku. Ściszone piski, które z siebie wydawała, przyprawiały o gęsią skórkę. Louise przyjrzała się ranie biegnącej nad brwiami i nosem, który wyglądał na złamany, ale matka Jóna raczej nie rozpaczała nad obrażeniami, jakich doznała. To coś innego w niej pękło i teraz jakby starała się obronić przed rzeczywistością.

Louise lekko potrząsnęła ją za ramię.

– Vigdís, powiedz nam, co tu się stało – poprosiła i szarpnęła ją nieco mocniej, jednocześnie podnosząc głos.

Wciąż nie doczekała się żadnej reakcji. Islandka tylko mocniej zacisnęła oczy.

Louise jeszcze raz nią potrząsnęła, ale Vigdís Ólafsdóttir dalej kurczowo obejmowała kolana.

– Gdzie jest Jón? – Louise się podniosła.

Lars Jørgensen też podszedł do kobiety. Położył jej rękę na białym swetrze.

– Jesteśmy z policji – oświadczył władczym tonem.

– Musimy sprawdzić, jakich obrażeń pani doznała, żeby ocenić, czy powinniśmy wezwać karetkę.

Z barkami Islandki coś się stało. Lekko opadły jak zbroja, która się rozsypuje.

– Pomóżcie mu – szepnęła i jęk zmienił się w płacz. Trzęsła się teraz cała, z trudem wypowiadała słowa.

– Bardzo was proszę, pomóżcie mojemu synowi.

Louise nachyliła się nad nią.

– Czy Ulrik jest ojcem Jóna? – spytała.

Vigdís Ólafsdóttir zaczęła wolno kiwać głową.

– Ulrik przyszedł. Był wściekły, że powiedziałam o naszym romansie. I o tym, że spędziliśmy razem tamten wieczór, kiedy umarła jego córka. Uderzył mnie. Kiedy upadłam na podłogę, Jón nagle stanął w drzwiach.

Płakała teraz cicho, a Louise aż serce ścisnęło się w piersi.

– To się źle skończy. Wiem, że to się źle skończy – szepnęła, ciągle się kołysząc.

– Gdzie oni teraz są?

Louise wyprostowała się i popatrzyła na kuchenne drzwi. To one były otwarte i przez nie poruszały się w przeciągu zasłony.

Odsunęła krzesła leżące na podłodze i pobiegła na kuchenne schody.

Niósł się tutaj odgłos głuchych ciosów dwóch ludzi walczących ze sobą, z których jeden miał przewagę, a drugi się bronił. Louise puściła się biegiem w dół, a Lars Jørgensen deptał jej po piętach.

Ulrik leżał na samym dole schodów do piwnicy plecami oparty o drzwi, z głową na szarej betonowej posadzce. Obok niego była wolna przestrzeń pod schodami, najwyraźniej właśnie tam próbował się schronić, ale Jón przytrzymywał go mocno, przyciskając do podłogi. Louise zatrzymała się na ten widok, a potem powoli zeszła o jeden stopień.

– Przestań! Przestań! – błagał Ulrik.

W świetle wpadającym przez okno nad drzwiami wychodzącymi na podwórze widziała jego oczy.

Chłopak trzymał w prawej ręce grubą żelazną rurę i uniósł ją, szykując się do zadania kolejnego uderzenia, ale powstrzymał go odgłos kroków na schodach.

Louise zbliżyła się jeszcze o krok i dostrzegła drżenie barków i napięte mięśnie. Rozpoznała tę rurę. Widziała ją u niego w pokoju. Broń, którą trzymał w pogotowiu.

– Nie rób tego – poprosiła cicho za jego plecami.

Wyciągnęła rękę, położyła mu ją na ramieniu i wyczuła, jak chłopak zdrętwiał.

– Jón – wymówiła jego imię i lekko uścisnęła go za ramię. – On nie jest tego wart. Nie stawaj się zabójcą z jego powodu.

Starała się mówić neutralnie i spokojnie, z pełną kontrolą, nagle doceniając doświadczenie nabyte na kursie dla policyjnych negocjatorów. Na kurs wysłał ją Willumsen, chcąc w ten sposób okazać jej uznanie za jej zachowanie w pewnej sprawie, która zakończyła się dramatycznym wzięciem zakładniczki. Szef ocenił, że Louise posiada niezbędne cechy dla negocjatora, i dlatego postanowił, że powinna się szkolić.

Ulrik z podłogi patrzył na nią zdesperowany, ale Louise widziała jedynie chłopaka, który powoli się do niej odwracał.

– Nie pozwól, żebyś przez niego stał się zabójcą – powtórzyła, gdy wreszcie na nią spojrzał.

Przez twarz Jóna przebiegł skurcz, a w ciemnych oczach zaszła zmiana. Pojawiła się rozpacz tak głęboka, że niepasująca do jego młodego wieku.

– Na to, u diabła, jest już za późno – szepnął ochryple, jakby gardło miał zasznurowane. – On już to ze mną zrobił.

W jego głosie było tyle nienawiści, że Louise przez moment skupiła się wyłącznie na emocjach bijących od chłopaka. Nie zdążyła zareagować, gdy Jón w tej samej chwili znów się odwrócił i uderzył metalową rurą w pierś ojca. Potem ją rzucił na Ulrika, cofnął się o parę korków i osunął na schody. Patrząc na ojca, szepnął:

– Nienawidzę cię, pieprzony psychopato!

Z tymi słowami coś jakby się skończyło. Cały gniew wyparował. Chłopak ukrył twarz w dłoniach i wybuchnął płaczem.

Pojawiła się dziwna pustka. Ulrik leżał nieruchomo. Rura stoczyła się z jego brzucha i z głuchym hukiem uderzyła o betonową posadzkę. Louise skinęła głową Larsowi, który zasygnalizował, że chce podejść do mężczyzny. Słyszała, że już skomunikował się z centralą w komendzie, ale teraz delikatnie ominął Jóna siedzącego na schodach i zrobił ostatnie kroki dzielące go od Ulrika.

Z góry dobiegł jakiś dźwięk. Wśród białych słupków poręczy Louise dostrzegła twarz Vigdís Ólafsdóttir, która przyciskała do czoła ścierkę, ale skoncentrowała się na chłopaku. Zeszła o kilka stopni niżej i uklękła przed nim.

– Powiedz, w jaki sposób już cię nakłonił do zabójstwa.

Jón płakał jak dziecko, które straciło kontrolę, i Louise objęła go za ramiona i uspokajającym gestem zaczęła gładzić miękki materiał bluzy.

– To przecież on – zaczął Jón, biorąc głęboki oddech. – To on mnie namówił do podpalenia baraku. Ja nie wiedziałem, że oni tam są.

Louise trudno było zrozumieć jego słowa. Poplątały się ze sobą. Zrozumiała jednak dość, by pomóc mu wstać i wrócić na górę do mieszkania. Zauważyła, że Ulrik się rusza, słyszała też jego głos. Krzyknął coś agresywnie za synem, ale zamknęła drzwi. Zostawiła go Larsowi. Vigdís Ólafsdóttir też wróciła już do mieszkania. Na czwartym piętrze Louise podniosła krzesła z podłogi i poprosiła Jóna, żeby usiadł.

– To ty podłożyłeś ogień w baraku? – spytała, kiedy sama już zajęła miejsce obok niego.

Vigdís Ólafsdóttir trzymała się z tyłu, przypuszczalnie nie mogła już znieść nic więcej, pomyślała Louise, gdy zobaczyła, że kobieta stoi przy oknie za kuchennym stołem.

– Nie wiedziałem, że oni tam są – powtórzył Jón głuchym głosem. – Tam nikogo nie powinno być, przecież wszystko stamtąd zabraliśmy. Nikomu nie miało się nic stać. On chciał tylko, żeby całe to gówno się spaliło razem z magazynem.

Louise pokiwała głową.

– Czy to również on chciał tak to upozorować, żeby wina spadła na Britt?

Chłopak nie odpowiedział, tylko patrzył wprost przed siebie, jakby znów pojawiły się w nim resztki tamtej twardości, za którą zwykle się ukrywał.

– To on? – odezwała się ostro jego matka spod okna i podeszła o dwa kroki.

Pancerz znów opadł, gdy Jón rozpaczliwie z płaczem kręcił głową.

– Nie, to był mój pomysł. On nie mówił, jak mam to zrobić. Chciał tylko, żeby doszło do tego w tym czasie, kiedy wy będziecie na Islandii.

Vigdís Ólafsdóttir obiema rękami oparła się o stół.

– Ale dlaczego Britt? – spytała Louise, domyślając się

odpowiedzi. Gdyby Britt nie stała na przeszkodzie, Ulrik mógłby się na dobre związać z jego matką i stworzyć z nią tę rodzinę, za którą chłopak tak tęsknił.

Jón trochę się wyprostował. Jego długie ciało wydawało się kościste i niczym nieosłonięte. Opanował się w końcu, głęboko oddychając, i spojrzał na matkę.

– Po wypadku Signe nagle nie chciał więcej widywać się z matką – zaczął mówić. Gniew znów w nim narastał. – A przecież ona uzależniła od niego całe swoje życie! Nigdy nie mogliśmy zrobić niczego sami, bo on o niej decydował. A teraz nagle uznał, że już jej nie chce.

– Odkrył, że przyszedłeś tamtego wieczoru na imprezę w klubie żeglarskim? – Louise usiłowała naprowadzić go na początek.

– Przecież ona napisała na Facebooku, że ta impreza odbędzie się w porcie, a ja tylko powiedziałem reszcie, że możemy tam zajrzeć i zobaczyć, co się będzie działo.

Znów zaczął płakać. Matka podeszła bliżej, ale utrzymywała dystans.

– Mówiłem chłopakom, żebyśmy już stamtąd wyszli. Żeby przestali się rozbijać i zostawili ich w spokoju.

Szybkim ruchem wytarł oczy grzbietem dłoni.

– Wiedziałeś, że Signe była twoją przyrodnią siostrą? – spytała Louise po chwili.

– Tak. Ale jej nie znałem.

Próbował się opanować, lecz teraz był tylko siedemnastolatkiem, który walczy o utrzymanie głowy nad powierzchnią wody, podczas gdy jego cały świat tonie.

– On nas wyrzucił z całego swojego pieprzonego

życia, ale to do mnie przyszedł z prośbą o pomoc, gdy chciał podpalić magazyn.

Za tymi słowami kryło się takie pragnienie akceptacji, że Louise z zażenowaniem musiała odwrócić głowę. Matka chłopaka stała nieruchomo, słuchając, ale nic nie potrafiła powiedzieć. Straszliwie tylko pobladła.

– Wykorzystałeś samochód Britt i ukradłeś drewno zza domu – podsumowała Louise.

– To on dał mi kluczyki i powiedział, że mogę go wziąć.

– Przecież ty masz dopiero siedemnaście lat.

Jón kiwnął głową.

– Ale nauczyłem się prowadzić, kiedy miałem czternaście lat. Na Islandii. Często jeździmy po polach dziadka jego starym land roverem.

– A co powiedział potem Ulrik, kiedy odkrył, że upozorowałeś wszystko tak, żeby wyglądało na to, że to jego żona spowodowała ten pożar?

Louise poruszyła się niespokojnie, słysząc głosy na kuchennych schodach. Do środka zajrzał Michael Stig, ale nie przerywał.

– Nic – odparł chłopak. – Nie mógł zresztą nic powiedzieć, bo przecież zdradziłby, że to on mnie do tego namówił. – W czarnych oczach wreszcie zapłonęła iskra.

– Mógł się wyprzeć, że prosił o to ciebie – zauważyła Louise. – Byłoby tylko słowo przeciwko słowu i cała odpowiedzialność spadałaby na ciebie.

Jón kręcił głową, gdy mówiła dalej.

– Bez najmniejszej trudności mógł się odwrócić do ciebie plecami i walczyć o zwolnienie żony z aresztu.

Chłopak dalej kręcił głową. W końcu wyjął z kieszeni obcisłych dżinsów komórkę.

– Powiedziałem mu, że nagrałem tę rozmowę.

– Masz ją na komórce? – Louise wyciągnęła rękę.

Jón położył swoją nokię na stole.

– Nie mam, ale on tak myślał.

Louise z żalem cofnęła dłoń. Usłyszała, że Toft prosi Vigdís Ólafsdóttir, żeby wzięła ze sobą jakąś kurtkę, bo może zmarznąć na komendzie.

– Ale nagrałem rozmowę, podczas której powiedział, że nie ma powodu do czegokolwiek się przyznawać teraz, gdy jego żona siedzi, a policja uważa, że to ona zrobiła. Oznajmił, że zdecydował przenieść się z nami na Islandię, kiedy skończę szkołę.

Najukochańsza Camillo!
Ogromnie mi przykro, ale mam Ci do przekazania bardzo smutną wiadomość. Britt odebrała sobie życie. To ja ją znalazłam. To takie smutne, ale jednocześnie piękne.

Po zatrzymaniach na Strandboulevarden pozwolono mi pojechać do Więzienia Zachodniego i załatwić jej zwolnienie. Sprawiała wrażenie ucieszonej i pełnej ulgi, ale poczuła się bardzo nieszczęśliwa, gdy się dowiedziała, że boginią zemsty okazał się siedemnastolatek, który do tego stopnia zabiegał o uznanie i miłość Ulrika, że doszedł do punktu, w którym serce staje się zimne, a rozum ucieka, jak to ujęła.

To chyba ta muzyka klasyczna sprawiła, że ona myśli tak poetycko. Inni zapewne uznaliby, że chłopak był tak skrzywiony, że zmienił się w zimnego wyrachowanego gnojka. Ale on nie sprawia takiego wrażenia. Jest głęboko nieszczęśliwy i więcej niż o sobie myśli o matce, bo czuje, że ją zawiódł. Zostanie teraz sama, bo on będzie musiał iść do więzienia.

Vigdís Ólafsdóttir postanowiła zostać w Danii. Zamierza szukać mieszkania w pobliżu miejsca, w którym Jón będzie odbywać karę, tak aby mogła go odwiedzać. Raczej będzie to Jutlandia, tam przecież mieści się większość zakładów karnych dla młodocianych.

Britt by było bardzo przykro z tego powodu, że Signe nigdy nie miała okazji poznać brata. Gdyby wybrała życie, nigdy nie potrafiłaby mu wybaczyć. Mam na myśli Ulrika, bo Jóna było jej przede wszystkim żal. I bardzo posmutniała, gdy jej powiedziałam, że spędzi w więzieniu wiele lat.

Ale Ulrik także poniesie karę. Został aresztowany i już podczas pierwszego przesłuchania przyznał, że od lat wiedział o biznesie Nicka Hartmanna polegającym na imporcie podrabianych mebli. Podał nawet nazwiska dwóch osób, z którymi Nick współdziałał. Obaj to pełnoprawni członkowie klubu rockersów. Jeden to ten Tønnes, którego z pewnością znasz z mediów. Potrafił zachować kamienną twarz za każdym razem, gdy z nim rozmawiałam, ale rockersi rzeczywiście to umieją.

Okazało się, że to sam Ulrik zaproponował przyłączenie się do interesu Hartmanna i podzielenie się zyskiem ze sprowadzenia jeszcze jednego kontenera. Przestraszył się jednak, gdy Hartmanna zastrzelono, bał się cokolwiek robić z towarem i wolał wszystko wstrzymać, dopóki cała sytuacja się nie uspokoi. Ale potem był ten wypadek Signe, a gdy policja nagle zdołała go powiązać z tym *magazynem i zaczęła przyglądać się temu, co tam jest, wpadł w panikę. Nie potrafi wyjaśnić, dlaczego pozwolił, by cała wina spadła na Britt. W tej kwestii milczy.*

Kiedy razem z Britt wyjechałyśmy z Więzienia Zachodniego, zatrzymałyśmy się w sklepie, żeby nie wracała do zupełnie pustej lodówki. Przecież w domu nikt nie mieszkał od kilku tygodni. Powiedziała, że cieszy się z powrotu do swojej muzyki i ogrodu. Naprawdę sprawiała wrażenie uradowanej. Opowiadała o wszystkim, co będzie robić.

Oszukała mnie.

Zadzwoniłam do niej rano następnego dnia. Kilka razy. Nie odbierała, dlatego postanowiłam do niej pojechać. Zbiłam szybę na ganku, kiedy nie otwierała. Znalazłam ją w łóżku. Zerwała kilka ostatnich róż z ogrodu, zrobiła z nich bukiecik i położyła sobie na piersi razem ze zdjęciem Signe. Przy łóżku stała wiolonczela.

Zostawiła list, w którym oświadcza, że nie życzy sobie żadnego rozgłosu w związku z pogrzebem. Chce zostać pochowana po cichu przy Signe.

Ogromnie mi przykro, że muszę Ci o tym napisać.

Najserdeczniejsze pozdrowienia,
Twoja Louise

Słońce złociło ostre liście palm. Camilla siedziała na plaży i płakała. W wodzie Markus leżał na swojej

boogie board i kołysał się na falach. Jeszcze się nie zdoby-
ła na to, by powiedzieć mu o wszystkim, co się wydarzyło
w Kopenhadze.

Z oczu znów popłynęły jej łzy. W poczuciu bezsilno-
ści przyznała, że dla Britt taki koniec był chyba najlep-
szy. Jak mogła żyć dalej? Po co? Nic jej już nie zostało.
I chociaż w tej chwili żal wydawał się nie do przejścia,
Camilla mimo wszystko rozumiała jej decyzję.

Przyniosła sobie krzesło z tarasu na plażę i długo siedziała wpatrzona w Ocean Spokojny, pozwalając myślom
odpocząć.

Kauai była taka bujna, tak nasycona zielenią, że
natychmiast zrozumiała, dlaczego spośród siedmiu
hawajskich wysp właśnie tę nazywano Garden Island
i dlaczego wybrał ją na swój wakacyjny raj Frederik
Sachs-Smith.

Przylecieli rano samolotem z Honolulu, więc na razie
jeszcze za dużo tu nie widziała oprócz tego, co mijali,
jadąc przez wyspę samochodem z lotniska. Gdy tylko się
rozpakowali, skorzystała z komputera stojącego w salonie, żeby sprawdzić e-maile, i znalazła wśród nich
właśnie ten list wysłany przez Louise poprzedniego
wieczoru.

Camilla płakała głośno jak dziecko. Łzy z policzków
skapywały jej na pierś. Na brzegu Markus ćwiczył stawanie na krótkiej desce surfingowej i jazdę po falach.

Drgnęła przestraszona, słysząc za sobą głęboki męski
głos. Kiedy się odwróciła, słońce zaświeciło jej prosto

465

w oczy, więc dostrzegła tylko sylwetkę osoby idącej do niej od strony domu. W tym głosie pobrzmiewały troska i lekkie zdezorientowanie widokiem nieznajomej zapłakanej kobiety siedzącej na jednym z krzeseł należących do wyposażenia domu.

Camilla zawstydzona otarła policzki. Poczuła się przyłapana, a myślała, że jest sama ze swoim smutkiem.

– Przepraszam – powiedziała. – Nie wiedziałam, że ktoś jeszcze tu jest. Mój syn i ja przyjechaliśmy tu dziś rano. Pozwolono nam zatrzymać się w tym domu.

Sprawiał wrażenie starszego i niższego, niż go sobie wyobrażała.

– Właśnie się dowiedziałam o czyjejś śmierci – dodała dla wyjaśnienia.

– Przykro mi z tego powodu.

Walther Sachs-Smith wyciągnął rękę i powiedział, że nie ma za co przepraszać.

– To ja jestem tutaj nieproszonym gościem. Mój syn jest właścicielem tego domu, a nawet nie wie, że tu przebywam.

Camilla cofnęła się o krok, nie bardzo wiedząc, jak zareagować.

Na brzegu Markus wołał, żeby na niego patrzyła, bo nareszcie coś mu się udało. Na moment zapanował nad deską, ale kiedy Camilla się odwróciła, żeby podziwiać jego wyczyn, znów leżał w wodzie, cierpliwie przygotowując się do kolejnej próby.

– Wiem, kim pan jest – oświadczyła z uśmiechem, odrywając wzrok od syna i przenosząc go na głowę rodziny

Sachs-Smithów. – Ale trochę mnie zaskoczyło, że spotykam pana tutaj. Przecież pan podobno nie żyje...

Uśmiechnął się do niej i położył jej rękę na ramieniu, namawiając ją, żeby weszli do domu.

– Z tarasu też będziemy widzieć pani synka – powiedział.

Przystawił jej krzesło, wyszedł do kuchni i zaraz wrócił stamtąd z butelką białego wina i dwoma kieliszkami.

– Akurat w tej chwili uważam, że najlepiej zrobię, pozwalając ludziom pozostać w tym przekonaniu.

– Nie jestem pewna, czy Frederik w to wierzy. W każdym razie nie sprawiał wrażenia przekonanego o pana śmierci, kiedy go odwiedziłam.

Camilla wyciągnęła rękę i przedstawiła się. Zapomniała to zrobić, gdy tak nagle pojawił się na plaży.

– Prawdę mówiąc, przeprowadzałam wywiad z pańskim synem, bo chciałam się dowiedzieć, co myśli o całej tej historii – wyjaśniła, przyjmując pełny kieliszek.

Walther Sachs-Smith był szczupły i trzymał formę. Miał na sobie jasne szorty i luźną lnianą koszulę. Patrzył na nią życzliwie, lecz zdecydowanie, gdy siadał na miękkich poduszkach w bambusowym fotelu.

– Czy się pomylę, gdy stwierdzę, że rozpoznaję pani nazwisko? – spytał.

Camilla na moment odwróciła wzrok. W końcu pokręciła głową i przyznała, że nie może temu zaprzeczyć.

– Ale ostatnio nie pracuję jako dziennikarka, poza tym jednym wypadkiem, kiedy odwiedziłam Frederika.

– Bardzo bym sobie cenił, gdyby zachowała pani w tajemnicy to, że pani mnie tu spotkała.

Camilla się zawahała. Nie lubiła tego rodzaju umów, gdy czuła, że coś się może za tym kryć.

– Dlaczego to takie ważne dla pana, by ludzie wierzyli, że pan nie żyje?

Przez chwilę przyglądał jej się tak, jakby ją oceniał. W końcu wychylił się i złożył dłonie.

– Ponieważ jeszcze nie jestem gotowy na to, żeby się pojawiać. Wrócę do domu dopiero tego dnia, kiedy będę mógł udowodnić, że moja żona została zabita.

Zadumał się, jakby po raz pierwszy wypowiedział te słowa na głos.

Myśli Camilli pofrunęły do Britt i znów nie zdołała powstrzymać łez. Zaczęła szybko mrugać.

Plażą szedł do nich Markus. Dostrzegł mężczyznę i chyba się trochę zawstydził, ale ciekawość zwyciężyła.

– Moja żona została zabita, a jeśli ja zostanę odnaleziony, to też zginę. Dlatego takie ważne jest, abym się dowiedział, jak to zrobiono, zanim mnie znajdą. To jednak potrwa, ponieważ nie mogę jeszcze ujawnić tych informacji, które mam w domu. Dlatego mam nadzieję, że możemy się umówić, iż nie powie pani nikomu o naszym spotkaniu.

Camilla uświadomiła sobie, że przez całą jego przemowę wstrzymywała oddech.

– Oczywiście – obiecała, kiwając głową. – Chętnie też pomogę panu w ujawnieniu tego, co ma pan w domu.

Jedyny warunek z mojej strony to wyłączność na całą historię później.

Walther Sachs-Smith zastanowił się przez chwilę.

– Umowa stoi – powiedział i z uśmiechem podał jej rękę.

PODZIĘKOWANIA

B *ogini zemsty* to fikcja. Wszystkie opisane wydarzenia są prawdopodobne, a niektóre nawet rzeczywiste, ponieważ pomysł tej opowieści zrodził się w wyniku prawdziwej zrujnowanej imprezy. Również ona zakończyła się źle, chociaż nie tak tragicznie jak w powieści. Reszta wykluła się w mojej wyobraźni, a postaci z powieści nie są w żaden sposób podobne do prawdziwych osób.

Akcja toczy się w miejscach, które mają wiele wspólnego z rzeczywistymi miejscami, skorzystałam jednak ze swobody przysługującej pisarzom i niektóre z nich nieco zmieniłam, na przykład w porcie Svanemøllen istnieją zarówno kluby żeglarskie, jak i Sydmolen, ale w rzeczywistości wygląda on nieco inaczej, bo i barak na łodzie, i magazyn są dodane przeze mnie. Opisana w powieści siedziba rockersów także nie ma nic wspólnego z prawdziwymi gangami. Wytworem mojej wyobraźni jest również firma Termo-Lux. W tym miejscu chciałam podziękować adwokat Lone Brandenborg za wprowadzenie mnie w tajniki zmian pokoleniowych w zarządach, a także w prawo spółek i budowanie firmy.

Podczas pracy nad tą książką, podobnie jak przy poprzednich, najważniejsze dla mnie było zebranie odpowiednich materiałów, pozwalających na stworzenie realistycznego i wiarygodnego tła historii, dlatego chciałabym podziękować wszystkim, którzy poświęcali swój czas i pomagali mi uzgadniać wszystkie szczegóły.

Serdecznie dziękuję Trine Dancygier, szefowej istniejącej przy urzędzie skarbowym grupy zajmującej się tropieniem fałszerstw znaków towarowych, oraz Erikowi Mørkenborgowi za informacje dotyczące zwalczania przestępczości gospodarczej. Bardzo też dziękuję Grit Dirckinck-Holmfeld Westi za pokazanie mi świata muzyki klasycznej, tak ważnego dla moich bohaterek, Britt i Signe.

Jak zawsze kieruję podziękowania do moich przyjaciół z Kopenhaskiej Komendy Miejskiej Policji. Bez Was nie umiałabym zbudować świata Louise Rick.

Ogromnie dziękuję Tomowi Christensenowi z Lotnej Brygady policji, który towarzyszył mi od pierwszej linijki tej książki, pomagając w ustalaniu szczegółów. Jestem Ci wdzięczna za poświęcony mi czas i zaangażowanie.

Szczególne podziękowania kieruję jak zawsze do mego przyjaciela z Instytutu Medycyny Sądowej, Steena Holgera Hansena, który nieodmiennie od samego początku pomaga mi w pracy przy konstruowaniu intrygi. Bez Ciebie ta książka by nie powstała.

Wdzięczna jestem również dziennikarce Lotte Thorsen, która tak świetnie radzi sobie ze słowami. Dziękuję, że zechciałaś czytać tę powieść razem ze mną i mądrze komentować, co z pewnością wyszło książce na dobre.

Chciałabym podziękować również mojej świetnej redaktorce Lisbeth Møller-Madsen i mojemu wydawnictwu People'sPress. Praca z Wami to prawdziwa przyjemność.

Bardzo dziękuję mojemu szwedzkiemu agentowi Joakimowi Hanssonowi i całej Nordin Agency. Serdeczne dzięki za pracę, którą dla mnie wykonujecie, i za to, że chcecie dla mnie jak najlepiej. Bardzo się cieszę, że jestem z Wami.

Najserdeczniejsze podziękowania kieruję do mojego męża Larsa i jego dwóch cudownych córek, Caroline i Emmy, za to, że zawsze wytrzymują, kiedy tyle czasu poświęcam na pracę. A przede wszystkim dziękuję mojemu kochanemu synowi Adamowi, który przejechał ze mną zachodnie wybrzeże USA. Jesteście najlepszym, co mnie spotkało.

Sara Blædel